Une POLICE
professionnelle
de type communautaire

Les Éditions du Méridien bénéficient du soutien financier du Conseil des arts du Canada pour son programme de publication.

Le Conseil des Arts | The Canada Council
du Canada | for the arts
depuis 1957 | since 1957

Données de catalogage avant publication (Canada)

Normandeau, André, 1942-
Une police professionnelle de type communautaire

(Cursus Universitaire)
Comprend des références bibliographiques et un index.

ISBN 2-89415-225-6 (v. 1)
ISBN 2-89415-206-X (v. 2)

1. Police communautaire. 2. Police - Professionnalisation.
3. Criminalité - Prévention. 4. Protection civile. 5. Police communautaire - Québec (Province). I. Titre. II. Collection.

HV7936.C83N67 1998   363.2'3   C97-941503-9

Adresse électronique: info@editions-du-meridien.com
Site web: www.editions-du-meridien.com

DISTRIBUTEURS :

CANADA :
Messagerie ADP
955, rue Amherst
Montréal (Québec)
H2L 3K4

EUROPE ET AFRIQUE :
Éditions Bartholomé
Diffusion Point Social
16, rue Charles Steenebruggen
B-4020 Liège
Belgique

ISBN 2-89415-225-6

© Éditions du Méridien
Dépôt légal: 1er trimestre 1998
Bibliothèque nationale du Québec
Bibliothèque nationale du Canada

Imprimé au Canada

Une POLICE
professionnelle
de type communautaire

*Sous la direction
d'André Normandeau, Ph.D.
Criminologue, professeur
École de criminologie
Centre international de criminologie
Université de Montréal
Directeur du Groupe de recherche
sur la police québécoise (GRPQ)*

Tome 2

Collection
Cursus universitaire

Méridien
ÉDITIONS DU MÉRIDIEN

Présentation de l'auteur

André Normandeau, Ph.D
Criminologue, professeur
École de criminologie
Centre international de criminologie
Université de Montréal
Directeur du Groupe de recherche sur la police québécoise (GRPQ)

Directeur de l'École de 1970 à 1980, directeur du Centre de 1983 à 1988, l'auteur est le directeur du Groupe de recherche sur la police québécoise (GRPQ) depuis 1990. Détenteur d'une maîtrise en criminologie et d'un doctorat en sociologie de l'Université de la Pennsylvanie à Philadelphie, il a subséquemment fait des stages d'études à l'Université de la Californie à Berkeley, San Francisco ainsi que dans quelques universités européennes. Au cours des dernières années, il a été professeur invité en droit et en criminologie aux universités de Paris, d'Aix-en-Provence et de Marseille, ainsi que de Toulouse, de Poitiers et de Bordeaux. Il a participé également aux travaux du Centre d'études et de recherches sur la police (CERP) de l'Université des sciences sociales de Toulouse ainsi que du Centre de formation de la police nationale (Ministère de l'Intérieur) de Bordeaux.

Membre du Comité (Bellemare) sur les relations entre la police et les minorités ethniques au Québec (1988), il était responsable du Livre vert du Gouvernement du Canada : *Une vision de l'avenir de la police au Canada : Police-Défi 2000* (1990). Dans le sillage de ce travail pancanadien, il a participé activement à la promotion du modèle de police professionnelle de type communautaire pour la Communauté urbaine de Montréal, pour le ministère de la Sécurité publique du Québec ainsi que pour le ministère du Solliciteur général du Canada. Ce modèle est maintenant le modèle officiel du Service de police à Montréal (SPCUM), à la Sûreté du Québec (SQ), à la Gendarmerie royale du Canada (GRC) et ailleurs au pays et à l'étranger.

L'auteur a déjà publié plusieurs livres et plusieurs articles scientifiques et populaires au Québec, en Amérique et en Europe, dont deux livres publiés par les Éditions du Méridien : *Le vol à main armée* (1986) et *Justice et communautés culturelles* (en collaboration avec E. Douyon, 1995).

PRÉFACE

De la police professionnelle (PP) à la police professionnelle de type communautaire (PPC)

C'est avec plaisir que j'ai accepté de rédiger quelques mots au sujet d'un livre qui est en fait un outil important pour les policiers et les citoyens. Ce livre présente quelques projets de police professionnelle de type communautaire (PPC) au Québec et au Canada dont nous pouvons être fiers.

La police a évolué constamment au cours de ce XXe siècle qui s'achève. Elle s'est largement professionnalisée. Positive dans son ensemble, cette professionnalisation avait jusqu'ici, malheureusement, éloigné la police de la population. Le grand changement des années 80 et 90 est précisément lié à la volonté de rapprocher le policier et la policière de la communauté : des élus politiques aux citoyens par leurs associations et leurs groupes de pression. Cette police est dorénavant à la fois « professionnelle » et « communautaire ». Professionnelle, elle l'est même encore plus qu'autrefois, puisque le cœur de ses activités est orienté vers la résolution des problèmes associés au désordre et à la criminalité. Communautaire, elle le devient de plus en plus chaque jour, lorsque des citoyens acceptent de donner quelques heures de leur précieux temps à titre de partenaires pour des projets de prévention de la criminalité, par exemple.

Ce modèle de PPC doit maintenant être taillé sur mesure selon les besoins des citoyens d'une municipalité ou d'un quartier. C'est un modèle polyvalent et flexible.

Je félicite André Normandeau pour la préparation d'un livre qui, pour la première fois en langue française, nous permet de saisir un certain panorama de la PPC en Amérique du Nord.

Roland Bourget

Directeur du Service de police de la Communauté urbaine de Montréal (1985-1989)
Directeur du Service de la protection publique de Sainte-Foy (1989-1993)
Consultant en organisation policière (depuis 1994)

En guise d'introduction : la PPC

André Normandeau
Criminologue, professeur
Université de Montréal

La police de l'an 2000 que nous développons actuellement est fondée sur une « philosophie d'action » et sur une « stratégie organisationnelle et opérationnelle », qui comportent deux grands volets, soit le volet professionnel et le volet communautaire. Une **police professionnelle** vise essentiellement à résoudre les problèmes liés à la sécurité publique, notamment en utilisant **l'approche en résolution de problèmes**. C'est une **police d'expertise** (*Problem-Oriented Policing* ou **POP**, selon le terme américain). Une **police communautaire** (*Community-Oriented Policing* ou **COP**), par ailleurs, résout certains de ces problèmes en **partenariat** avec les citoyens, au sens large. Ceci inclut les élus politiques, les diverses associations, les groupes de pression, les autres services publics (éducation, emploi, santé, services sociaux, logement, etc.), les autres services publics de justice (tribunal, centres d'accueil et prisons, solutions de rechange communautaires, etc.), et les services privés (les Églises, les organismes communautaires, les bénévoles, les agences de sécurité privée, les gens d'affaires, les journalistes, etc.). Ce partenariat est en quelque sorte le **G-7** de la sécurité publique de l'an 2000 !

En fait, l'expression la plus juste est celle d'une **police professionnelle de type communautaire (PPC)**. Ce modèle de police relativement récent, celui des années 90, nous mène à la police de l'an 2000. Déjà un **large consensus** existe autour de ce modèle et s'exprime publiquement. Par exemple :

— Le *Livre vert* du Gouvernement du Canada sur la police de l'an 2000 (Normandeau et Leighton, 1990, 1991 ; Solliciteur général du Canada, 1994, 1995).

— Les *commissions d'enquête* importantes et les politiques sur l'avenir de la police au Québec (Malouf, 1994), en Ontario (1990,1995), au Nouveau-Brunswick (1993), en Colombie Britannique (1990, 1993, 1994).

— Les *projets d'action* (1990-1995) des services de police municipaux de Halifax (1995), Montréal (1995), Laval (1993), Toronto (1990), Calgary (1995), Edmonton (1990, 1995) et Vancouver (1995) ; des services de police provinciaux du Québec (1993, 1994) et de l'Ontario (1993) ; ainsi que des projets nationaux de la Gendarmerie royale du Canada (1995).

— Les *projets américains* d'envergure à New York (McElroy *et al.*, 1993), à Chicago (Skogan, 1993-1996) et ailleurs aux États-Unis (Rosenbaum, 1994 ; Lurigio et Rosenbaum, 1994 ; Peak et Glensor, 1996).

— Le *Livre blanc* ou *l'Énoncé directionnel* récent du Service de police de la Communauté urbaine de Montréal (1995), intitulé : *Vers la police de quartier*, est un exemple fort révélateur de ce large consensus.

Notre livre vise précisément à tracer les contours du modèle d'une police professionnelle de type communautaire (PPC) — les projets concrets, ses avantages et ses désavantages — à partir des projets des services de police du Québec et du Canada. Jusqu'ici, nous avons surtout calqué les projets américains. Il était temps de mettre en valeur les projets québécois, tout en jetant un regard sur l'étranger. C'est ainsi que deux chapitres font un bilan du modèle PPC aux États-Unis et en France, même si la majorité des chapitres décrivent la scène québécoise et canadienne.

Le collectif que nous vous présentons est un recueil qui regroupe les textes autour de six thèmes :

A. La toile de fond : le « G-7 » de la police (André Normandeau ; Gail Young).

B. La police professionnelle de type communautaire aux États-Unis et en France (Barbara Jankowski; George Kelling; Wesley Skogan; James Wilson).

C. Une police d'expertise et la méthode SARA : une stratégie de résolution de problèmes (Christopher Murphy; Sûreté du Québec; le bulletin *Intersection*).

D. Les leaders dans le domaine de la police professionnelle de type communautaire au Québec et au Canada (Serge Barbeau; Isabelle Bastien; Pierre Brien; Maurice Chalom; Gilbert Cordeau; Danielle Cornellier; Jean De Montigny; Jacques Duchesneau; Carl Gauthier; Mario Lafrance; Claude Lavoie; Donald Loree; Jean Marc-Aurèle; Tonita Murray).

E. La police et la prévention du crime (Louise L. Biron; Maurice Cusson; Rachel Grandmaison; Marc Ouimet; Pierre Tremblay).

F. En guise de conclusion : une réflexion critique (Jean-Paul Brodeur) ainsi qu'un bilan de la recherche évaluative et un guide de lecture sur la police professionnelle de type communautaire (André Normandeau).

Trois des textes sont signés personnellement par les directeurs (et leurs associés) des principaux services de police au Québec, soit les directeurs Serge Barbeau (Sûreté du Québec), Jacques Duchesneau (Montréal) et Jean Marc-Aurèle (Laval). C'est un signe évident et un symbole important d'un leadership qui embrasse pleinement le modèle PPC.

Le premier thème, présenté par André Normandeau, définit la **toile de fond** de la PPC, en retrace brièvement l'évolution historique et esquisse les facilitateurs (néoténie) et les résistances (misonéisme) au changement. Il présente le « G-7 » du modèle PPC, soit les principaux partenaires de la sécurité publique, et soumet un certain nombre d'interrogations professionnelles ainsi que quelques enjeux critiques. Cette toile de fond est complétée par l'article de Gail Young, qui nous donne un aperçu statistique sur la police dans l'ensemble du Canada.

Le thème suivant sur la **PPC aux États-Unis et en France** est introduit par le texte maintenant célèbre de James Wilson et George Kelling sur la sécurité du voisinage et le phénomène des «vitres cassées». La fenêtre brisée, c'est le signe du déclin d'un milieu de vie, d'une vie de quartier, et de la prolifération de multiples désordres sociaux que nous appelons à l'occasion des «incivilités». Il en découle un sentiment d'insécurité profond qui laisse libre cours, encore plus qu'auparavant, au déploiement de la délinquance. C'est ce cercle vicieux que le modèle de police communautaire essaie de maîtriser pour redonner le quartier à ses habitants. Dans cette perspective, Wesley Skogan nous trace le portrait de la PPC aux États-Unis au niveau du concept et de la pratique dans une dizaine de villes ainsi que de son évaluation empirique. Pour sa part, Barbara Jankowski présente la situation en France où l'on parle de «police de proximité». Elle nous brosse un bref panorama historique et elle fait le bilan de la recherche au sujet de l'îlotage dans les quartiers difficiles.

Le troisième thème traite de **la police d'expertise: la méthode SARA.** Il s'agit de la partie hautement professionnelle du travail des policiers. En effet, le policier dit communautaire ne peut se contenter de «prendre le café» avec le citoyen ou un bénévole. Il lui faut résoudre un certain nombre de problèmes liés à la sécurité publique. Une expertise en matière de résolution de problèmes doit être développée. L'article de Chris Murphy est un manuel pratique qui explique les différentes étapes d'une méthode de travail bien connue dans le domaine de l'administration et de la gestion: la méthode SARA: étude systématique de la **situation; analyse** rigoureuse du problème; plan d'action en terme de **réponse** et de solution; mise au point d'une évaluation empirique des résultats, d'une **appréciation** de la qualité du plan d'action. Le manuel de Chris Murphy fait partie d'une série de dix manuels pratiques sur différents aspects de la PPC que le ministère du Solliciteur général du Canada a développée à l'intention des policiers et des praticiens. Les deux textes suivants dans ce volet sur la police d'expertise complètent le portrait en présentant le guide pratique de la Sûreté du Québec à ce sujet ainsi qu'une série d'études de cas concrets (en bref) pour illustrer cette approche, série développée par le bulletin *Intersection*.

Le quatrième thème, probablement le plus important pour l'avenir de la PPC, fait un tour d'horizon de la **vision** des **leaders** qui dirigent les principaux projets de PPC en vigueur à la Sûreté du Québec (4 000 à 4 500 policiers), à la Communauté Urbaine de Montréal (4 000 à 4 500 policiers), au Service de police de Laval (400 à 450 policiers) et à la Gendarmerie royale du Canada (15 000 à 16 000 policiers). Ces projets sont présentés à la lumière de la « petite histoire » de la PPC dans chacun des services de police, de leurs principes d'action, de leurs pratiques, d'une certaine évaluation surtout qualitative des résultats, ainsi que d'une vision de l'avenir à court et à moyen terme.

Le cinquième thème élargit le sujet de la PPC au thème de **la prévention du crime.** Les projets de prévention constituent le cœur de la PPC puisque l'objectif ultime d'un service de police est de diminuer l'incidence de la délinquance pour ainsi raffermir le sentiment de sécurité des citoyens dans une perspective de « qualité de vie » sociale. Le texte de Maurice Cusson et de ses collaborateurs trace un panorama des types de prévention du crime tout en privilégiant subséquemment la « prévention situationnelle ». Les auteurs l'illustrent à partir d'une sélection fort pertinente de cas présentés succinctement sous forme de vignettes. Les thèmes principaux retenus sont celui de la conception et de la planification d'un projet, et celui de son évaluation.

Enfin, **en guise de conclusion**, Jean-Paul Brodeur nous livre quelques réflexions critiques, à la lumière d'une analyse serrée de la pensée du pionnier-fondateur moderne de la PPC, l'américain Herman Goldstein, qui est en quelque sorte le « gourou » de l'approche.

Dans le mot de la fin, André Normandeau nous livre pour sa part un bilan provisoire de la recherche évaluative sur la PPC au Québec, au Canada et aux États-Unis. Finalement, un guide de lecture sur la PPC est proposé au lecteur intéressé.

Sir Robert Peel... « de Montréal » !

À tout seigneur, tout honneur! Le point de départ de la police professionnelle de type communautaire, en particulier en ce qui concerne le volet communautaire, est lié à Sir Robert Peel (1788-1850), le créateur de la police civile et démocratique moderne. Il fut non seulement le ministre de l'Intérieur responsable de la police, mais également, et à plusieurs reprises, le Premier ministre du Royaume Uni et de l'Angleterre. La rue Peel, à Montréal, porte d'ailleurs ce nom en son honneur et l'expression britannique populaire et amicale de *Bobbies* pour identifier familièrement les policiers britanniques est liée à son prénom (Robert = Bob = Bobbies). Parmi les neuf principes classiques (1829) énoncés par Peel lors de la présentation officielle au Parlement britannique de la « première Loi de police » en Occident, trois d'entre eux nous semblent encore particulièrement pertinents. Il s'agit des principes suivants :

> Principe n° 2 : « Ne jamais perdre de vue que, si la police veut être en mesure de s'acquitter de ses fonctions et des ses obligations, il faut que le public approuve son existence, ses actes et son comportement, et qu'elle soit capable de gagner et de conserver le respect du public. »

Principe nº 3 : « Ne jamais perdre de vue que gagner et conserver le respect du public signifie aussi s'assurer de la coopération d'un public prêt à aider la police à faire respecter les lois. »

Principe nº 7 : « Toujours maintenir avec le public des relations qui soient de nature à concrétiser la tradition historique selon laquelle la police est le public et le public, la police, les policiers n'étant que des membres du public payés pour s'occuper, à temps complet, en vue du bien-être de la communauté, de tâches qui incombent à chaque citoyen. »

Comme l'écrivait si bien le poète français bien connu, Paul Verlaine, (1844-1896) : « Et tout le reste n'est que littérature. »

Références bibliographiques

Le lecteur est invité à consulter le guide de lecture sur la police professionnelle de type communautaire (PPC) reproduit à la fin de notre livre (tome 2).

Remerciements

Qu'il me soit permis de remercier chaleureusement Madame Caroline Guay, secrétaire à l'École de criminologie de l'Université de Montréal, pour son travail minutieux lors du traitement de texte de ce livre.

LES LEADERS DANS LE DOMAINE DE LA POLICE PROFESSIONNELLE DE TYPE COMMUNAUTAIRE AU QUÉBEC ET AU CANADA

La police professionnelle de type communautaire et l'approche stratégique en résolution de problèmes à la Sûreté du Québec (SQ)*

Serge Barbeau

Directeur général de la SQ
Maîtrise de l'École nationale d'administration publique (ENAP)
Université du Québec

Mario Lafrance

Chef de cabinet du directeur général de la SQ
Maîtrise de l'École nationale d'administration publique (ENAP)
Université du Québec

Danielle Cornellier

Analyste à la direction des relations communautaires de la SQ
Maîtrise en sociologie de l'Université de Montréal

Carl Gauthier

Analyste stagiaire à la direction des relations
communautaires de la SQ
Maîtrise en criminologie de l'Université de Montréal

* Nous remercions le sergent Claude Levac, de la Direction des relations communautaires, pour son apport significatif à ce document, lors des discussions concernant les constats évaluatifs et les pistes d'avenir. Ce texte représente l'état de la situation à la SQ lors de l'étape du décollage du modèle PPC. Ce modèle est évidemment en transformation d'une année à l'autre.

Introduction

La police communautaire

L'ensemble des organisations policières œuvrant dans les pays occidentaux ont vu dans le concept de la police de proximité (ou de l'approche communautaire) une voie prometteuse pour l'avenir. Par contre, il existe plusieurs définitions de ce concept moderne de police. C'est en se penchant sur les caractéristiques essentielles de ce modèle que quelques unes ont inspiré la démarche de la Sûreté du Québec, notamment les suivantes.

L'approche communautaire est une entreprise conjointe de la police et de la communauté, qui conjuguent leurs efforts afin de définir les problèmes relatifs à la sécurité publique, d'en cerner les causes profondes et de mettre en œuvre par la suite des solutions qui diminueront ou élimineront en permanence ces problèmes. Dans cette optique, cette approche permet d'accroître l'efficience, l'efficacité et la rentabilité des services de police par l'application d'un mode différent de prestation de services.

L'approche client

Ce rapprochement essentiel avec la population desservie, dans le but d'offrir une planification et une dispensation de services plus « adaptés » aux attentes et besoins exprimés, mène directement vers le concept de l'approche client et de ses grandes caractéristiques. Les années 90 dictent d'ailleurs la nécessité et le bien-fondé de cette approche et ce, tant dans les secteurs privé que public. Dans cette optique, il est de plus en plus reconnu que l'une des facettes de la mission policière qui exige le plus souvent une intervention ce sont les problèmes et les préoccupations des citoyens. Aussi, l'essence de la responsabilité policière a dorénavant pour but de satisfaire les besoins de la communauté au plan local. Selon cette vision, la police est un des services essentiels responsables de la qualité de vie au sein de la communauté.

Par contre, instaurer les notions fondamentales de la stratégie «service à la clientèle» au sein d'une organisation policière comporte sa part de complexité. En effet, la compromission demeure un enjeu majeur pour tout service de police. Et cela se comprend facilement. Il existe une crainte réelle et bien légitime chez les policiers : tout rapprochement avec la clientèle peut compromettre leur neutralité dans l'accomplissement de leur travail[1]. La Sûreté du Québec devait donc trouver une façon d'adapter l'approche client pour répondre à cette préoccupation fondamentale.

En premier lieu, ce document expose la problématique à laquelle la Sûreté était confrontée au début de 1992, ainsi que la philosophie qui a inspiré l'essentiel de cette démarche de changement organisationnel. Ensuite, il présente le modèle retenu. Finalement, il brosse un tableau de quelques résultats et de certains constats évaluatifs. Enfin, le document dégage des pistes d'avenir pour assurer la consolidation du projet au sein de l'organisation.

Philosophie

Rappel historique

La Sûreté du Québec est une organisation centenaire[2], composée de plus de 4 000 policiers affectés en majeure partie

---

1. La compromission peut entraîner une perte d'autorité des policiers, lors d'une éventuelle intervention à caractère répressif ou risquer d'entacher leur intégrité professionnelle.
2. La Sûreté du Québec fut créée le 1er février 1870.

dans 113 postes répartis sur le territoire québécois. Depuis la création de la Direction des relations communautaires en 1987, l'organisation a amorcé sa marche en avant en vue d'affronter les années 90. Cette même année, une nouvelle philosophie prônait la mise en place d'une « police communautaire » et a servi d'assise au cheminement effectué.

Cinq ans plus tard, La Sûreté du Québec parvient à fusionner cet énoncé philosophique à la gestion courante de l'organisation. En effet, en janvier 1992 l'État-major général de la Sûreté du Québec prend une décision d'importance, soit de mettre sur pied un processus permanent de consultation de la clientèle et ce, sur l'ensemble du territoire qu'elle dessert. À partir de ce moment, il s'agit de planifier et opérationnaliser des services « adaptés » aux attentes et aux besoins de la population.

La mise en place de cette consultation systématique permettra ainsi à l'organisation, par la voie de chacun de ses points de service, d'améliorer ses connaissances en ce qui a trait aux perceptions, attentes et besoins de la population qu'elle dessert. Mais ce projet comporte également d'autres objectifs tout aussi importants. Les résultats de cette démarche de rapprochement auprès des citoyens doivent être intégrés directement au mode de gestion actuel afin de garantir une importante évolution de la planification des services. De plus, le dialogue doit tendre vers une plus grande mobilisation de la population dans l'environnement de chacun des postes.

Exprimant clairement une vision corporative axée sur l'avenir, ce projet vient confirmer la volonté de l'organisation de poursuivre le cheminement amorcé en 1987. Il s'agit, il va sans dire, d'un « projet d'entreprise » d'envergure qui touche une centaine de postes de la Sûreté du Québec et qui, somme toute, vise une plus grande harmonisation de l'organisation avec son environnement.

Le point essentiel et novateur de la mise en place de ce processus permanent de consultation auprès de la clientèle réside donc dans le fait qu'il est intégré au mode de gestion de l'organisation. En effet, comme bien d'autres organisations policières, la planification de services se faisait en majeure partie selon la « vision interne » de la situation.

Deux ans plus tard, les résultats très articulés de la consultation fournissent un portrait clair des besoins de la communauté. Cependant, les chefs de poste, responsables des comités consultatifs sur leur territoire, ne sont pas toujours à l'aise pour répondre aux attentes des citoyens. C'est ainsi qu'à l'automne 1994, un premier groupe d'officiers et de sous-officiers, répartis dans tous les districts de la Sûreté du Québec, est initié à l'approche stratégique en résolution de problèmes.

L'implantation de celle-ci demeure un énorme défi pour toute organisation policière. En effet, pour atteindre des résultats significatifs dans la planification et la dispensation de services, c'est l'intégration de l'ensemble des corridors d'action qui doit être visée. Ainsi, le modèle de base suppose que les enquêteurs et les préventionnistes puissent faire équipe dans la résolution d'un problème. Au même titre, les membres de la communauté peuvent également être appelés à y contribuer.

Un virage stratégique pour la Sûreté du Québec

Que s'est-il donc produit dans l'environnement de la Sûreté du Québec pour faire en sorte que ses dirigeants passent d'une planification dont le mode de référence d'une situation se faisait principalement par l'interne, vers un mode de référence tournée surtout vers l'externe?

L'environnement externe

En janvier 1992, la situation dans laquelle se retrouve l'organisation comporte plusieurs aspects qui obligent une période de transition importante. En effet, plusieurs éléments nouveaux, dans l'environnement externe, la contraignent à réagir.

À cette époque, la Sûreté du Québec, à l'instar de tous les autres organismes du secteur public québécois, doit faire face à une rationalisation de ses ressources. De plus, l'adoption d'une nouvelle loi provinciale en juin 1991, la Loi 145, impose un important remaniement des transferts fiscaux en rabattant aux municipalités du Québec une partie des dépenses encourues pour l'obtention des services de base de police offerts par la Sûreté. Dans l'opinion populaire et chez les élus municipaux, cette nouvelle « dépense » semble outrageuse puisque, selon certains, ils obtenaient auparavant les mêmes services mais « gratuitement ». Enfin, au sein des communautés desservies par les postes de la Sûreté, un nouvel état d'esprit émerge. En effet, les citoyens et citoyennes s'intéressent de plus en plus à la sécurité publique et démontrent une volonté nouvelle de participation quant aux décisions concernant la sécurité dans leur milieu de vie.

Les quelques analyses effectuées, confirment que les populations desservies par les postes de la Sûreté du Québec accepteraient d'emblée cette nouvelle ouverture au dialogue continu et constructif.

L'environnement interne

■ L'intégration d'une innovation en milieu organisationnel

À ce moment, la Sûreté du Québec était sans conteste face à la mise en place d'une innovation d'envergure. Celle-ci dépasse largement le simple changement qui ne touche qu'une partie ou un secteur d'activités de l'organisation. L'intégration du dialogue avec la clientèle dans la gestion quotidienne exige en effet une intervention sur la culture organisationnelle. Ce constat a mené à camper la démarche de réalisation sur les plus récentes découvertes et théories concernant l'intégration d'une innovation en milieu organisationnel.

Susciter l'intérêt chez les leaders formels et informels de l'organisation et mobiliser le personnel constituaient alors les résultantes recherchées par la stratégie d'implantation choisie.

- La fusion au mode de gestion

Il aurait été téméraire de canaliser les énergies une nouvelle fois dans un projet n'offrant pas de possibilités de réalisations concrètes et utiles et ce, à court, moyen et long terme puisqu'une organisation vieille de 125 ans a déjà vu poindre à l'horizon des «projets de relance» qui, dans bien des cas, disparaissaient aussi rapidement.

Au même titre, pour respecter la structure actuelle de l'organisation, le projet devait assurer l'interface entre les trois niveaux existants, soit : le local, chacun des postes de la Sûreté ; le régional, chacun des neuf districts ; le provincial, le territoire complet couvert par la Sûreté du Québec.

La planification opérationnelle de la Sûreté du Québec fonctionne selon un modèle adapté de gestion par objectifs, lui permettant une révision annuelle de la planification des services. Aussi, l'objectif fondamental était l'intégration du dialogue avec la clientèle à ce mode de gestion.

Un des gages de réussite de l'implantation de cette innovation réside dans le fait que l'intervenant de première ligne puisse sentir qu'une marge d'autonomie lui soit reconnue. Pour que cet enjeu soit respecté, l'ensemble de la démarche d'implantation s'est déroulée selon le principe de la «modélisation».

Dans cette optique, le responsable de poste doit respecter un encadrement minimal en vue d'assurer une certaine uniformité, mais il peut dès lors «adapter» son comité au contexte qui est propre au poste qu'il gère. On s'assure ainsi que d'une part l'intégration au mode de gestion demeure le dénominateur commun du modèle retenu et que d'autre part, la problématique des différences entre chacun des districts, ou même de certains postes au sein d'un même district, soit reconnue, acceptée et prise en compte en grande partie.

Il est important de souligner que le choix d'aborder l'implantation du processus de consultation de la clientèle par la voie de la gestion est la clé du succès du projet. Cette « façon de voir » permet d'y attribuer une dimension élargie. On peut donc concevoir ce dialogue avec la clientèle comme une « valeur ajoutée » à la planification de services. Il vient influencer l'ensemble des champs d'activités du poste et dépasse la simple mise en place d'un programme isolé de relations communautaires, détaché du travail quotidien des policiers.

- **Une implantation réaliste et viable**

Pour mettre en application un tel modèle de police, il semble clair que quatre étapes d'opération doivent être franchies. Un rapprochement avec les citoyens doit être effectué afin d'acquérir une meilleure connaissance des attentes et besoins des différentes clientèles desservies. L'intégration des résultats de la consultation au mode de gestion concrétise l'ouverture de l'organisation vers un dialogue permanent avec les citoyens. Une forme de co-responsabilisation doit être initiée afin de créer un nouveau « contrat social » au sein duquel les policiers et les citoyens deviennent en quelque sorte co-propriétaires des problèmes et co-producteurs des solutions. Et finalement, la mise en place d'une police d'expertise, encourageant l'intervention stratégique (Approche stratégique en résolution de problèmes), doit venir compléter les trois étapes précédentes puisque ces dernières feront évoluer la nature même de la demande. Ces étapes sont présentées selon l'échelle de GUTTMAN qui en facilite la visualisation. Cette échelle offre l'avantage de séquencer des objectifs qualitatifs selon un ordre déterminé de réalisation. Pour passer d'une étape à l'autre, les précédentes doivent être complétées. Le projet doit absolument se réaliser selon cette séquence.

Séquence de mise en place du processus permanent de consultation à la Sûreté du Québec

Échelle de GUTTMAN

6. Utilisation stratégique des ressources à la Sûreté du Québec

5. Vision globale des besoins des citoyens en sécurité publique

4. Mise en place du modèle : police d'expertise (A.S.R.P.)

3. Instauration d'une forme de co-responsabilisation interne-externe

2. Intégration des résultats de la consultation au mode de gestion de l'organisation

1. Amélioration continue des connaissances sur les attentes et besoins de la communauté

- Une formation sur mesure

La formation dispensée aux policiers de la Sûreté du Québec est également un facteur critique à la réussite de l'intégration du dialogue avec la clientèle à la gestion policière moderne. Cette formation doit être pragmatique et tenir compte des caractéristiques culturelles et organisationnelles des policiers et de leur environnement de travail.

Quatre principes sont respectés : 1. assurer une compréhension maximale des participants quant à la nature du dialogue avec la clientèle et ses enjeux pour les services policiers ; 2. reconnaître la charge de travail que la mise en place du processus de consultation exige de la part des policiers ; 3. clarifier les paramètres du modèle adopté ; 4. démystifier l'utilisation des outils de gestion encadrant le processus de consultation.

Pour garantir le maximum d'efficacité, la formation est dispensée en mode « vertical ». En d'autres mots, tous les

22

intervenants directs de chaque district sont formés au cours d'une session commune. Ainsi, le commandant de district, son responsable du bureau de la surveillance du territoire, le responsable de l'unité des relations communautaires, le responsable de poste et le policier choisi pour devenir secrétaire du comité consultatif participent ensemble à la formation. Cette méthode permet de mobiliser l'ensemble des décideurs et intervenants au sein d'un district vers l'atteinte des objectifs poursuivis. Depuis septembre 1994, cette formation continue d'être dispensée au personnel nouvellement nommé à des fonctions qui l'amèneront à participer de près ou de loin au processus permanent de consultation de la clientèle.

Dans un deuxième temps, à l'automne 1994, une formation en approche stratégique en résolution de problèmes a été dispensée pour la première fois à une vingtaine de sous-officiers et officiers répartis dans les neuf districts de la Sûreté du Québec. La formation, conçue et dispensée en collaboration avec l'École de criminologie de l'Université de Montréal, visait d'une part, à sensibiliser les participants aux fondements théoriques de cette approche et d'autre part, à les habiliter à l'appliquer lorsque la situation l'exige. Ceux-ci devaient jouer ensuite le rôle d'agents multiplicateurs auprès des policiers dans les districts. La méthode pédagogique s'est appuyée entre autre sur l'étude de cas pratiques.

Description du modèle

Phase 1 : Consultation de la clientèle

Le processus de consultation constitue la première phase du projet de changement organisationnel vers la police communautaire. Ce dialogue permanent est la concrétisation d'une forme de partenariat avec les citoyens desservis par la Sûreté du Québec. Voici, présentés sommairement, les principaux éléments de ce processus permanent de consultation de la clientèle:

Fonctionnement du comité

Le mandat de chacun des comités consultatifs consiste à assurer: la mise en place d'un «lien privilégié de communication» entre la Sûreté et la clientèle desservie; l'identification des attentes et des besoins locaux, en concertation avec la clientèle desservie par chacun des postes de la Sûreté; le maintien d'une consultation «systématique» afin d'intégrer à la planification de services, les préoccupations des citoyens en regard du maintien de la sécurité publique et du travail de la police et en regard de leur niveau de satisfaction face aux services actuels.

Rôle du comité consultatif multifonctionnel

La particularité des comités consultatifs à la Sûreté du Québec réside dans le fait que les citoyens et citoyennes invités à y siéger procèdent eux-mêmes à la consultation. Le rôle que les membres sont appelés à y jouer doit leur permettre, par différentes fonctions, de remplir le mandat du comité. Ces derniers sont donc appelés à:

— consulter les organismes ou groupes qu'ils représentent, à l'aide d'outils prévus à cette fin, dans le but d'identifier les attentes et les besoins spécifiques de leurs groupes respectifs en matière de sécurité publique et de police sur leur territoire;

— informer le responsable de poste et le comité des résultats de la consultation;

— suggérer au responsable de poste et au comité des pistes de solution impliquant la communauté face aux différents problèmes identifiés;

— agir comme agents de liaison entre les citoyens et citoyennes et la Sûreté ;

— appuyer, s'il y a lieu, l'action préventive des policiers dans le cadre de programmes visant à atténuer les problèmes identifiés ou à diminuer l'insécurité des gens ;

— favoriser la mobilisation des citoyens et citoyennes.

Composition du comité

Un comité doit être le plus représentatif possible de la clientèle desservie par le poste concerné. De manière générale, ils sont composés d'un nombre optimal de membres (12). Différents groupes de citoyens sont considérés dans la composition d'un comité consultatif. En 1995, leur répartition pour l'ensemble des comités consultatifs est la suivante :

Le chef du poste local de la Sûreté du Québec préside les rencontres du comité et un policier occupe la fonction de secrétaire. C'est au chef de poste que revient la responsabilité de la mise sur pied du comité et de son fonctionnement dynamique.

Processus de consultation

Les travaux des comités consultatifs s'intègrent au cycle annuel de la gestion par objectifs, à tous les niveaux de l'organisation. Ceci constitue un système d'information dynamique intégré au processus annuel de gestion. Comme la création et le fonctionnement de ces comités représentent un investissement important de temps et d'énergie pour les citoyens et citoyennes invités-es à y siéger, le suivi des activités accomplies est capital. Tous les niveaux décisionnels, ayant un rôle à jouer dans l'équation entre les besoins de la clientèle et la qualité des services offerts par la Sûreté, doivent avoir accès et s'inspirer des résultats des travaux des comités. Par conséquent, les résultats de la consultation des

Figure 1

Comité consultatif, tous les districts (catégorie de répondants)

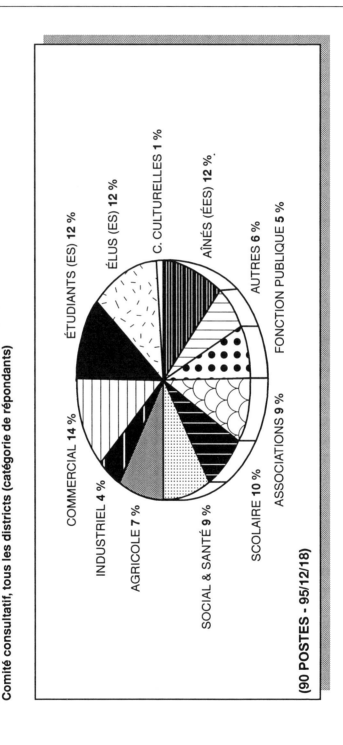

ÉTUDIANTS (ES) **12** %

ÉLUS (ES) **12** %

C. CULTURELLES **1** %

AÎNÉS (ÉES) **12** %.

AUTRES **6** %

FONCTION PUBLIQUE **5** %

ASSOCIATIONS **9** %

SCOLAIRE **10** %

SOCIAL & SANTÉ **9** %

AGRICOLE **7** %

INDUSTRIEL **4** %

COMMERCIAL **14** %

(90 POSTES - 95/12/18)

Figure 2

Le processus de consultation de la clientèle à la Sûreté du Québec

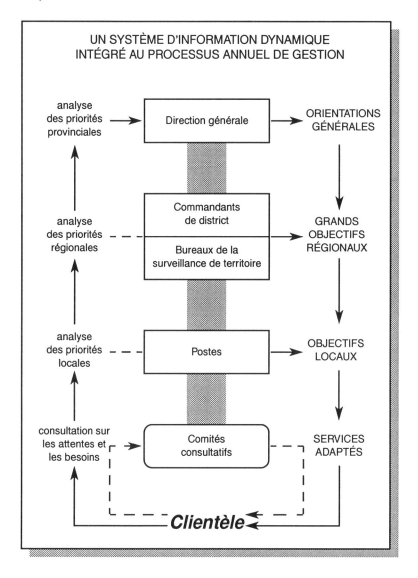

comités ont une influence sur les postes, les districts et par le fait même sur les orientations annuelles de la Direction générale, sur le plan provincial. En d'autres mots, les résultats de la consultation sont utilisés pour procéder à la détermination des priorités locales, régionales et provinciales. Le tableau ci-joint permet de visualiser cette intégration du processus de consultation.

Phase 2 : Approche stratégique en résolution de problèmes

Au cours des dernières décennies, les corps policiers ont établi leurs critères d'efficacité selon des paramètres tels que : le volume d'intervention, le temps de réponse, le taux de solution du crime et la patrouille au hasard. Somme toute, cela mérite d'être souligné, la mise à contribution de ces critères a permis l'atteinte de niveaux remarquables d'efficacité. En contrepartie, cela a engendré des caractéristiques ou des tendances qui obligent maintenant la remise en question de la « façon de faire » de la police actuelle.

En effet, les services policiers ont développé une orientation réactive axée sur la réponse aux incidents. Cela a eu pour effet d'instaurer une capacité d'analyse restreinte au sein de l'organisation. Dans ce contexte, l'intervention proactive, la vigie dynamique ou encore la capacité d'anticipation ont été laissées pour compte.

Cette optique rétrécie du champ d'action réservé à la police a suscité une limitation de l'intervention policière. De plus, comme beaucoup d'autres organismes publics, l'efficience de l'organisation est fonction d'une construction opérationnelle où la prépondérance des moyens sur la fin est facilement observable.

L'approche stratégique en résolution de problèmes est un des moyens intéressants pouvant permettre de corriger cette situation. À ce chapitre, les expériences vécues par d'autres organisations policières en Amérique du Nord sont nettement concluantes. Même si les différents modèles adoptés par ces dernières se ressemblent tous en ce qui a trait au processus ou à la démarche à suivre, une préoccupation commune demeure. Ce n'est pas le modèle qui assure la réussite de mise en application de cette approche, mais bel et bien l'ouverture d'esprit des policiers et le climat de découverte que cette dernière doit chercher à susciter.

L'approche stratégique en résolution de problèmes dans le milieu policier est d'abord et avant tout la mise en place d'une « pensée stratégique ». Un état d'esprit qui doit offrir la possibilité de parfaire l'expertise dans la compréhension des situations, dans le « décodage » des événements, des incidents. Par exemple, considérer différents incidents dans une perspective d'ensemble peut donner une toute autre signification à ces derniers. Il est dorénavant question de « dépasser l'incident », chercher à identifier le problème causant ces incidents, afin d'imaginer des solutions ingénieuses, réalistes et efficaces.

L'interface avec le processus permanent de consultation de la clientèle

La presque totalité des postes de la Sûreté, par l'intermédiaire des membres de leur comité consultatif respectif, consultent maintenant environ 5 000 citoyens et citoyennes desservis afin de permettre à l'organisation de parfaire ses connaissances sur les perceptions, les attentes et les besoins de ces derniers.

Ce dialogue permanent établi avec la population offre à la Sûreté l'opportunité d'implanter cette approche stratégique de résolution de problèmes. Dans cette optique, la création d'un lien privilégié de communication avec la clientèle et la mise en place d'une approche stratégique de résolution de problèmes sont complémentaires et s'intègrent dans une vision globale de police communautaire.

Le modèle proposé aux policiers de la Sûreté est fort simple. Sa construction, sans être réductionniste au sujet du contenu, a été simplifié quant au contenant. Composé de cinq étapes à franchir de façon systématique, il doit permettre selon l'amplitude et les caractéristiques de chaque problème de répondre à deux questions fondamentales : Quel est le problème ? Quelles sont les solutions réalistes et efficaces qui peuvent être envisagées ?

Ainsi donc, l'application du modèle commence au moment de l'identification d'un problème. Puisque les problèmes à solutionner émergeront de chacun des postes de la Sûreté, le défi consiste à organiser dès le départ, une certaine vigie dans chacun des postes et des districts pour « les voir apparaître ». Dans cette optique, la première question à se poser est la suivante : Qui peut ou doit identifier un problème ? Tous ceux qui se sentent concernés par la sécurité publique d'une communauté doivent pouvoir le faire, soit : au niveau du poste, les membres des comités consultatifs, les citoyens des communautés desservies, les patrouilleurs, les enquêteurs, les préposés aux relations communautaires (PARC), les chefs de poste et au niveau du district, les unités de relations communautaires (URC), les unités d'enquêtes criminelles, les commandants des districts et leur comité de gestion.

Chacun des problèmes à solutionner présente une amplitude différente. Le traitement de chacun de ces derniers peut se situer sur un continuum très large. Par exemple, il peut s'agir d'une situation qu'il est possible de résoudre par une simple discussion avec les bonnes personnes en prenant une tasse de café. À l'autre bout du continuum, il peut s'agir d'une problématique plus complexe qui exige une analyse approfondie nécessitant l'allocation de ressources substantielles.

Cette approche se caractérise donc par deux aspects fondamentaux. Le premier est la flexibilité de son application. En effet, l'approche stratégique en résolution de problèmes doit s'adapter à chaque situation. Le deuxième est la spécificité de son analyse et des solutions envisagées, puisque cette appproche ne peut être efficace que dans la mesure où elle se concentre à résoudre avec les citoyens et les intervenants d'une communauté, le problème particulier rencontré dans leur milieu de vie.

Le schéma ci-joint indique le cheminement d'une approche stratégique en résolution de problèmes. Les policiers et les intervenants de la communauté visée qui s'y engagent doivent à chacune des étapes se reférer à une définition, respecter quelques principes de base et suivre quelques jalons qui les amènent à l'étape suivante. Voici de manière succinte ces quelques paramètres.

- 1. Définition du problème

Définition: un problème est un ensemble d'incidents qui surviennent dans une collectivité, qui se ressemblent sous un ou plusieurs aspects et qui constituent une source de préoccupation pour le public et la police.

Les **principes de base** sont les suivants: un problème est constitué d'incidents répétés ou liés entre eux et ayant un point en commun; un problème doit présenter une certaine complexité qui oblige l'articulation d'une solution qui dépasse les moyens habituels d'intervention policière.

Les **jalons à suivre** sont les suivants: formuler un premier énoncé du problème, en évaluer l'amplitude et justifier pourquoi il devrait être régler.

- 2. Mesures transitoires

Définition: les mesures transitoires permettent d'assurer la sécurité des policiers ou des citoyens pendant que la recherche de solutions plus durables est entreprise.

Figure 3

Approche stratégique en résolution de problèmes

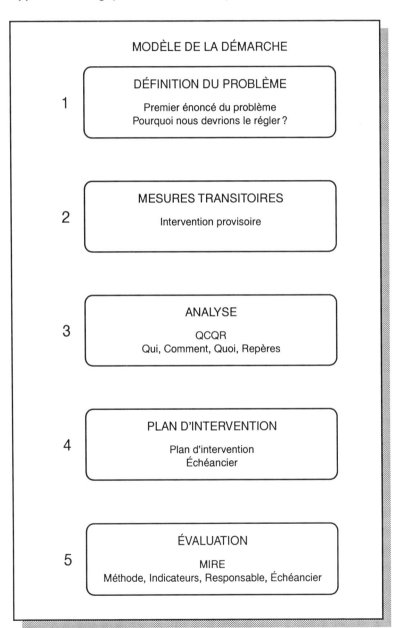

Les **principes de base** sont les suivants : l'intervention provisoire doit comporter des activités à caractère répressif et/ou préventifÊ ; des activités de sensibilisation de la population peuvent également être prévues ; quoique plus abrégé, un plan d'intervention provisoire doit être présenté de la même façon qu'un plan d'intervention final.

Les **jalons à suivre** sont les suivants : indiquer pourquoi la situation nécessite une intervention immédiate et planifier l'intervention provisoire.

- 3. Analyse du problème

Définition : l'analyse du problème est une démarche qui doit identifier les personnes qui sont touchées par ce dernier et définir comment elles sont affectées, circonscrire ce qui a été fait jusqu'à maintenant, trouver les informations pertinentes pouvant apporter un éclairage sur les causes de ce dernier et identifier les éléments qui permettront de constater si le problème a été solutionné en tout ou en partie.

Les **principes de base** sont les suivants : les acteurs concernés peuvent être les suivants : les policiers, les victimes, les contrevenants, les tierces parties. Il est important de faire le point sur ce qui a été fait jusqu'à maintenant, en regard avec le problème discuté. La recherche d'informations doit se faire dans un souci de pertinence et d'économie. Les éléments qui permettront de constater si le problème aura été solutionné en tout ou en partie doivent servir d'assise aux objectifs qui seront fixés à l'étape subséquente.

Les **objectifs stratégiques** peuvent présenter les visées suivantes : supprimer complètement un problème, réduire de façon significative l'ampleur du problème, réduire la gravité ou les conséquences du problème, améliorer la réponse des services policiers face au problème, faire assumer la responsabilité du problème.

Les jalons à suivre sont les suivants : identifier qui est touché par le problème ; déterminer ce qui a été fait jusqu'ici et identifier les intervenants qui s'en sont occupé ; situer depuis quand des interventions sont réalisées ; rechercher des informations pertinentes et formuler des éléments d'évaluation.

- 4. Plan d'intervention

Définition : cette étape permet d'envisager des solutions, de choisir celles qui sont les plus réalistes et économiques, et d'élaborer un plan d'intervention cohérent.

Les **principes de base** sont les suivants : il est important de prendre le temps d'envisager le plus grand nombre de solutions possibles. Le choix des solutions à retenir doit s'effectuer dans un souci constant d'efficacité, de réalisme et d'économie. Le plan d'intervention doit définir clairement les activités qui seront mises en œuvre, identifier les intervenants pour chacune d'elles et tracer un échéancier avec date de début et de fin.

Les jalons à suivre sont les suivants : rechercher des solutions, choisir une ou plusieurs solutions, élaborer un plan d'intervention.

- 5. Évaluation

Définition : ensemble d'activités ou d'outils de mesure plus ou moins complexes selon les situations, permettant d'évaluer la pertinence de nos actions en lien avec le problème à résoudre, d'identifier les aspects de l'intervention à corriger en conformité avec les activités prévues au plan d'intervention et d'en mesurer les effets réels en fonction des objectifs visés.

Les **principes de base** sont les suivants : l'évaluation est essentielle et fait partie intégrante du plan d'intervention. Dans cette optique, pour assurer la cohérence entre les différentes étapes prévues dans l'élaboration du plan, la méthode d'évaluation doit être définie durant la période de conception de ce dernier. Les indicateurs doivent être directement liés aux objectifs visés et peu nombreux. Ils doivent être définis à l'avance et utilisés avec une méthode simple de collecte de données. Un suivi continu des interventions pendant l'application du plan permet de s'ajuster en cours de route. À la fin de l'intervention, une mesure des effets, à l'aide des quelques indicateurs choisis au début de l'application du plan d'intervention complète le processus d'évaluation. La participation à l'évaluation de l'ensemble des acteurs concernés par la mise en œuvre du plan d'intervention doit être recherchée tout au long de son déroulement.

Les jalons à suivre sont les suivants : premièrement, suivre l'implantation par une évaluation de la mise en œuvre. Ceci permet l'ajustement et l'amélioration de l'efficacité du plan d'intervention durant sa réalisation. De plus, les constats recueillis durant cette expérience particulière pourront être considérés lors de la conception ou l'application de futurs plans d'intervention. Deuxièmement, l'évaluation des effets permet de mesurer les résultats obtenus en fonction des objectifs visés par le plan d'intervention.

Résultats, constats évaluatifs et pistes d'avenir

Phase 1 : Consultation de la clientèle

Étant donné la taille de l'organisation (5 500 employés), la superficie du territoire (1247 municipalités couvertes) et l'ampleur de l'innovation à mettre en place, une implantation réaliste et viable constituait alors un facteur critique de réussite. Il aurait été suicidaire en effet de créer au-delà de 100 comités consultatifs en une seule année. Aussi, la stratégie adoptée a été de procéder de façon progressive sur une période de trente mois. Dès la première année, 15 postes furent sélectionnés pour mettre en place un comité consultatif selon le modèle proposé. Au cours de la deuxième année,

48 postes additionnels emboîtèrent le pas. Puis au cours de la troisième année, 38 postes vinrent compléter l'implantation.

Au terme de cette implantation, à l'automne 1994, une centaine de poste (92 % des postes de la Sûreté du Québec) ont amorcé le processus de consultation de la clientèle. À ce moment, 268 policiers avaient reçu la formation prévue et gèrent maintenant ce processus. Quelques 1 200 citoyens sont membres des comités consultatifs (à raison d'une moyenne de 12 membres par poste). Ces derniers consultent dorénavant au-delà de 5 000 de leurs concitoyens sur une base annuelle. À partir du modèle développé et grâce au dynamisme et à l'ingéniosité des policiers affectés aux différents postes de la Sûreté du Québec, un dialogue privilégié, direct et constructif avec les communautés desservies est maintenant engagé. Le tableau ci-joint indiquent les résultats de la consultation agrégés au niveau provincial[3].

Suite au dialogue amorcé depuis 1992, des priorités locales ont été établies en fonction des résultats de la consultation effectuée. Ces priorités ont été intégrées à la planification de services de chacun des postes concernés. De plus, comme certaines de ces priorités se retrouvaient dans plusieurs postes d'un même district, des objectifs sont ainsi devenus régionaux. De la même façon, certains objectifs résultant de la consultation de la clientèle de chacun des districts sont devenus des orientations provinciales. Plusieurs initiatives locales et régionales ont été réalisées suite à la mise en place des comités consultatifs. En voici quelques exemples.

---

3. Vous trouverez en annexe la version du questionnaire de consultation utilisée en 1994 et 1995. Dans les postes et les districts où le besoin se fait sentir, des questions (21 à 30) sont formulées au niveau local ou régional. Le traitement et l'analyse de ces questions se font également à ces niveaux et celles-ci ne sont pas agrégées au niveau provincial.

Figure 4 (1)

Questions - comparaison (tous les districts)

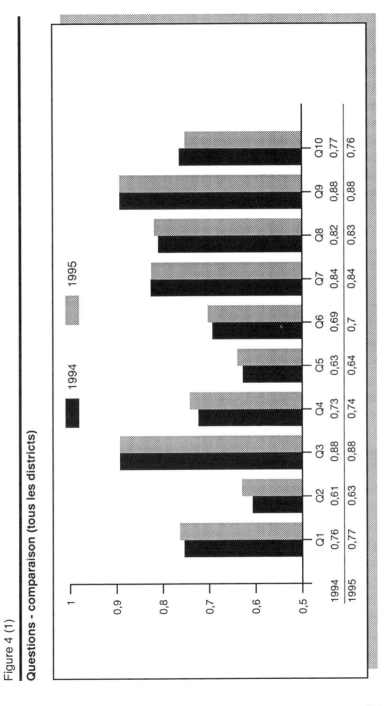

Figure 4 (2)

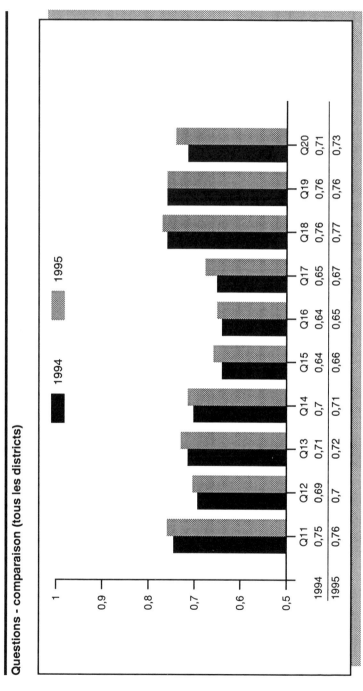

Questions - comparaison (tous les districts)

	Q11	Q12	Q13	Q14	Q15	Q16	Q17	Q18	Q19	Q20
1994	0,76	0,7	0,72	0,71	0,66	0,65	0,67	0,77	0,76	0,73
1995	0,75	0,69	0,71	0,7	0,64	0,64	0,65	0,76	0,76	0,71

Sur le plan local

- Vols par effraction dans un secteur résidentiel

Dans un poste, un problème de vols par effraction dans un secteur d'habitations secondaires existait depuis quelques années. Pour y remédier, une citoyenne membre du comité consultatif organisa une rencontre avec les concitoyens concernés. Deux policiers participèrent à cette réunion afin de conseiller les personnes présentes sur la manière d'organiser un comité de protection du voisinage. Suite à cette initiative, les vols par effraction passèrent de 65 en 1992 à 8 en 1993. Sans l'implication personnelle de cette représentante des gens d'affaires au sein du comité consultatif, les résultats obtenus n'auraient peut-être pas été aussi marquants.

- Information auprès des personnes âgées

Dans un autre poste, le comité consultatif constate que les personnes âgées qui ne font partie d'aucune association ne sont pas informées des programmes de prévention. Ainsi, on cherche un moyen de rencontrer et parler de prévention avec ces personnes. Au CLSC de la municipalité, un organisateur communautaire a pour mandat de s'occuper exclusivement des personnes âgées. Il doit, dans la cadre de son travail, leur fournir de l'information sur différents sujets les concernant.

Une approche a été faite auprès de cet organisateur communautaire afin de susciter des occasions de rencontrer des policiers. Des conférences, comportant des conseils de sécurité pour les personnes âgées, sont ainsi données à des groupes communautaires comme « club tension artérielle », « vie active », « remise en forme ». Ces interventions ont reçu un accueil enthousiaste de la part des personnes âgées.

- Femmes victimes de violence conjugale

Dans un autre poste, les membres du comité consultatif constatent que suite à une agression, les victimes de violence conjugale sont laissées à elles-mêmes et, très fréquemment, elles retirent leur plainte à la cour.

Pour offrir un meilleur support à ces personnes, le poste local établit une collaboration étroite avec le Centre d'aide aux victimes d'actes criminels (CAVAC), qui s'est traduite par la signature d'un protocole d'intervention entre les deux organisations. Au moment du traitement de chaque plainte relative aux crimes contre la personne (vol qualifié, violence conjugale, voies de faits, agression sexuelle), le policier informe la victime de l'existence du CAVAC. Un formulaire autorisant la diffusion d'informations est alors présenté à la victime. Si la personne accepte la signature de ce formulaire, le policier transmet le plus rapidement possible les coordonnées de la victime au CAVAC. L'organisme voit à fournir le support nécessaire à la personne (rencontre, conseil, accompagnement à la cour). Jusqu'à présent les résultats obtenus se traduisent par une meilleure qualité d'intervention, des victimes qui sont plus sûres d'elles-mêmes pendant le processus judiciaire et une meilleure collaboration avec les regroupements concernés par la violence conjugale.

Sur le plan régional

En 1994, le contrôle de la circulation des véhicules lourds étant une problématique dans plusieurs postes d'un même district, une priorité régionale fut établie à cet égard. Des mesures concrètes de contrôle furent réalisées auprès des transporteurs lourds par chacun des postes de cette région. Il est intéressant de souligner que le partenariat avec les représentants de la communauté a permis d'établir des contacts directs entre les cadres d'entreprises de transport et les policiers afin d'échanger sur la problématique et d'y trouver des solutions réalistes. Grâce à cette approche, les propriétaires et les conducteurs de véhicules lourds ont été davantage responsabilisés face à la sécurité routière et un besoin identifié par les citoyens a été satisfait.

Sur le plan provincial

Cette année, les résultats provinciaux de tous les comités consultatifs révèlent un taux de satisfaction un peu plus bas chez les répondants des milieux commercial et industriel, surtout en ce qui concerne «la sensibilisation et l'information auprès du public pour prévenir la criminalité». Devant ces résultats, la Sûreté a décidé de procéder à une mise à jour de ces programmes de prévention en collaboration avec l'École de criminologie de l'Université de Montréal et avec des partenaires de ce secteur, notamment la Fédération canadienne de l'entreprise indépendante. En effet, cette association a effectué un sondage auprès de ses membres, lequel révèle entre autres que les PME sont trop fréquemment victimes d'infractions, telles le vol à l'étalage, la fraude avec les cartes de crédits, les chèques sans provision, et le vol de la part des employés.

Phase 2 : Approche stratégique en résolution de problèmes

Dans bon nombre de postes, la co-responsabilisation se manifeste déjà. Par exemple, dans certains postes des actions posées par des intervenants sociaux viennent supporter l'action policière dans le domaine de l'abus des drogues et de l'alcool dans le milieu scolaire. Il s'agit là d'une forme de partenariat inexistante jusqu'à maintenant.

La présence des élus municipaux sur les comités consultatifs a permis un nouvel engagement de la part des municipalités dans le domaine de l'organisation des loisirs et de la sécurité communautaire dans plusieurs municipalités. Cette nouvelle forme de co-responsabilisation est fort prometteuse pour l'avenir.

Depuis septembre 1994, quelques problèmes identifiés soit par les membres de comités, soit par des chefs de poste ou encore par des responsables d'URC ont été traités par l'approche stratégique en résolution de problèmes. En voici quelques exemples.

Désordre et problèmes sociaux

- Un problème croissant de criminalité juvénile à Sutton

Durant les six derniers mois de l'année 1994, les citoyens remarquent une hausse de la criminalité juvénile dans la municipalité de Sutton. En effet, plusieurs commerces, citoyens et lieux publics sont victimes de petits méfaits et de vols. Ces crimes, pour la majorité ne sont pas rapportés à la Sûreté. Ainsi, elle n'a pas constaté d'augmentation significative de la criminalité dans cette municipalité. Ces crimes créent néanmoins de l'insatisfaction parmi la population. La majorité de ceux-ci sont peu importants (graffiti sur les murs, vol de lumières de Noël, etc.). Cependant, quelques biens incendiés, tels des balançoires et des poubelles, auraient pu transmettre le feu à des édifices avoisinants. Ces méfaits ne sont pas l'œuvre d'une bande criminalisée mais plutôt celle d'un groupe d'adolescents. Habituellement, ce type de crimes ne sont pas ou peu enquêtés. Par contre, devant la progression que ceux-ci subissent, il est nécessaire d'affecter les ressources adéquates à leur solution.

Au début de l'années 1995, les élus de la municipalité étaient préoccupés par cette problématique. De leur côté, les membres du comité consultatif de poste de Cowansville, lors de la consultation à l'automne de 1994, proposaient que la Sûreté soit plus présente auprès de la clientèle des adolescents. Cette demande fut considérée dans la planification (GPO) 1995 du poste de Cowansville. Le chef du poste de Cowansville a utilisé l'approche stratégique en résolution de problèmes pour trouver une solution durable à la situation de Cowansville et en même temps pour se rapprocher des jeunes de la municipalité. Le plan d'intervention a mis à contribution les policiers du poste de Cowansville, les élus de la municipalité, les citoyens, la Maison des jeunes ainsi que les adolescents.

Les policiers ont concentré leurs interventions sur les aspects suivants. La sensibilisation des autorités en place et des différents partenaires sur le rôle de la police par rapport aux adolescents. La mise en œuvre d'interventions policières préventives et répressives très ciblées. La sensibilisation de la population et la réalisation d'activités destinées à sécuriser les citoyens en leur donnant des moyens de prévention.

La municipalité a participé à l'intervention en appuyant le comité de protection du voisinage et en invitant ses élus à contribuer au développement de loisirs pour les adolescents. Les citoyens ont été sensibilisés à adopter des habitudes préventives et à protéger leurs résidences ou leurs commerces. De plus, certains d'entre eux se sont impliqués dans des projets communautaires.

Les intervenants de la Maison des jeunes ont contribué à l'amélioration de la communication entre les policiers et les adolescents. Leur participation au plan d'intervention a eu pour conséquence indirecte de réviser l'encadrement qu'ils assuraient auprès des adolescents. Prenant en exemple les actes commis, les jeunes ont été sensibilisés à leurs responsabilités et ils ont été amené à adopter un comportement respectueux des biens d'autrui.

Criminalité

- Meurtres et vols chez des antiquaires du Centre du Québec.

C'est en mai 1995, suite à un double meurtre d'antiquaires et des nombreux vols dont sont victimes les antiquaires du Centre du Québec, que la Sûreté a amorçé avec ces derniers, une approche stratégique en résolution de problèmes. Celle-ci visait la sécurité de ces commerçants au niveau de leurs places d'affaires et de leurs employés, des transactions au cours de voyages d'affaires, du transport des antiquités, de la manipulation des avoirs monétaires et finalement de leurs proches et de leurs résidences. L'augmentation de la criminalité touchant ces commerçants a provoqué une diminution du sentiment de sécurité parmi ceux-ci. De leur côté, les policiers de la Sûreté du Québec constataient une augmentation des évènements rapportés et une hausse du nombre d'enquêtes menées suite aux appels de ces citoyens.

Un plan d'intervention est élaboré avec l'Association des antiquaires du Centre du Québec et l'unité des relations communautaires de la Sûreté du Québec dans le district de Trois-Rivières.

Les policiers ont concentré leurs interventions sur les aspects suivants : La mise à jour du programme «Commerce». Des rencontres personnalisées avec tous les membres de l'Association des antiquaires afin de procéder à une visite d'inspection ayant pour but d'évaluer l'aménagement sécuritaire de leurs places d'affaires et de leurs résidences. Ces rencontres ont été réalisées durant deux mois et visaient également à proposer aux antiquaires des mesures de prévention concernant leurs comportements lors de différentes situations d'affaires.

Les antiquaires ont participé avec les policiers à la mise sur pied d'une chaîne téléphonique afin d'échanger des informations sur des infractions ou des situations et des individus à risque. Ils ont de plus participé à une assemblée générale de l'Association à la fin de l'automne 1995 où des policiers de la Sûreté étaient présents pour les informer à ce sujet.

Dans l'ensemble, le plan d'intervention visait à modifier le milieu de travail et résidentiel, ainsi que le comportement des antiquaires, de leur personnel et de leurs proches. Déjà, suite aux événements qui se sont produits, les antiquaires, les employés, les piqueurs, ainsi que leurs familles ont commencé à modifier leur approche et ont ainsi amélioré leur sécurité.

Sécurité routière

- Bouchon de circulation à la traverse de Tadoussac

La circulation très dense sur la Côte de Tadoussac menant au traversier de la rivière Saguenay est directement reliée à la période estivale et aux différents congés fériés de l'année. Pendant ces périodes, la Sûreté doit contrôler la circulation sur cette Côte pour diminuer les accidents et les actes criminels (surtout des voies de fait) commis par les usagers du réseau routier excédés par l'attente. De plus, les policiers sont la cible de l'insatisfaction de ces usagers.

Ces interventions oblige la Sûreté à diminuer sa présence sur le reste du territoire pour être en mesure d'intervenir spécifiquement sur la Côte à Tadoussac. Ceci exige le recours à d'autres ressources en plus de celles du poste concerné entrainant par le fait même des dépenses assez importantes. Les résidents de Tadoussac et des villages avoisinants ont de la difficulté à circuler dans leur communauté et leur qualité de vie est diminuée.

La municipalité régionale de comté (MRC) et la municipalité de Tadoussac subissent une publicité désavantageuse auprès des touristes. Ceci a impact négatif sur la vie économique puisque le tourisme est une importante source de revenus dans la région.

Le plan d'intervention a mis à contribution la Sûreté du Québec, les citoyens et la municipalité de Tadoussac, la MRC, le Ministère des Transports, la Société des traversiers du Québec. Les interventions de la Sûreté du Québec ont eu pour but d'expliquer sa mission et son mandat particulier en matière de sécurité routière, de faire part de la situation vécue par la Sûreté, d'identifier les enjeux et les acteurs pouvant agir efficacement pour résoudre le problème.

Les citoyens ont été invités à continuer leur action auprès des différents organismes afin de faire valoir leur point de vue. La MRC et la municipalité de Tadoussac ont poursuivi leur représentation auprès des ministères et organismes qui pouvaient apporter une solution durable à la situation.

Le ministère des transports du Québec (MTQ) s'est penché sur la faisabilité d'un plan pour diriger la circulation de façon ordonnée. Il a étudié les bénéfices de l'affichage aérien et la révision des politiques et normes en vigueur à ce sujet. Il a examiné la possibilité d'informer le public sur les heures d'achalandage et les itinéraires de détournement. Il a également envisagé de revoir les abords de la traverse pour mieux écouler le trafic. La Société des traversiers du Québec a regardé la possibilité d'ajouter des traversiers durant la période estivale et les congés fériés.

Constats évaluatifs

Les orientations annuelles de l'État major général, les objectifs régionaux de chacun des districts et les objectifs locaux de chacun des postes de la Sûreté tiennent maintenant compte des résultats de la consultation menée auprès de la population desservie.

Sur chacun des postes de l'organisation, la contribution des membres des comités consultatifs permet d'établir des partenariats dynamiques et constructifs. Les comité consultatifs jettent en effet les bases d'un lien privilégié de communication. Celui-ci constitue néanmoins le premier jalon qui donne le « goût » aux policiers de poursuivre dans cette voie et de rechercher des occasions et des moyens d'aller vers les citoyens pour trouver des solutions durables en matière de sécurité publique. Le processus permanent de consultation permet donc de maintenir et même d'augmenter le niveau de perméabilité de l'organisation à son environnment sociopolitique. Un des effets les plus encourageants suite à l'implantation de ce dialogue est la revalorisation des policiers dans l'exercice de leurs fonctions.

Pour sa part, l'approche stratégique en résolution de problèmes est un outil extraordinaire, entre les mains des policiers et de la communauté. Cette approche fait appel aux attitudes et aux comportements du personnel de la Sûreté. Dans ce registre d'action réside un enjeu majeur, soit celui de changer les mentalités en faisant appel au sens des responsabilités, à l'esprit d'initiative et à l'imagination de ses employés. Le temps est un des facteurs ayant le plus d'impact sur l'utilisation généralisée de l'approche stratégique en résolution de problèmes au sein de l'organisation. Il importe donc de s'assurer de prioriser les interventions policières de manière à dégager le personnel qui désire utiliser cette approche dans le cadre régulier de son travail de policier. De cette manière les dirigeants de la Sûreté pourront maintenir un niveau d'intensité et d'engagement des policiers et des civils dans l'atteinte des résultats escomptés.

Afin de consolider l'utilisation de cette approche, les dirigeants de la Sûreté doivent réaffirmer leur volonté de la voir implanter dans tous les postes et les districts de l'organisation. Pour faciliter cette mise en application, des agents support présents dans tous les districts auront un effet motivateur en aidant les policiers à poursuivre dans cette voie. Ces agents assumeront sur demande un support aux projets reliés à l'approche stratégique en résolution de problèmes[4]. Cette orientation implique une volonté ferme de décentralisation du pouvoir décisionnel, afin de permettre aux policiers de terrain et aux citoyens de résoudre eux-mêmes les problèmes qui les concernent.

Pistes d'avenir

Les comités consultatifs doivent favoriser la mobilisation des citoyens. C'est un des plus grands défis qu'aura à

---

4. Carl Gauthier a réalisé son mémoire de maîtrise en criminologie sur les effets de la formation en approche stratégique de résolution de problèmes sur le premier groupe d'officiers et de sous-officiers formés à la Sûreté du Québec.

relever la Sûreté du Québec dans son modèle d'approche communautaire. Aussi, tant les policiers que les membres des comités consultatifs sont interpellés par ce but. Le risque qui guettent les comités consultatifs après quelques années d'existence, comme tout regroupement de citoyens qui visent la prise en charge communautaire, est de demeurer en vase clos. Seuls les citoyens les plus actifs dans leur milieu de vie prennent la relève au sein du comité, vouant celui-ci à un essoufflement à plus ou moins long terme.

Jusqu'à présent, la Sûreté du Québec a mis l'accent sur l'implantation du processus de consultation. La création des comités consultatifs dans tous les postes de la Sûreté, l'animation et le fonctionnement efficace des comités par les chefs de postes ont été les priorités de ses ressources. Il faut maintenant raffiner l'analyse des informations recueillies par les membres des comités. Tenir compte des aspects qualitatifs en se fondant sur les commentaires et sur les interprétations que ceux-ci font de leur contexte local permettra de mieux cerner les besoins et d'établir des priorités locales, régionales et provinciales plus réalistes.

Dans cette optique, il importe de discerner parmi les problèmes identifiés, ceux dont la solution est à la portée des ressources locales, de ceux qui nécessitent un appui ou une action de la part des ressources du district ou des ressources de la Sûreté du Québec. De plus, certains problèmes identifiés au niveau local relèvent de problématiques beaucoup plus vastes à l'échelle de la société. Le mieux que l'on puisse réaliser localement, c'est d'en prendre conscience et d'œuvrer de concert avec les partenaires, tous dans la bonne direction.

Une des pistes d'avenir qui s'ouvre alors devant les comités consultatifs est d'élargir la base de la mobilisation à tous les groupes formels et informels d'une communauté qui sont concernés par la sécurité publique. Devenir en quelque sorte une table de concertation faisant le relais entre les policiers de la Sûreté et les citoyens d'une communauté. Il est donc essentiel de maintenir et d'améliorer continuellement le niveau de qualité des relations entre les citoyens et les policiers.

Malgré la relation et l'utilité qu'ils peuvent s'apporter mutuellement, l'approche stratégique en résolution de problèmes et les comités consultatifs sont deux outils distincts. Il importe de ne pas restreindre l'approche stratégique en résolution de problèmes uniquement comme un prolongement du comité consultatif. L'approche est un moyen qui peut s'appliquer à plusieurs domaines de l'intervention policière. Celle-ci demeure avant tout une méthode proactive pour résoudre les problèmes en partenariat et elle devrait être présentée comme un instrument permettant de faire la transition vers la police communautaire en exportant cette pensée stratégique dans les secteurs traditionnels.

L'approche stratégique en résolution de problèmes conduit nécessairement à des réponses locales aux besoins spécifiques de clientèles diversifiées. Elle favorise le renforcement du partenariat avec la communauté ainsi que la création ou la dynamisation des réseaux d'entraide et des solidarités. Elle fait appel à la responsabilisation des partenaires. Le niveau de criminalité et de désordre social ainsi que le sentiment d'insécurité dans la population desservie influencent le degré de cohésion sociale de la communauté et détermine dans une certaine limite la forme et le niveau de responsabilisation qu'elle pourra atteindre en matière de sécurité publique.

Cette approche entraîne également l'évolution du travail policier vers d'autres formes d'interventions communautaires, telles que le parrainage de municipalités surtout en milieu rural, des centres de police communautaire en milieu semi-urbain et urbain, des programmes de prévention modulés sur les besoins de la population.

Conclusion

Lors du lancement de la semaine de la prévention en novembre 1995, le ministre de la Sécurité publique reconnaissait les efforts de la Sûreté du Québec dans le domaine de la prévention par l'implantation de l'approche stratégique en résolution de problèmes. Cet hommage confirme que la Sûreté est dans la bonne voie vers la police communautaire. La meilleure façon de progresser est de conserver une écoute vigilante des citoyens et de rechercher des solutions de problèmes en sécurité publique qui s'appuient sur le partenariat, le dynamisme des communautés et sur les initiatives locales.

En effet, la police communautaire représente l'objectif que plusieurs services de police tente d'atteindre, y compris la Sûreté du Québec. Par ailleurs, tous n'évoluent pas au même rythme et de la même manière. Aussi peut-on les regrouper sous quatre approches principales, soit : l'approche traditionnelle de police axée surtout sur l'application des lois et des mesures réactives ; l'approche traditionnelle de police axée principalement sur la répression massive et la cœrcition ; l'approche de relations communautaires axée sur la visibilité policière et sur les mesure de prévention situationnelle et finalement l'approche de police communautaire axée sur le partenariat avec les autres agences sociales et la solution de problèmes.

Cependant, pour parvenir à l'approche de police communautaire, plusieurs conditions doivent se manifester, autant au sein de l'organisation policière que dans son environnement externe. L'évolution des services policiers vers une approche ou l'autre dépend à la fois des facteurs internes et externes identifiés ci-après.

Les facteurs internes sont le niveau de perméabilité de l'organisation à son environnement socio-politique ; le niveau d'intensité et d'engagement des policiers de l'organisation dans l'atteinte des résultats escomptés ; le niveau de centralisation du pouvoir décisionnel. Les facteurs externes sont le niveau de qualité des relations entre les citoyens et les policiers ; le niveau de criminalité et de désordre social ; le niveau du sentiment d'insécurité dans la population desservie.

Aussi, la Sûreté du Québec aura à faire face à deux défis majeurs pour continuer à maintenir le cap vers l'approche de police communautaire. Le premier défi est d'identifier les résistances aux changements à l'interne, pour les neutraliser en instrumentant son personnel en vue de renouveler ses interventions, tout en lui permettant de changer ses attitudes et ses comportements.

Le deuxième défi est d'envisager le rapprochement avec la communauté comme une dynamique où domine l'apprivoisement mutuel entre les policiers et les citoyens. Ce rapprochement a pour objectif ultime l'autonomie des communautés, des ressources locales et des citoyens en matière de sécurité publique. Dans cette optique, la police est considérée comme une des ressources qui s'imbriquent aux autres afin de contribuer à la qualité de la vie dans lcs villes, villages et communautés du Québec.

Bibliographie

AMESSE, J. *La prévention communautaire et les services de police*, Québec, ministère de la Sécurité publique, Direction générale de la sécurité et de la prévention, 1989.

Approche stratégique en résolution de problèmes, Montréal, Sûreté du Québec, Direction des relations communautaires, 1994.

BARBEAU, S. *Vers un processus permanent de consultation de la clientèle à la Sûreté du Québec*, mémoire de maîtrise, Montréal, École nationale d'administration publique, 1992.

BANVILLE, L. *La perception des policiers patrouilleurs du poste de la Sûreté du Québec de Papineauville et des citoyens membres du comité consultatif concernant l'implantation, dans leur région, d'un projet-pilote de police communautaire*, rapport d'évaluation, document inédit, Montréal, École de criminologie, 1991.

BRIEN, P. *Fonctions et organisation de la police*, Préfontaine, Québec, 1983.

BRODEUR, J. P. «La police communautaire: Recherches sur la police en Amérique du Nord (1985-1989)», Centre international de criminologie comparée, Montréal, 1989.

BRODEUR, J. P. «Policer l'apparence», *Revue canadienne de criminologie*, 1991, vol. 33, n°s 3-4, p. 285-332.

BRODEUR, J. P. *Tailor made policing, a conceptual investigation*, document inédit, Montréal, Centre international de criminologie comparée, 1994.

CRONLIKE, C. L. «La police en l'an 2000», *Sûreté*, 1985, vol. 15, n° 6, p. 11-21.

DONALD, F. N. *Police community relations*, États-Unis, Lexington Books, 1983.

ECK, J. E., W. SPELMAN, D. HILL, D. W. STEPHENS, J. R. STEDMAN, et G. R. MURPHY. «Problem solving: Problem-oriented policing», *Newport News*, Washington, DC, Police Executive Research Forum, National Institute of Justice, US Departement of Justice, 1987.

ECK, J. E. et W. SPELMAN. «Le maintien de l'ordre par l'étude des problèmes», *Revue internationale de criminologie et de police technique*, 1986, vol. 39, n° 4, p. 483-496.

GAUTHIER, Carl. *L'évaluation de la formation en approche stratégique en résolution de problèmes élaborée à la Sûreté du Québec*, document inédit, École de criminologie de l'Université de Montréal et Direction des relations communautaires de la Sûreté du Québec, 1995.

GOLDSTEIN, H. «Improving policing: A problem-oriented approach», *Crime and Delinquency*, 1979, vol. 25, p. 236-258.

GOLDSTEIN, H. «Toward community-oriented policing: Potential, basic requirements and threshold questions», *Crime and Delinquency*, 1987, vol. 33, n° 1, p. 6-30.

GOLDSTEIN, H. *Problem-Oriented Policing*, New-York, McGraw-Hill, 1990.

La consultation de la clientèle à la Sûreté du Québec, Montréal, Sûreté du Québec, Direction des relation communautaires, 1993.

LAFRANCE, M. *Étude d'impact sur l'implantation de Comités consultatifs à la Sûreté du Québec*, mémoire de maîtrise, Québec, École nationale d'administration publique, 1992.

LOREE, D. J. *La police et la collectivité dans les années 80: progrès récents au niveau de programmes*, Ottawa, Solliciteur général du Canada, 1986.

LOREE, D. J. *Les innovations, l'établissement et le futur de la police dans la collectivité*, Ottawa, Collège canadien de la police, 1989.

McCAFFERY, Patrick. «Les services de police communautaires: un survol», Ottawa, *La Gazette de la GRC*, 1995, vol. 57, n° 5.

MOORE, M. *Problem-Solving and Community Policing, Modern Policing*, Chicago, University of Chicago Press, 1992.

MURPHY, C. *La Police et la résolution de problèmes*, Collection Police communautaire, Solliciteur général du Canada, 1992.

MURPHY, C. et G. MUIR. *Les services de la police communautaire: Un examen de la question — Résumé*, Ottawa, Solliciteur général du Canada, 1985.

NORMANDEAU, A. et B. LEIGHTON. *Une vision de l'avenir de la police au Canada: Police-Défi 2000*, Ottawa, Solliciteur général du Canada, 1990.

NORMANDEAU, A. *L'avenir de la police et la prévention du crime au Québec, au Canada et ailleurs*, Montréal, École de criminologie, 1991.

NORMANDEAU, A. Police de proximité, police communautaire, Police d'assurance pour l'an 2000, Montréal, Centre international de Criminologie comparée, 1992.

NORMANDEAU, A. «La police professionnelle de type communautaire: les ingrédients idéologiques, théoriques et pratiques», *Intersection*, 1994, n° 1, p. 4-5.

ROSENBAUM, D. *The Challenge of Community Policing-Testing the Promises*, California, Sage, 1994.

ROSENBAUM, D. *The Role Of Police in A Democratic Society: Assessing the Current Transition to Community Policing*, Department of Criminal Justice and Center for Research in Law and Justice, University of Illinois at Chicago, 1994.

SKOLNICK, J. H. et D. H. BAYLEY. «Theme and variation in community policing, crime and justice», *The Press*, University of Chicago, n° 10, p. 1-37.

TOCH, H. et D. GRANT. *Police as Problem Solvers*, New-York, Plenum, 1991.

TROJANOWICZ, R. C. et M. H. MOORE. *La collectivité dans le domaine de la police sociopréventive*, Cincinnati, National Neighborhood Foot patrol Center, 1987.

TROJANOWICZ, R. *Les patrouilles à pied de quartier de Flint Michigan, dans la police et la communauté dans les années 80: progrès récents au niveau des programmes*, Solliciteur général du Canada, 1987.

WALKER, C. R. *Les postes de police sociopréventive à Victoria: une entreprise innovatrice*, Département de criminologie, Collège Camosum, 1989.

ANNEXE

Outil de consultation

Version 1994

ette dernière version de l'Outil de consultation a été produite à la lumière des consultations effectuées en 1992 et 1993. En effet, les commentaires reçus de la part des utilisateurs (responsables de poste, secrétaires de Comité, officiers responsables de la gestion des districts, membres des Comités consultatifs, etc.) ainsi que l'analyse accomplie sur une échelle élargie en 1993 nous ont guidé tout au long de la démarche.

Dans les lignes qui suivent, nous vous présentons ses caractéristiques majeures.

Quelques explications sur le contenu

Page de présentation

Cette page ajoutée (elle n'apparaissait pas dans les versions précédentes) permet d'identifier clairement chacun des outils de consultation. Les données inscrites ne seront pas compilées mais elles permettent au responsable de poste et/ou au secrétaire du Comité de « personnaliser » en quelque sorte chaque document. Il est à noter qu'ils peuvent également inviter chacun des membres du Comité à remplir lui-même cette section.

Devront donc y apparaître les informations suivantes :

Nom du poste ;
Nom du membre du Comité consultatif ;
Catégorie représentée par le membre ;
Date de la consultation effectuée par le membre.

Page 1

N'ont été retenues que les informations essentielles permettant des croisements significatifs.

0.1 La catégorie de la personne consultée

Cette information est primordiale. Pour éviter toute ambiguïté, il s'agit d'encercler le chiffre approprié. Bien qu'une personne puisse s'identifier à plusieurs catégories, **elle ne doit encercler que le chiffre qui définit à quel titre elle est consultée.** Il est à noter que le responsable de poste peut lui-même encercler ce chiffre avant même de remettre ses outils de consultation. Il peut ainsi mieux contrôler le rayonnement qu'il vise.

0.2 Le groupe d'âge

Nous avons inclus le groupe **18-24 ans** ainsi que le groupe **65 ans et plus** pour permettre plus de précision.

0.3 Le sexe

0.4 La langue parlée à la maison

Pour certains postes, cette notion est fort importante.

0.5 La municipalité où réside la personne consultée

Cette information fait partie intégrante de cette page nominative. L'analyse par municipalité est ainsi rendue possible.

La case réservée au responsable de poste

Ce dernier, lors de la réception des outils complétés, n'aura qu'à :

- numéroter ces derniers de 01 à ... (cases 1 et 2) ;
- indiquer le numéro du poste (cases 3, 4 et 5) ;
- inscrire le code de la municipalité de la personne consultée (cases 6, 7, 8, 9 et 10).

Cette tâche permet de diminuer la marge d'erreur, surtout en ce qui concerne le code la municipalité. Ensuite, il ne restera qu'à glisser les questionnaires dans une enveloppe et à les faire parvenir au Service des relations avec les municipalités. La compilation des résultats y sera effectuée, puis le document informatisé (outil d'interprétation et d'analyse) ainsi que les questionnaires seront retournés au poste.

Grille d'élaboration des questions

Page 2 et 3

Les questions de ces deux pages se doivent de rester assez générales puisqu'elles seront posées dans tous les postes de la Sûreté ayant un Comité consultatif en place. Par contre, ces dernières suivent un rationnel visant à permettre une exploitation maximale (croisements multiples) sur les plans local, régional et provincial. La figure à la page suivante offre une visualisation des explications qui suivent.

Nous avons retenu **quatre grands secteurs d'activités** se prêtant à une consultation auprès de la clientèle que nous desservons.

Les questions visent à mesurer **trois volets interactifs** : les connaissances qu'ont les gens du sujet traité, leurs perceptions (sentiments) face à ce dernier et leur niveau de satisfaction s'y rattachant. La page 2 cherche donc à recueillir, comme les années précédentes, les connaissances et perceptions des personnes consultées. La page 3 cherche à mesurer les degrés de satisfaction.

Il est à noter que la dernière colonne de la figure permet de tenir compte du fait que toute intervention (ou activité) planifiée peut être campée selon trois types distinctifs ou associés : intervention à caractère préventif, intervention visant à interagir sur la notion de visibilité *perçue* (résultat de la présence policière) et intervention à caractère répressif.

Construction du questionnaire

Cadre théorique

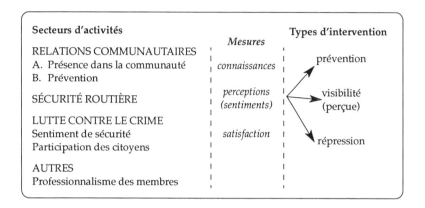

Page 4

Cette page permet de vérifier des choses sur le plan régional ou local. Ainsi, les responsables du district peuvent utiliser cet espace pour poser une ou des question(s) ayant une portée sur l'ensemble du territoire régional. Chaque responsable de poste peut également formuler des questions lui permettant de mesurer l'impact de certains programmes ou certaines activités réalisés par le poste.

Il est important de souligner que cette page peut personnaliser la consultation effectuée. Elle doit venir compléter les pages précédentes. Par contre, **la formulation des questions est importante et doit respecter la forme de l'Outil et la méthode de consultation.** C'est la raison pour laquelle, **toutes les questions doivent être soumises pour approbation au responsable du Bureau de la surveillance du territoire.**

L'échelle de mesure

Elle est maintenant constituée de quatre choix de réponse. La possibilité de demeurer « neutre » a été enlevée. Donc, la personne consultée doit prendre position.

Cela devrait diminuer considérablement le nombre de réponses imprécises ou fuyantes et faciliter par le fait même l'interprétation et l'analyse des résultats obtenus.

Présentation des questions

Comme nous l'expliquons ci-haut, chacune des 20 premières questions est associée à un secteur d'activités. De plus, elle cherche à mesurer soit le degré des connaissances (en fonction du sujet abordé), la perception (sentiments) face au sujet abordé, ou le degré de satisfaction. Pour analyser les résultats, il est donc possible de les regrouper de la façon suivante :

1. RELATIONS COMMUNAUTAIRES

A. Présence dans la communauté

Connaissances
Perception

1. Le personnel du poste de la Sûreté du Québec de notre région est à l'écoute des préoccupations de la population en matière de sécurité publique.

Satisfaction

B. Prévention

Connaissances

2. Les activités de prévention dispensées par les policiers de la Sûreté (campagnes de sensibilisation, rencontres d'information, etc.) sont connues des citoyens.

Perception

7. Les activités de prévention jouent un rôle important dans la lutte contre le crime.

Satisfaction

16. La prévention en ce qui a trait à la consommation et au trafic des drogues dans les écoles.

17. La prévention effectuée auprès des personnes âgées (réseaux d'entraide, sensibilisation face à la violence faite aux aînés, etc.).

2. SÉCURITÉ ROUTIÈRE

Connaissances

Perception

6. Je me sens en sécurité sur les routes de notre région.

Satisfaction

12. La sécurité sur les routes de votre région (accidents routiers, transporteurs lourds, etc.).

13. La prévention effectuée sur les routes de votre région (barrages routiers, alcool au volant, contrôle de la vitesse, etc.).

3. LUTTE CONTRE LE CRIME

A. Sentiment de sécurité - lutte contre le crime

Connaissances

5. À ma connaissance, le nombre des crimes a diminué dans notre région depuis un an.

Perception

4. À ma connaissance, les gens se sentent en sécurité dans notre région.

8. La visibilité des policiers de la Sûreté du Québec dans le voisinage contribue à assurer une plus grande sécurité de la population.

Satisfaction

14. La lutte contre la criminalité (enquête criminelle, solution des crimes, etc.).

15. La sensibilisation et l'information auprès du public pour prévenir la criminalité.

B. Participation des citoyens

   Perception

3. Les citoyens ont leur part de responsabilité dans le maintien de la sécurité publique dans leur entourage.

9. Si j'étais témoin d'un délit dans mon entourage, je signalerais le fait au poste de la Sûreté du Québec de notre région.

10. Je suis prêt à m'engager dans un programme de prévention (campagne de burinage, comité de protection du voisinage).

4. AUTRES

Professionnalisme des policiers affectés au poste

   Satisfaction

11. Le travail en général, effectué par les policiers du poste.

18. La courtoisie des policiers lors des contacts avec les citoyens.

19. La façon dont les policiers interviennent auprès des victimes d'actes criminels ou d'accidents.

20. L'empressement démontré par les policiers pour aider les citoyens.

NOTE :

   L'ordre d'apparition des questions au sein du questionnaire est quasi-aléatoire. La seule stratégie consistant à rendre sa « traversée » intéressante (et la moins lourde possible) pour les utilisateurs.

Plan d'analyse

En ce qui a trait à l'interprétation et l'analyse des données, plusieurs croisements sont donc envisageables. Les exemples qui suivent ne sont pas limitatifs, ils cherchent seulement à laisser entrevoir les possibilités du présent Outil qui cherche à dépasser l'exploitation des résultats par la simple analyse de fréquence par catégorie.

Il est à noter que la redéfinition de la page 1 offre la possibilité de croiser ces variables à chacun des regroupements de questions.

Q1 et Q11

Visionnement rapide des perceptions des personnes consultées face au poste et à leur niveau de satisfaction global.

Q6, Q12 et Q13

Questions traitant de la sécurité routière.

Q4, Q5, Q8, Q14 et Q15

Sentiment de sécurité et satisfaction face aux services dispensés au chapitre de la lutte contre le crime.

Q3, Q9 et Q10

Mesure de la volonté de participation des citoyens.

Q11, Q18, Q19 et Q20

Mesure de la satisfaction quant au professionnalisme des membres.

Q2 et Q7

Rapport entre la connaissance qu'a la population des activités de prévention que nous dispensons et l'importance qu'elle leur accorde face à la lutte contre le crime.

NOTE :

La préparation de la deuxième réunion du Comité devrait être facilitée. En effet, le responsable de poste et le secrétaire du Comité peuvent agencer leur présentation des résultats de la consultation par thème (regroupement par secteur d'activités et non question par question).

Conclusion

L'Outil de consultation, dans sa version actuelle, sera utilisé pour les cinq prochaines années. Cela permettra de comparer l'évolution des résultats de la consultation effectuée en 1994, 1995, 1996, 1997 et 1998.

Administration de l'Outil de consultation

Note introductive

Ce questionnaire est une composante du processus permanent de consultation auprès des citoyens mis en place à la Sûreté du Québec. Utilisé par les membres du Comité consultatif du poste de votre région, il a pour objectif de recueillir vos impressions sur l'état de la sécurité publique dans votre communauté. Il cherche également à obtenir votre niveau de satisfaction face aux services dispensés par le personnel du poste et vous permet de nous transmettre vos attentes et vos besoins en matière de sécurité publique.

Ces renseignements aideront la Sûreté à améliorer constamment ses interventions et à fournir un meilleur service à la population. **Vos réponses sont strictement confidentielles et ne serviront qu'à des fins statistiques.**

67

IDENTIFICATION DU MEMBRE
DU COMITÉ CONSULTATIF

Comité consultatif du poste de :

Nom du membre du Comité :

Au sein du Comité, ce membre représente :

Date de la consultation :

Année / Mois / Jour

Renseignements généraux

Cette section permet de tracer un profil du groupe de personnes consultées.

Veuillez répondre à toutes les questions en encerclant un seul chiffre.

0.1 Vous êtes consulté(e) à quel titre ?

ÉLU MUNICIPAL (préfet de MRC, maire, conseiller, etc.)	**1**
FONCTIONNAIRE PUBLIC (administration municipale, provinciale, fédérale)	**2**
AÎNÉ(E) (retraité, club de l'âge d'Or, etc.)	**3**
ÉTUDIANT (secondaire, collégial, universitaire)	**4**
MILIEU COMMERCIAL (propriétaire ou employé, entreprises de services)	**5**
MILIEU INDUSTRIEL (cadre ou travailleur, entreprises de production de biens)	**6**
MILIEU AGRICOLE (agriculteur, membre de l'UPA, employé, etc.)	**7**
MILIEU SOCIAL ET DE LA SANTÉ (Régie régionale, CLSC, Hôpitaux, etc.)	**8**
MILIEU SCOLAIRE (directeur d'école, professeur, Comité de parents, etc.)	**9**
ASSOCIATIONS (membre d'un club Richelieu, Optimiste, etc., d'un club de loisirs)	**10**
COMMUNAUTÉS CULTURELLES	**11**
AUTRE (personne à la maison, etc.)	**12**

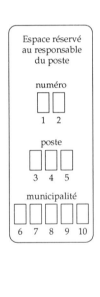

Espace réservé au responsable du poste

numéro

1 2

poste

3 4 5

municipalité

6 7 8 9 10

(11-12)

0.2 Quel est votre groupe d'âge ?

1	2	3	4	5	
moins de 18 ans	18-24 ans	25-44 ans	45-64 ans	65 ans et plus	(13)

69

0.3 Quel est votre sexe ?

Homme   **1**   Femmes   **2**   (14)

0.4 Quelle langue parlez-vous le plus souvent à la maison ?

Français   **1**   Anglais   **2**   Autre(s)   **2**   (15)

0.5 Dans quelle municipalité demeurez-vous ?

Votre opinion

Cette section vise à recueillir vos impressions sur des questions ayant trait à la sécurité publique dans votre région.

Veuillez répondre à toutes les questions en encerclant un seul chiffre.

Face à chaque énoncé qui suit, diriez-vous que vous êtes totalement en désaccord, en désaccord, en accord ou totalement en accord.

totalement en désaccord	en désaccord	en accord	totalement en accord
1	2	3	4

1. Le personnel du poste de la Sûreté du Québec de notre région est à l'écoute des préoccupations de la population en matière de sécurité publique.

   1   2   3   4 (20)

2. Les activités de prévention dispensées par les policiers de la Sûreté du Québec (campagnes de sensibilisation, rencontres d'information, etc.) sont connues des citoyens.

   1   2   3   4 (21)

3. Les citoyens ont leur part de responsabilité dans le maintien de la sécurité publique dans leur entourage.

   1   2   3   4 (22)

4. À ma connaissance, les gens se sentent en sécurité dans notre région.

   1   2   3   4 (23)

5. À ma connaissance, le nombre de crimes a diminué dans notre région depuis un an.

| 1 | 2 | 3 | 4 | (24) |

6. Je me sens en sécurité sur les routes de notre région.

| 1 | 2 | 3 | 4 | (25) |

7. Les activités de prévention jouent un rôle important dans la lutte contre le crime.

| 1 | 2 | 3 | 4 | (26) |

8. La visibilité des policiers de la Sûreté du Québec dans le voisinage contribue à assurer une plus grande sécurité de la population.

| 1 | 2 | 3 | 4 | (27) |

9. Si j'étais témoin d'un délit dans mon entourage, je signalerais le fait au poste de la Sûreté du Québec de notre région.

| 1 | 2 | 3 | 4 | (28) |

10. Je suis prêt à m'engager dans un programme de prévention (campagne de burinage, comité de protection du voisinage).

| 1 | 2 | 3 | 4 | (29) |

Votre satisfaction

Cette section vise à recueillir votre niveau de satisfaction face au travail effectué *par les policiers de la Sûreté du Québec œuvrant dans votre région.*

Veuillez répondre à toutes les questions en encerclant un seul chiffre.

Diriez-vous que vous êtes très insatisfait, insatisfait, satisfait ou très satisfait du travail accompli par les policiers de la Sûreté du Québec du poste de votre région, en ce qui a trait aux éléments suivants :

très insatisfait	insatisfait	satisfait	très satisfait
1	2	3	4

11. Le travail en général, effectué par les policiers du poste.

1   2   3   4   (30)

12. La sécurité sur les routes de votre région (accidents routiers, transporteurs lourds, etc.).

1   2   3   4   (31)

13. La prévention effectuée sur les routes de votre région (barrages routiers, alcool au volant, contrôle de la vitesse, etc.).

1   2   3   4   (32)

14. La lutte contre la criminalité (enquête criminelle, solution des crimes, etc.).

1   2   3   4   (33)

15. La sensibilisation et l'information auprès du public pour prévenir la criminalité.

1   2   3   4   (34)

16. La prévention en ce qui a trait à la consommation et au trafic des drogues dans les écoles.

| 1 | 2 | 3 | 4 | (35) |

17. La prévention effectuée auprès des personnes âgées (réseaux d'entraide, sensibilisation face à la violence faite aux aînés, etc.).

| 1 | 2 | 3 | 4 | (36) |

18. La courtoisie des policiers lors des contacts avec les citoyens.

| 1 | 2 | 3 | 4 | (37) |

19. La façon dont les policiers interviennent auprès des victimes d'actes criminels ou d'accidents.

| 1 | 2 | 3 | 4 | (38) |

20. L'empressement démontré par les policiers pour aider les citoyens.

| 1 | 2 | 3 | 4 | (39) |

Questions particulières à votre région

Cette section permet de recueillir vos impressions sur des activités spécifiques réalisées par le poste de la Sûreté du Québec qui dessert votre région.

Face à chaque énoncé qui suit, diriez-vous que vous êtes totalement en désaccord, en désaccord, en accord ou totalement en accord.

totalement en désaccord	en désaccord	en accord	totalement en accord
1	2	3	4

21. 1   2   3   4   (40)

22. 1   2   3   4   (41)

23. 1   2   3   4   (42)

24. 1   2   3   4   (43)

25. 1   2   3   4   (44)

Diriez-vous que vous êtes très insatisfait, insatisfait, satisfait ou très satisfait en ce qui a trait aux éléments suivants :

très insatisfait	insatisfait	satisfait	très satisfait
1	2	3	4

26. 1   2   3   4   (45)

27. 1   2   3   4   (46)

28. 1   2   3   4   (47)

29. 1   2   3   4   (48)

30. 1   2   3   4   (49)

Vos commentaires et vos attentes

Cette section **vous permet d'apporter des précisions sur certaines de vos réponses** aux questions précédentes.

Veuillez nous faire part de vos commentaires, vos suggestions ou vos attentes.

L'approche communautaire au Service de police de la Communauté urbaine de Montréal (SPCUM) : vers la police de quartier

Jacques Duchesneau
Directeur général du SPCUM
Maîtrise de l'École nationale d'administration publique (ENAP)
Université du Québec

Gilbert Cordeau
Analyste à la section Recherche et planification du SPCUM
doctorat en criminologie de l'Université de Montréal

Maurice Chalom
Analyste à la division Prévention et relations
communautaires du SPCUM
Doctorat en sociologie de l'Université de Paris

Introduction

C et article, construit en deux parties, se veut une présentation de l'évolution du Service de police de la Communauté urbaine de Montréal (SPCUM) au cours de la dernière décennie vers une police plus proche des citoyens et plus à l'écoute de leurs besoins en matière de sécurité publique.

La première partie décrit les principaux programmes du SPCUM depuis 1985, en ce qui a trait aux relations avec la communauté, à la formation policière aux relations interethniques, à l'approche de résolution de problèmes et au partenariat avec les citoyens. Tout au long de ces années, la haute direction et l'ensemble du personnel ont creusé, par le biais de ces programmes, les fondations pour l'établissement de la police de quartier.

La deuxième partie de l'article présente sommairement le modèle de police de quartier développé par le SPCUM, pour répondre aux exigences de son environnement et aux besoins et attentes exprimés par la population, les élus, les partenaires et le personnel du Service. Ce modèle propose une nouvelle philosophie d'action, une nouvelle manière de « faire de la police », afin que le SPCUM devienne une organisation policière à même de relever les défis qui sont les siens à l'aube du XXIe siècle.

1985-1995 : Les programmes précurseurs[1]

Au début des années 80, le SPCUM a mis de l'avant la prévention du crime en tant que stratégie de lutte à la criminalité. Cette stratégie jetait les premières bases du virage vers la police communautaire qui a été entrepris au milieu de cette décennie : la prévention communautaire du crime a été instaurée, les relations avec la communauté ont été développées, etc.

En 1991, l'adoption d'un plan stratégique (1991-1995) accentuait le volet communautaire des interventions du SPCUM. Cette orientation se reflète dans les défis à relever par le SPCUM, ainsi que dans les stratégies et programmes mis en place.

— Programmes de prévention en matière de violence et de drogues ;

— Actions visant à renforcer le sentiment de sécurité des citoyens ;

— Programme d'accès à l'égalité afin de mieux refléter la réalité socioculturelle de la communauté ;

— Programme de relations avec la communauté ;

— Mécanismes de concertation et de collaboration afin de rallier les citoyens et nos partenaires dans la lutte à la criminalité ;

— Amélioration des communications avec la population.

---

1. Le contenu de cette première partie de l'article provient de plusieurs documents officiels du SPCUM (plan stratégique 1991-1995, plans d'action annuels, rapports annuels, etc.), ainsi que de documents destinés à une utilisation interne.

Il ne s'agit pas tant de décrire en détail toutes les réalisations du Service de Police de la CUM au cours de la dernière décennie, mais bien plus de dégager parmi celles-ci les plus signifiantes : celles qui ont pavé la voie à une redéfinition de notre organisation policière. Dans cette perspective, nous avons retenu cinq réalisations qui sont autant d'étapes charnières dans le développement du Service vers une police de quartier.

— Politique de relations avec la communauté ;

— Formation policière aux réalités multiculturelles ;

— Mise en place de partenariats sociocommunautaires ;

— Programme ACES (Action concertée en élaboration de solution) ;

— Comités consultatifs mixtes.

La politique de relations avec la communauté

Le 13 juin 1985, le Service de police de la CUM rendait publique sa politique de relations avec la communauté. Cette politique mettait l'accent sur le souci que tous les employés du Service doivent avoir de la dignité humaine et, par voie de conséquence, le respect des droits et des libertés de tous les individus que nous sommes appelés à côtoyer, qu'ils soient des témoins, des plaignants, des victimes ou des suspects.

Cinq objectifs principaux étaient visés par cette politique :

— Inculquer aux employés du Service le désir d'être au service de tous les citoyens de la communauté ;

— Inculquer ou rappeler aux employés du Service la notion de respect de tout être humain en cultivant les qualités de compréhension, de politesse, de patience et de tolérance ;

— Abolir toute forme de discrimination ou de brutalité ;

— Améliorer la qualité de vie en établissant des relations harmonieuses avec les citoyens et les communautés culturelles ;

— Créer un climat d'entente qui permettra aux employés du Service de travailler de façon encore plus efficace.

Une politique corporative qui ne se traduirait pas en actions serait vide de sens. C'est pourquoi, le SPCUM a conçu un premier programme de relations avec la communauté qui définissait un ensemble de moyens visant à améliorer les relations entre le Service et l'ensemble des citoyens, plus particulièrement les citoyens issus des communautés ethnoculturelles. Parmi les moyens mis de l'avant, soulignons :

— l'intégration de la Politique de relations avec la communauté dans les cours d'accueil aux recrues et dans les cours dispensés aux lieutenants chargés de relève et aux sergents superviseurs ;

— l'intégration au rôle du patrouilleur des notions de relations communautaires et de prévention du crime, dans une approche de prévention communautaire du crime ;

— le rapprochement des policiers des sections Police-jeunesse et des jeunes où ils se trouvent et se regroupent, notamment sur la rue et dans les endroits publics ;

— l'inventaire des communautés culturelles par district, par région et pour l'ensemble du territoire afin de dresser des listes des associations, de leurs dirigeants, de leurs médias et d'écoles, dans le but de mieux connaître les milieux de vie de ces communautés ;

— l'élaboration de mécanismes de dépistage de manifestations de racisme chez les employés du Service, en particulier dans les opérations policières, et production au directeur du Service d'un rapport mensuel sur la situation ;

— l'établissement de liens avec le ministère des Communautés culturelles et de l'Immigration dans le but de permettre au Service d'informer les groupes de nouveaux arrivants de la Communauté, notamment par le biais des COFI, des structures et de la mission du Service ;

— la mise à jour d'une liste des policiers qui maîtrisent des langues autres que l'anglais et le français afin d'utiliser leurs services dans les interventions policières et les relations avec la communauté ;

— l'établissement, le maintien et l'accroissement des liens, par les commandants des districts, avec la population et leurs communautés, et adaptés aux caractéristiques multiculturelles des districts ;

— une campagne d'information visant à intéresser les jeunes des communautés culturelles à joindre le Service de police de la Communauté urbaine de Montréal ;

— l'élaboration d'un cours sur le multiculturalisme destiné aux policiers actifs du Service.

Cette première phase des relations avec la communauté s'est échelonnée de 1985 à 1988 et a sans aucun doute contribué à améliorer les relations entre les employés du Service et les citoyens. Dans la foulée de cette politique et de ce premier programme, le SPCUM a créé en février 1986, la section des Relations avec la communauté.

Ce que l'on retiendra surtout de cette politique, c'est qu'elle définissait l'attitude que les employés du Service doivent avoir en tout temps envers les citoyens qu'ils sont appelés à desservir.

La formation policière aux réalités multiculturelles

Sur la scène montréalaise, l'annonce de cette politique de relations avec la communauté a suscité, chez les membres des communautés ethnoculturelles, un vif intérêt et certainement beaucoup d'attentes. Il s'agissait en effet d'une première, et d'une occasion privilégiée de jeter les bases d'une reconnaissance sans équivoque de l'importance des relations interculturelles. Intéressé à améliorer les relations police-citoyen, le Service a concentré son attention sur les questions de l'embauche ethnique en instaurant un programme d'accès à l'égalité, des relations avec les communautés ethnoculturelles et de la formation interculturelle.

Afin de sensibiliser son personnel aux réalités des relations interculturelles, le SPCUM a diffusé des cours d'information sur les communautés culturelles et sur leur dynamique sociale respective à tous ses employés. Des rencontres et activités communes des policiers et des associations ethniques ont également eu lieu. Cette sensibilisation, qui a été conçue comme un préalable destiné à ébranler la barrière des préjugés, s'est échelonnée de l'hiver 1987 à l'automne 1988 et s'est poursuivie depuis lors sous d'autres formes et de façon plus décentralisée.

Suite à l'évaluation de cette première formation, les policiers ont exprimé leur intérêt à poursuivre leur perfectionnement, mais cette fois-ci à partir de leur réalité professionnelle. Il s'agissait pour eux de mieux connaître les communautés ethnoculturelles avec qui ils transigent au quotidien, de les démystifier et de développer avec elles des actions locales en matière de prévention de la criminalité et de rapprochement. À cette fin, des sessions d'initiation inter-culturelle (SII) ont démarré dès l'automne 1989 et se poursui-vent encore actuellement. Ce programme se déroule en trois phases :

— dans un premier temps, la communauté est invitée à rencontrer les policiers à leur lieu de travail ;

— les policiers visitent ensuite les membres de la com-munauté dans leurs lieux de rencontre ;

— la troisième phase favorise les activités planifiées conjointement par le district et la communauté en fonction de besoins que les partenaires ont eux-mêmes identifiés.

Enfin, le SPCUM offre depuis l'automne 1994 une for-mation aux relations interethniques pour les policiers enga-gés depuis 1989. Cette formation de deux jours permet aux participants une immersion en milieu multiethnique et traite, entre autres choses, du rôle de la Charte des droits et libertés de la personne dans le processus d'insertion des immigrants, ainsi que du rôle du policier comme agent de socialisation.

Ce qu'il faut retenir de ces différents programmes de formation, c'est qu'ils traduisent la recherche de l'excellence dans les rapports qu'entretiennent les policiers avec les citoyens. Ces programmes illustrent concrètement l'impor-tance que revêt, aux yeux de la direction, le travail des poli-ciers, un travail qui repose sur le professionnalisme et ce, dans le respect des droits et libertés des citoyens.

Le partenariat

Dans son plan stratégique 1991-1995, un des sept défis identifiés par le SPCUM consistait à rallier les citoyens et ses partenaires dans la lutte à la criminalité. Dans cette perspective, au cours des dernières années, des partenariats sociocommunautaires ont été développés, tant avec des institutions publiques que des organismes non gouvernementaux et communautaires, dans toutes les sphères d'activité qui relèvent de la mission du SPCUM. Ces partenariats se développent selon la nature des problèmes à résoudre. Ils peuvent être ponctuels, s'il s'agit d'une opération par programme, ou à durée indéterminée, s'ils touchent des problèmes comme la violence familiale, les relations interethniques ou encore la violence chez les jeunes.

Au début de 1995, pas moins de 40 programmes impliquant le SPCUM, tant à l'échelle corporative qu'au niveau des districts et des organismes partenaires, étaient en cours. Mentionnons quelques exemples :

— En matière de violence conjugale, le SPCUM et les CLSC de l'île de Montréal, ont un protocole d'entente en vertu duquel le SPCUM offre les services des CLSC et achemine les signalements volontaires ; les CLSC assurent le suivi des victimes. Ce protocole permet non seulement de venir en aide aux victimes plus rapidement et plus efficacement, mais aussi de développer des actions concertées ;

— Le programme Communic-Action a été mis sur pied en partenariat avec la Cour criminelle du Québec, la Cour municipale, les maisons d'hébergement et SOS Violence conjugale. Dans le cadre de ce programme, le SPCUM communique à la victime de violence conjugale, dans les 24 heures, les conditions émises par la cour concernée contre les prévenus accusés de violence conjugale ;

— En partenariat avec les Centres Jeunesse de Montréal, le SPCUM a développé le programme de « Support aux parents confrontés au phénomène de gang ». Dans ce programme, il s'agit de réunir les parents de membres de gangs ou de victimes de gangs et, en collaboration avec un intervenant social, de les sensibiliser à la problématique des gangs et à leur rôle de parent ;

— Dans le cadre des programmes de prévention des introductions par effraction dans les commerces, le SPCUM a mis sur pied le programme « Identification des biens de l'entreprise », en collaboration avec le Bureau d'Assurance du Canada (BAC). Il s'agit de remettre aux entreprises participantes un numéro identifiant leurs biens, que les responsables burinent sur chacun d'eux.

Parmi l'ensemble des actions développées à ce chapitre, il en est deux qui témoignent d'une manière particulièrement éloquente de la fécondité des partenariats sociocommunautaires : le projet ACES et la création des comités consultatifs communautaires. Nous les présentons plus en détail.

L'action concertée en élaboration de solutions (ACES)

Dès le début des années 90, constatant les difficultés que rencontrent les unités répressives à mettre fin au fléau de la consommation et du trafic des stupéfiants, le SPCUM décidait de constituer une équipe d'intervention spécialisée en action concertée en enquêtes de stupéfiants ; le projet ACES rebaptisé depuis « Action concertée en élaboration de solutions ».

Le problème de la drogue est à la source de la perpétration de nombreux crimes. Plusieurs quartiers du territoire de la CUM sont aux prises avec cette situation et ont donc fait l'objet d'analyse et d'interventions policières. Démarré sur une base expérimentale à l'hiver 1991 dans le quartier

Parc-Extension, le projet ACES qui s'inscrivait dans le cadre du programme « Tolérance zéro », se voulait une réponse efficace à la prévention et à la lutte contre la toxicomanie. L'originalité de ce projet résidait dans le fait qu'il misait sur la participation des citoyens dans la lutte contre les drogues et qu'il appréhendait le problème des stupéfiants comme symptomatique d'une situation sociale plus large (situation qui englobe le sentiment d'insécurité, de perte de cohésion sociale et de dégradation de l'environnement urbain).

Depuis l'hiver 1991, quatre quartiers (Parc-Extension, Petite-Bourgogne, Pointe Saint-Charles, Côte-des-Neiges) ainsi que le Carré Saint-Louis sont suivis et analysés en regard de leur processus de dégradation et du développement de leurs activités criminelles.

Rompue à l'analyse situationnelle et à l'approche de résolution de problèmes, l'équipe corporative du projet ACES travaille de concert avec les policiers des différents districts, ainsi qu'avec les organismes communautaires et les institutions parapubliques (CLSC, service de la Ville de Montréal, etc.). Ce partenariat entre la police et le milieu de vie permet de développer une vision globale du problème de l'insécurité et des manifestations de la petite délinquance, et d'élaborer des solutions durables dans un secteur donné.

Cette approche intégrée favorise de surcroît le partage de l'information et le transfert des connaissances et des habiletés en matière de résolution de problème.

Sur le terrain, le programme ACES se traduit par une série d'interventions dans le milieu. Dans le quartier Parc-Extension par exemple, les actions suivantes ont été prises :

— La patrouille à pied aux heures de pointe et dans les endroits d'intérêt (points chauds) ;

— La visite régulière des points de vente en matière de stupéfiants, ainsi que des commerces ;

— Pressions et interventions massives sur les points de vente de drogue ;

— Interventions sociopréventives visant à créer des liens avec la communauté (activités sportives, rencontres, etc.), travail en comités et tables de concertation.

Les comités consultatifs communautaires

La démarche « ACES » bénéficie depuis cinq ans de mécanismes de concertation : les comités consultatifs communautaires des districts policiers. Le but premier de ces comités mis sur pied par le SPCUM est de rapprocher la police et les citoyens. Ils favorisent l'échange de renseignements et la mise en commun d'actions et de stratégies, en vue d'apporter rapidement des solutions durables à des problèmes ponctuels et surtout, afin de mieux adapter les services policiers aux besoins des résidants du secteur desservi par le district.

Les réunions de ces comités, qui se tiennent à peu près une fois par mois, permettent à l'inspecteur-chef du district de transmettre les plus récentes données statistiques sur la criminalité locale et de traiter des diverses opérations en cours ou à venir. Par la suite, les représentants des organismes communautaires discutent généralement de cas concrets, de mesures de prévention à adopter ou à communiquer à leurs membres ou de tout autre sujet d'intérêt.

En 1991, un sondage mené auprès des membres des trois premiers comités consultatifs a démontré avec éloquence l'utilité de la formule : tous les répondants désiraient poursuivre l'expérience, affirmant que les comités sont efficaces, qu'ils apportent une meilleure connaissance de ce qui se passe dans le secteur et qu'ils sont caractérisés par l'écoute et le dialogue. Depuis lors, le Service a étendu ce mécanisme de concertation à l'ensemble des 23 districts du territoire de la Communauté urbaine de Montréal.

Ce qui caractérise le début des années 90 au Service, et que traduisent autant le projet ACES que les mécanismes de concertation communautaire, c'est l'importance reconnue du partenariat; c'est cette idée de mettre en commun des expertises, des compréhensions et des ressources en vue de s'attaquer aux problèmes de criminalité et de désorganisation sociale et de trouver des solutions durables à ces problèmes. C'est donc moins dans le développement de nouveaux programmes (une des caractéristiques des années 80) que le Service désirait s'investir, mais davantage dans l'élaboration d'une vision globale et l'implantation d'actions concertées.

La police de quartier[2]

Cette section présente sommairement le modèle de police de quartier du SPCUM, qui a été adopté par le Conseil de la Communauté urbaine de Montréal le 29 novembre 1995. L'ouverture des postes de quartiers a été réalisée en 1997 et 1998.

En 1994, le SPCUM s'est livré à un examen rigoureux de son environnement. Cette analyse a mis en évidence les transformations sociales profondes sur le territoire de la CUM au cours des trois dernières décennies : la pauvreté ne cesse de s'étendre, plus d'une famille sur cinq est monoparentale, la population est de plus en plus multiethnique, la population des personnes âgées s'accroît, la criminalité de violence augmente, etc. L'environnement en matière de sécurité publique s'est également modifié et le SPCUM ne détient plus le monopole en ce domaine : on compte de nombreuses

---

2. Cette partie de l'article s'appuie sur le document *Vers la police de quartier*, daté du 29 novembre 1995. Plusieurs personnes ont contribué au développement du modèle de police de quartier et à l'élaboration de ce document. Voici la liste, par ordre alphabétique, des principaux participants : Michel Boivin, Diane Bourdeau, Maurice Chalom, Gilbert Cordeau, Normand Houde, Michelle Lacoursière, Jacques Laliberté, Serge Meloche, Bernard Mondion, Michel Quintal, Richard Sauriol et Laval Villeneuve.

agences de sécurité privées et plusieurs municipalités de la CUM ont recours à des services de sécurité pour fournir à leurs résidants des services supplémentaires à ceux de la police. Enfin, les citoyens et les contribuables ont atteint les limites de leur capacité de payer pour les services publics. Les administrations publiques doivent revoir leur façon de fournir les services aux citoyens. De plus, la CUM a perdu 10 % de sa population, entre 1971 et 1991, au profit de municipalités de la grande région montréalaise. Cette perte de citoyens prive la CUM de revenus qui doivent être compensés par le reste des contribuables.

Le SPCUM a également consulté la population, ses partenaires et son personnel pour connaître précisément leurs besoins et leurs attentes à son endroit. À ce chapitre, on réclame principalement que le SPCUM

— intervienne rapidement, de manière humaine, compréhensive et professionnelle, en privilégiant le service à la clientèle ;

— s'attaque aux causes profondes de la criminalité et s'emploie à régler de façon durable les problèmes de la communauté, de concert avec les citoyens ;

— procure à ses membres un milieu de travail stimulant, valorisant et enrichissant, notamment en leur donnant plus de responsabilités et d'autonomie.

Cet exercice a mis en évidence la nécessité d'accentuer le virage entrepris au milieu des années 80. Les changements survenus au sein de la communauté et les attentes exprimées à l'endroit du SPCUM ont donc amené celui-ci à revoir la façon d'accomplir sa mission et à proposer un nouveau modèle de police.

La mission du SPCUM

La population veut que le SPCUM lui procure un milieu de vie où elle se sentira en sécurité, que la police se rapproche des préoccupations locales et qu'elle règle les problèmes de manière durable, de concert avec la communauté.

Actuellement, selon la Loi sur la Communauté urbaine de Montréal, la mission du Service de police est de

— protéger la vie et la propriété ;

— maintenir la paix, l'ordre et la sécurité publique ;

— prévenir le crime et les infractions, en rechercher les auteurs et les citer en justice ;

— veiller à l'application des lois en vigueur au Québec, ainsi que des règlements, résolutions et ordonnances de la Communauté et des municipalités.

Pour tenir compte des changements survenus dans l'environnement et des attentes exprimées, le SPCUM juge donc nécessaire d'accomplir différemment sa mission. Pour ce faire, en partenariat avec les institutions, les organismes socio-économiques, les groupes communautaires et la population du territoire, le Service s'engage à

Promouvoir la qualité de vie de tous les citoyens et citoyennes sur le territoire de la Communauté urbaine de Montréal en contribuant à réduire la criminalité, à augmenter la sécurité routière sur le territoire, à favoriser le sentiment de sécurité et à développer un milieu de vie paisible et sûr, dans le respect des droits et libertés garantis par les chartes québécoise et canadienne.

Le Service appuie également ses actions sur les valeurs organisationnelles partagées : la recherche de l'excellence, l'importance du personnel, le respect des droits et libertés, ainsi que le professionnalisme.

Les composantes de la Police de quartier

Le modèle traditionnel de police ne convient plus aux exigences de la mission enrichie du SPCUM. Dans ce modèle traditionnel,

— les efforts portent sur une réponse rapide aux appels de service ;

— les événements sont jugés cas par cas (on éteint le feu et on se retire) ;

— seulement les crimes les plus graves reçoivent la priorité ;

— les programmes de prévention sont, pour la plupart, fondés sur la réaction.

Comme nous l'avons vu à la section précédente, le SPCUM innove depuis un certain nombre d'années au chapitre de la prévention, de la dissuasion, du partenariat et des relations avec la communauté. Les programmes instaurés depuis 1985 ont démontré l'importance de rallier la collectivité et les partenaires dans la lutte contre la criminalité. Toutefois ces actions innovatrices ne se traduisaient pas par une philosophie, mais restaient encore dans le domaine des programmes et actions. Le modèle de police de quartier du SPCUM se veut plus qu'une succession de programmes. Il s'agit d'une philosophie qui sous-tend toutes les actions policières.

Le modèle de police de quartier s'inspire des principes du concept de police communautaire. Ses principaux objectifs sont :

— prévoir les besoins de la collectivité locale et savoir comment y répondre ;

— identifier les problèmes de la collectivité locale et les résoudre de manière durable ;

— améliorer la satisfaction de la population à l'égard de la police ;

— accroître chez les policiers la satisfaction liée au travail ;

— faire en sorte que la collectivité et les acteurs sociaux deviennent des « coproducteurs » de la sécurité ;

— rendre chacun responsable et imputable de ses décisions face à la communauté ou clientèle desservie.

Pour atteindre ces objectifs, la Police de quartier s'appuie sur cinq composantes principales :

— L'approche de résolution de problèmes ;

— La responsabilité géographique ;

— L'approche service ;

— Le partenariat avec la population ;

— La valorisation du personnel.

L'approche de résolution de problèmes

La résolution de problèmes concentre les efforts des policiers sur les causes profondes des problèmes en vue de les régler de façon durable, de concert avec la population. Elle considère que le concours des résidants, des commerçants, des associations locales et des organismes de la communauté est indispensable pour analyser les problèmes et mettre en place des solutions. Elle insiste sur une intervention « proactive » plutôt que de s'en remettre uniquement à la réponse aux appels.

L'approche de résolution de problèmes est une nouvelle façon de penser et d'agir, qui exige que la police modifie ses principales méthodes opérationnelles et son organisation administrative.

La responsabilité géographique

La responsabilité géographique consiste à diviser le territoire en quartiers et à confier la responsabilité de chacun d'eux à une équipe autonome placée sous la direction d'un commandant. Cette approche créera un sentiment d'appartenance au quartier. Les policiers connaîtront en profondeur les besoins des citoyens, les ressources disponibles dans le quartier, ainsi que les caractéristiques sociales et criminelles de celui-ci. Cette approche favorisera l'établissement de contacts étroits avec la population, éléments essentiels pour un travail policier efficace. Les policiers de première ligne deviennent ainsi la pierre d'assise du SPCUM.

L'approche service

L'approche service consiste à privilégier la satisfaction des clients, à prévoir leurs besoins, à personnaliser le contact avec ces derniers et à connaître leur degré de satisfaction. Elle vise à créer un sentiment de confiance à l'endroit du SPCUM, notamment par un comportement des plus professionnels de la part de son personnel.

Le partenariat

Le partenariat témoigne du fait que la police reconnaît le rôle qui revient à la population en matière de sécurité publique. Par le partenariat, le SPCUM et la population s'associeront pour assurer la sécurité et trouver des solutions durables aux problèmes de criminalité. Depuis plusieurs années, le SPCUM a jeté les bases d'un partenariat par les comités consultatifs communautaires et l'établissement de liens avec diverses institutions publiques et organismes non gouvernementaux et communautaires.

La valorisation du personnel

La valorisation du personnel policier et civil vise à fournir à ces personnes les conditions leur permettant de déployer au maximum toutes leurs compétences afin de connaître une carrière enrichissante, et de se sentir apprécié et respecté. Donner le plus d'autonomie possible au personnel de première ligne, valoriser les policiers les plus expérimentés et établir des plans de carrière pour les employés en sont les principaux objectifs.

Les conditions préalables

Le passage du modèle de police actuellement en vigueur à une police de quartier suppose certaines conditions préalables. Cette transition implique en effet un revirement complet dans la structure de l'organisation et dans sa culture, ainsi qu'un changement chez les individus qui la composent.

Le maillage des principaux acteurs

La mise en place de la police de quartier exigera des efforts communs de la part du Service, des élus municipaux et des parties syndicales. La population est aussi un acteur principal. Elle aura à s'impliquer dans ce modèle pour lui donner toutes les chances de succès.

La culture policière

Une des caractéristiques fondamentales de la culture policière actuelle est son isolement de la collectivité. Cette culture représente donc le plus grand obstacle à l'implantation d'un nouveau modèle de police. Le Service devra donc, entre autres, modifier sa structure pour que ses membres aient plus de contacts avec la communauté, établir des critères d'imputabilité, promouvoir le partenariat avec les groupes externes, décentraliser son organisation sur une base géographique et recruter du personnel mû par la volonté de servir, plutôt que par l'esprit d'aventure.

L'individu

Le succès de la police de quartier reposera en grande partie sur le professionnalisme des membres du SPCUM et sur leur engagement envers ce nouveau type de service. Pour que son personnel agisse avec initiative et créativité, et soit imputable de ses décisions et de ses actions, le Service devra lui fournir les outils nécessaires et la formation appropriée.

La structure

Le SPCUM est un organisme hautement hiérarchisé. Mais dans la police de quartier, cette structure hiérarchique doit faire place à une nouvelle structure où l'agent devient le rouage le plus important de l'organisation. Celle-ci doit se mettre au service de l'agent qui doit jouir du pouvoir décisionnel et de l'autonomie nécessaires à ses actions. Sur le plan structurel, l'implantation de la police de quartier demande donc que le SPCUM

— déconcentre ses activités sur le territoire pour adapter ses actions aux besoins et aux caractéristiques de la communauté locale ;

— décentralise ses pouvoirs décisionnels et budgétaires pour que les unités soient en mesure de prendre elles-mêmes les décisions face aux problèmes qui varient selon les communautés et les circonstances ;

— réduise sa structure hiérarchique, afin de favoriser une prise de décision au plus bas niveau et de resserrer les communications entre la Direction et les employés sur le terrain et ce, sans égard au grade ;

— décloisonne ses unités pour que la compétition laisse place au regroupement des services.

Un levier pour la qualité de vie dans les quartiers

Le modèle de police de quartier peut engendrer des retombées positives qui dépasseront largement le cadre de la sécurité publique. Il est clair que les actions policières ne peuvent à elles seules générer une vie de quartier riche et dynamique. En effet, la police ne peut agir directement sur des aspects essentiels de la qualité de vie comme l'emploi, la situation économique et la qualité des logements dans un quartier. En revanche, le nouveau modèle de police du SPCUM peut rassembler les différentes forces de la communauté. Il jouerait ainsi un rôle de premier plan pour développer une vie de quartier de qualité. Cet apport est d'autant plus important que la qualité de vie dans les quartiers peut constituer une partie de la solution pour contrer l'étalement urbain.

Le fonctionnement

La structure opérationnelle de la police de quartier reposera sur les postes de quartier, les centres opérationnels et le centre de suivi opérationnel.

Les 49 postes de quartier

Le quartier est le territoire auquel les citoyens s'identifient le plus. Il est donc logique, pour assurer le succès de sa démarche, que le quartier devienne l'unité de base des interventions du SPCUM. Le poste de quartier est responsable de fournir à la population tous les services policiers de base 24 heures sur 24. Les agents de première ligne deviennent « la pierre d'assise » de l'organisation, les ambassadeurs de la qualité des services. Leurs responsabilités comprennent, entre autres, :

— la patrouille ;

— la réponse aux appels ;

— la résolution de problèmes ;

— la sécurité routière ;

— les relations avec la communauté en privilégiant le contact direct par la patrouille à pied, à vélo ou sous d'autres formes ;

— la prévention du crime ;

— les interventions auprès des jeunes ;

— l'aide aux victimes.

— Chaque poste de quartier aura un spécialiste socio-communautaire qui interviendra auprès des jeunes ou de tout autre groupe social en matière de sécurité, de prévention du crime, de police-jeunesse et de prévention de la violence.

La responsabilité du poste de quartier relèvera d'un conseil de direction formé du commandant du poste, des superviseurs du quartier, du spécialiste sociocommunautaire et d'un agent de renseignement.

Le recours à des bénévoles issus du quartier favorisera le rapprochement entre la population locale et les policiers du quartier. Les citoyens bénévoles se verront confier des mandats spécifiques lors d'activités précises de nature communautaire. Les policiers seront aussi encouragés à donner de leur temps aux organismes du quartier qui en font la demande.

Enfin, un comité aviseur des partenaires complétera la structure de chaque poste de quartier. Ces comités permettent

— de connaître les préoccupations des citoyens en matière de qualité de vie dans le quartier ;

— de conseiller la police et les citoyens sur les priorités, les lignes directrices de l'action policière ou les types d'intervention souhaités.

Les quatre centres opérationnels

Les territoires des postes de quartier ont été regroupés en quatre entités opérationnelles appelées «centres opérationnels». Leur rôle est de fournir l'ensemble des services spécialisés aux postes de quartier et de coordonner les opérations. Les centres opérationnels fourniront notamment les services suivants: détention, ivressomètre, groupes d'intervention, formation des policiers, communications, enquêtes et analyse.

Les enquêtes sont effectuées, soit par les centres opérationnels, soit par des unités spécialisées. Les unités spécialisées interviendront lorsque la complexité des crimes dépassera les capacités d'expertise des postes de quartier ou des centres opérationnels, comme dans le cas

— d'homicides, de fraudes, de réseaux de vols de véhicules, de délits de fuite, d'incendies criminels et d'agressions sexuelles;

— de dossiers impliquant des groupes organisés dans le domaine des stupéfiants, des motards, de la moralité, de l'antigang, etc.

Un centre de suivi opérationnel

Le centre de suivi opérationnel (CSO) relève directement de la Direction du Service. Il surveille l'évolution des opérations quotidiennes sur tout le territoire de la CUM. En tout temps, le CSO doit être en mesure de détecter des situations susceptibles de s'aggraver ou de prendre plus d'ampleur au contact d'autres événements en cours. Le CSO informera les postes de quartier ou les centres opérationnels de ces possibilités pour que ces unités entreprennent les actions appropriées.

Le centre de suivi opérationnel pourra servir de centre de commandement lors d'événements d'envergure. Il est aussi l'un des points d'ancrage des médias pour connaître l'état de situation d'un événement donné ou de l'ensemble des événements en cours sur le territoire.

Le fonctionnement des unités administratives

Le SPCUM décentralisera sa gestion pour favoriser la responsabilisation des gestionnaires envers la qualité du service aux citoyens. Le Service favorisera l'autonomie d'action en donnant à toutes les unités, jusqu'à la plus petite, une marge de manœuvre et l'autorité pour fournir les services dont elle est responsable. Pour leur part, les unités administratives et de soutien aux opérations devront aider les gestionnaires de première ligne et leur fournir les outils ainsi que le soutien nécessaires pour remplir leur mandat. La gestion et la planification reposeront sur l'atteinte d'objectifs de performance et sur les mécanismes de gestion de la qualité.

Au chapitre des ressources humaines, le SPCUM devra notamment

— revoir son processus d'embauche pour recruter des candidats correspondant au profil de policier du nouveau modèle de police ;

— gérer les mouvements de son personnel pour établir un équilibre adéquat entre ses besoins et les ressources disponibles ;

— se doter d'un système de gestion de carrière pour donner à tous ses employés la possibilité de s'épanouir pleinement sur les plans professionnel et personnel ;

— instaurer un système de supervision qui permettra non seulement de contrôler avec souplesse les tâches effectuées, mais de soutenir les employés, de les guider, de les valoriser et de faciliter l'accomplissement de leurs tâches ;

— poursuivre ses efforts en matière d'accès à l'égalité pour assurer une représentation équitable de la population au sein du Service.

Conclusion

La population de la Communauté urbaine de Montréal veut que sa police lui procure un milieu de vie sécuritaire, qu'elle règle, en partenariat avec les citoyens, les problèmes de façon durable et s'acquitte de cette mission avec professionnalisme. De son côté, le personnel du SPCUM veut trouver à son travail un milieu stimulant, valorisant et enrichissant. Le modèle de police de quartier donnera aux policiers et aux citoyens les moyens d'atteindre ces objectifs.

Les 49 postes de quartier et leurs principes de fonctionnement créeront des liens plus étroits entre la police et les citoyens. Les policiers auront une meilleure compréhension des problèmes locaux. Leurs interventions seront plus rapides et mieux adaptées aux besoins et aux caractéristiques de la communauté locale. L'action policière sera plus transparente et une plus grande confiance réciproque en résultera.

Le personnel du SPCUM y trouvera aussi réponse à plusieurs de ses demandes : une plus grande autonomie d'action, surtout pour le personnel de première ligne, une meilleure formation, des communications internes plus faciles, une bureaucratie moins lourde et des plans de carrière permettant à chacun de concrétiser ses aspirations.

Enfin, le modèle de police de quartier est celui qui procure le plus d'avantages au meilleur coût possible. Il respecte ainsi l'objectif que s'est fixé la CUM d'améliorer la qualité de ses services, tout en tenant compte des capacités financières des contribuables.

Les centres de services en sécurité publique de la police de Laval : les CSSP

Jean Marc-Aurèle
Directeur du Service de la protection du citoyen à Laval
Diplômé en gestion policière de l'Université du Québec
à Trois-Rivières

Isabelle Bastien
Analyste au Service de police de Laval
Maîtrise en criminologie de l'Université de Montréal

Pierre Brien
Inspecteur
Responsable de la Division des relations
avec la communauté à la police de Laval
Certificats de l'Université du Québec et de l'Université
de Montréal

Jean de Montigny
Inspecteur
Responsable des CSSP lavallois
Diplômé en gestion policière de l'Université du Québec
à Trois-Rivières

Claude Lavoie
Inspecteur chef
Certificats de l'Université du Québec,
de l'Université de Montréal et de l'Université de Sherbrooke

Préambule

L aval, la deuxième ville en importance du Québec, occupe tout le territoire de l'île Jésus situé immédiatement au nord de l'île de Montréal. Le Département de police de Laval dessert une population de 337 000 habitants avec un effectif de 439 policiers et 120 cols blancs.

Introduction

L'idée de départ de nos « Centres de services en sécurité publique » origine d'une réflexion que certains cadres du Service de police de Laval effectuaient en 1985. Cette réflexion s'alimentait de plusieurs études menées par des chercheurs canadiens et américains dont nous avons pris connaissance lors de colloques, séminaires et par la lecture d'ouvrages littéraires. Nous étions solidaires avec l'idée que la vision du futur nous obligeait à développer rapidement nos habilités à gérer les changements qui s'annonçaient. Notre analyse des tendances sociales, démographiques, politiques, économiques et autres nous laissait croire que le maintien du statu quo dans notre organisation rendrait de plus en plus difficile l'atteinte de notre mission dans la communauté lavalloise.

En 1988, le nouveau directeur, Jean Marc-Aurèle, confiait à un cadre policier le mandat d'analyser les conséquences sur l'organisation policière des changements prévisibles dans la communauté. Un comité composé de cadres policiers devait agir comme dériveur auprès du cadre désigné afin qu'il puisse tenir compte de l'ensemble des contraintes existantes dans l'environnement interne et externe. En regard des CSSP, deux conclusions importantes sont ressorties des travaux du comité :

Nous connaissons une baisse de notre légitimité organisationnelle. Les opinions exprimées par les citoyens lors de la vaste consultation municipale (le Sommet de la personne, 1990) indiquent que le Service de police comble de moins en moins les attentes de la population. Cela donne lieu à des insatisfactions nous obligeant à devenir des gérants de crise.

Le personnel policier ne se sent pas valorisé par le simple accomplissement du travail quotidien. La culture policière porte aux nues les réussites de la chasse aux criminels, banalisant ainsi les autres activités policières qui occupent la majeure partie du temps de travail. Le sentiment d'appartenance à l'organisation diminue et nous constatons des signes d'épuisement professionnel chez certains policiers.

Le comité recommandait au directeur :

— de rééquilibrer les stratégies réactives et proactives ;

— d'orienter la philosophie du Service vers la gestion axée sur la résolution de problème ;

— d'adopter une démarche de type pas à pas dans la stratégie de changement.

Ces recommandations amenèrent la création des Centres de services en sécurité publique (CSSP). Le concept de base des CSSP consiste à confier à des policiers la responsabilité de s'assurer que la qualité de vie des résidants n'est pas menacée par des situations de désordre, de criminalité, de sécurité routière ou de perception d'insécurité. Lorsque ces problèmes apparaissent, ils appliquent ou suscitent des solutions, en partenariat avec les membres de la communauté et/ou les autres unités du Service de police. Dans l'organisation traditionnelle du travail policier, un clivage vient d'être créé entre les réponses urgentes et non urgentes. Les policiers assignés au CSSP deviennent les agents d'intervention communautaire qui encadrent l'évolution sociale, de manière à respecter les principes de la démocratie représentative et de la démocratie directe[1].

À notre avis, il s'agit d'un virage majeur car jusqu'à maintenant nous agissions en tant que frein social à l'évolution rapide et diversifiée de notre société. Le seuil de tolérance de nos concitoyens devient une balise dans la fixation de nos priorités d'intervention. Les policiers lavallois deviennent des professionnels de la sécurité publique dans le sens où, suite à une analyse exhaustive d'une situation problématique, ils sélectionnent parmi une gamme de possibilités celle qui semble la plus appropriée.

Le projet des CSSP fut présenté aux élus municipaux qui donnèrent leur aval. En effet, le concept des CSSP s'inscrit dans les recommandations du Sommet de la personne formulées par les citoyens et les organismes. Les CSSP répondent également à l'orientation municipale de placer le citoyen au centre de nos préoccupations. Le projet permet aussi de réunir différents services municipaux dans un même lieu physique appelé à devenir un Centre d'information et de vie de quartier (CIVIQ).

Le projet consiste à expérimenter et à valider nos hypothèses de travail. Nous prévoyons ouvrir plus tard, quatre autres CSSP et développer davantage les services que nous rendons actuellement.

Ceci résume très brièvement la planification de deux Centre de services en sécurité publique qui se sont implantés,

---

1. J. T. Godbout, *L'État localisé*, texte inédit, Université de Sherbrooke, 1987, 57 p.

l'un dans le quartier Saint-François et l'autre à Laval-Ouest. Ces deux quartiers furent également choisis pour les raisons suivantes :

— L'existence de réseaux communautaires dans lesquels nous pouvions nous intégrer ;

— Une cohésion sociale suffisante grâce à l'homogénéité de la population ;

— Un bassin de population compatible avec le nombre de ressources humaines que nous pouvions consacrer à l'expérimentation ;

— Une qualité de vie qui commençait à se détériorer par l'apparition de problèmes de sécurité publique.

Le CSSP de Saint-François fut installé dans un centre commercial représentant le pôle d'attraction économique le plus important du quartier Saint-François. Celui de Laval-Ouest fut placé dans un centre communautaire utilisé par plusieurs organismes du milieu. Les heures d'ouverture furent établies en vertu des contextes particuliers des deux sites. L'assignation de deux policiers par CSSP permet d'offrir une disponibilité permettant de couvrir les périodes de jour et de soir. Chacun des CSSP bénéficie de l'implication de plusieurs bénévoles qui libèrent les policiers de certaines tâches cléricales favorisant ainsi une meilleure disponibilité des policiers.

L'implantation s'est effectuée sur une base expérimentale. Les Bureaux municipaux des loisirs et de la vie communautaire (BML) des secteurs 1 et 4 acceptaient de vivre le jumelage avec les CSSP.

Orientation générale

Des théories qui donnent du sens

Lorsqu'il s'agit d'innover et d'expérimenter, nous aimons bien nous inspirer de théories et de concepts reconnus, lesquels nous permettent de planifier nos projets en limitant les risques d'échec et de fixer des objectifs réalistes. En regard de la planification de nos CSSP, la sociologie, la criminologie et la psychologie sociale nous furent d'un grand secours. Des théories, telles la cohésion sociale, le seuil de tolérance, la démocratie directe, la désagrégation sociale et d'autres, furent résumées aux policiers impliqués dans le projet. Ces théories leur permirent de revenir à la définition du rôle du policier dans la communauté et de constater l'écart qui existe entre la théorie et la réalité. Également, ces théories leur servirent de références lorsqu'ils avaient à innover dans le processus de résolution de problème. À notre avis, cette formation théorique demeure l'un des éléments clés de la réussite des CSSP car elle donne un sens à l'orientation prise par le Service de police de Laval en plus de légitimer les policiers d'y contribuer.

La police « est » communautaire par définition

À Laval, nous refusons de mettre en opposition la police communautaire et la police traditionnelle. Nous croyons que la police a glissé, inconsciemment, de son rôle traditionnel vers un rôle instrumental dans l'administration de la justice. Pour nous, il s'agit de revenir aux principes de base sur le besoin de la police dans notre société démocratique, si bien résumés dans les principes de Peel. Nous croyons que les policiers agissent en tant que citoyens corporatifs de la communauté et qu'ils sont concernés par la qualité de la vie communautaire et de la sécurité de leurs concitoyens. Nous pensons également qu'il ne sert à rien de critiquer le passé et d'abaisser l'importance des activités traditionnelles de la police telles que les arrestations, les enquêtes criminelles et les constats d'infraction. Nous préférons rétablir progressivement un meilleur équilibre entre nos stratégies proactives et réactives. Nous reconnaissons la valeur du travail traditionnel et de notre devise : *Servir et protéger*.

« *Être* » et « *faire* » de la police dans la communauté

On ne saurait trop insister sur l'importance de la formation des personnes impliquées dans l'implantation de cette approche à Laval. Habitués à appliquer un ensemble de techniques standardisées selon les situations, les policiers doivent maintenant ajouter une capacité « d'être » la police à celle qu'ils possèdent déjà de « faire » la police. Grâce au programme de formation, ils sont à même de mieux comprendre le rôle des policiers dans la société. Cette appropriation des théories a permis aux agents d'intervention communautaire de développer de nouvelles façons de regarder les problèmes auxquels ils sont confrontés et de faire preuve de créativité dans le processus de mise en place des solutions.

Ils saisissent mieux la dimension symbolique d'être la police dans une communauté. En effet le policier représente pour le citoyen une image ayant la valeur évocatrice de sécurité et d'officialisation.

Le Service de police de Laval reconnaît l'importance des réseaux formels et informels qui existent dans la communauté dont il fait partie, selon le concept du filet de sécurité. La théorie des réseaux[2] fait partie de la formation du personnel des CSSP En effet, si nous désirons agir en partenariat avec la communauté, l'identification des réseaux communautaires devient la première chose à faire dans la phase d'implantation. Aussi, la première tâche des agents d'intervention communautaire consistait à établir des contacts avec les professionnels des milieux de l'éducation, de la vie

---

2. C. Neuschwander, *L'acteur et le changement*, Essai sur les réseaux, Éditions du Seuil, Paris.

communautaire, des loisirs, des affaires et de la vie associative. Ainsi, nous avons pu intégrer ces réseaux formels et faire participer les membres dans la prise en charge de problèmes de sécurité publique locaux. L'inverse se produit également car nous devenons partenaires dans la mise en place de mesures éducatives, de santé et de loisirs, lorsque l'occasion le permet.

Nous traiterons des réseaux informels dans le cadre de l'objectif trois.

De la théorie à la pratique

L'arrimage entre la théorie et la mise en pratique ne s'est pas faite de façon improvisée. Les CSSP furent l'objet d'une planification stratégique dans laquelle on retrouve d'abord un énoncé de mission :

Promouvoir et favoriser la prise en charge des problèmes de sécurité publique par la communauté lorsque l'analyse de ceux-ci conclut sur la mise en place de solutions nécessitant l'implication communautaire.

Le lecteur reconnaîtra ici les deux principales composantes de la police professionnelle de type communautaire : le partenariat avec la communauté et la résolution de problèmes.

Ensuite, six objectifs furent développés afin de permettre l'actualisation de la mission. Ces objectifs se fondent sur les théories apprises et chacun favorise une application isolée ou une combinaison de plusieurs approches. Les pages qui suivent énumèrent les six objectifs des CSSP, les concepts théoriques auxquels ils se rattachent, quelques-unes des applications pratiques qu'ils ont permis de documenter et l'évaluation que nous en effectuons.

Les objectifs des CSSP

Favoriser l'accès aux services de sécurité publique

Notre analyse des façons d'assurer un accès équitable aux services de sécurité publique à tous les citoyens de Laval indiquait une lacune concernant les résidants des quartiers de Saint-François et de Laval-Ouest. À titre d'exemple, nous avons constaté que pour la simple signature d'un avis de 48 heures, ces citoyens devaient parcourir plusieurs kilomètres, contrairement aux résidants des autres secteurs. Ces derniers bénéficiant de la proximité des postes déjà établis dans la région centre-sud de Laval. Le Sommet de la personne permit aux résidants de Saint-François et de Laval-Ouest d'exprimer leur mécontentement concernant la non-visibilité de la patrouille policière et l'inaccessibilité aux programmes de sécurité publique.

Les CSSP furent implantés dans ces deux quartiers afin de répondre aux besoins exprimés par cette partie de la population lavalloise.

Dans les deux cas, un autre service municipal est venu se greffer au CSSP dans une entité appelée Centre d'information et de vie de quartier (CIVIQ). Il s'agit des bureaux municipaux des loisirs et de la vie communautaire (BML). Cette présence à côté des agents d'intervention communautaire améliore d'un seul coup l'accessibilité à deux services municipaux par les citoyens des quartiers est et ouest de Laval. Cette cohabitation permet également de partager des frais d'exploitation et de bénéficier de l'expertise de chacun.

Un livre de bord (voir annexe) permet de répertorier les cinq catégories de service dispensés par les CSSP :

— **Information** : Information sur les lois, règlements, services, organismes, localisation de rues, etc.

— **Prévention**: Activités ou programmes visant la prévention du crime et des accidents routiers.

— **Constat**: Rédaction d'un rapport (incluant la vérification d'un avis de 48 heures).

— **Analyse**: Analyse des données statistiques et des problèmes.

— **Intervention policière**: Enquête préliminaire, arrestation, constat d'infraction.

Ces cinq services permettent de dresser le portrait de la sécurité publique locale d'où découlent des plans d'actions.

Les données du livre de bord sont alimentées dans une base de données informatique développée spécifiquement pour ce besoin, et un rapport de la fréquence des services demandés et du temps requis est produit. Ce rapport remplace le formulaire d'activités quotidiennes des policiers et s'avère un outil de gestion efficace dans une perspective de contrôle et d'évaluation interne aussi bien qu'externe.

Afin de mesurer le niveau d'atteinte de cet objectif, nous avons mené en 1995 et en 1997 un sondage d'opinion planifié par des stagiaires en criminologie. Réalisé avec l'aide de bénévoles, le sondage indique une amélioration de la satisfaction des résidants en regard de l'accessibilité à nos services, si on le compare avec les données du Sommet de la personne tenu en 1991. Toutefois, il eut été préférable d'effectuer un sondage préalable à l'ouverture des CSSP et de mesurer l'écart entre les deux. D'autres indicateurs démontrent l'atteinte de cet objectif. D'une part, les plaintes d'inaccessibilité à nos services logées à l'Hôtel de ville et au Quartier général de la police sont disparues dès la première année. D'autre part, les statistiques de fréquentation des CSSP illustrent l'utilisation des services par les résidants, à savoir en moyenne 15 000 personnes rencontrées et 2 000 services rendus[3] annuellement par les CSSP.

Augmenter la satisfaction du public

Cet objectif s'inscrit dans la suite logique du premier, car en plus de mesurer les variations ou les concentrations dans l'utilisation de nos services, nous devons apprécier la satisfaction des citoyens. Nous devons également nous assurer que nous répondons adéquatement aux attentes de la population par la gamme de services que nous mettons à leur disposition. Le Sommet de la personne concluait sur la perception des Lavallois à l'effet qu'un écart se créait entre les types de réponses que nous offrons à la population et les attentes qu'elle manifeste à l'endroit de la police. Ceci met en évidence la préoccupation centrale des travaux de Goldstein[4], Eck et Spellman[5], Normandeau et Leighton[6]. Il ne suffit plus d'appliquer un processus standardisé à chacun des incidents dans une société, ou le consensus social s'éclate en une diversité de groupes minoritaires. La police doit offrir des services de sécurité publique sur mesure, c'est-à-dire adaptés aux besoins et aux attentes de chacune des minorités qui composent la collectivité. Enfin, elle doit mesurer si les services qu'elle dispense satisfont en général tous les groupes de façon à s'assurer de maintenir une légitimité organisationnelle élevée, élément crucial dans l'efficacité de la police.

Les résultats des sondages mentionnés précédemment indiquent que les personnes qui recourent aux services offerts par les CSSP en sont satisfaits dans une proportion qui

---

3. Rapports annuels 1994 à 1997, Service de police de Laval.

4. Herman Goldstein, *Problem-Oriented Policing*, New York, McGraw Hill, 1990.

5. John E. Eck et William Spelman, *Problem solving*, National Institute of Justice, Departement of Justice, Washington, DC, 1987.

6. André Normandeau et Barry Leighton, *Une vision de l'avenir de la police au Canada. Police défi-2000*, Rapport sur la police communautaire au Canada, Solliciteur général du Candada, Ottawa, 1990.

dépasse 90 %. Il s'agit là d'une amélioration importante de la satisfaction des résidants des secteurs est et ouest, si l'on compare avec les conclusions du Sommet de la personne mené en 1990.

L'amélioration de la visibilité policière demeure un point de ralliement important de toutes les consultations menées auprès de la population. Le fait de voir la police patrouillant une rue du quartier contribue grandement à la satisfaction du public. Il n'est pas de notre intention d'entrer ici dans le domaine du sentiment d'insécurité, mais nous devons l'effleurer afin d'énoncer notre ligne de conduite en matière de visibilité policière.

En capsule, les policiers des CSSP doivent faire sentir leur présence dans le quartier. Cette approche déborde le concept de la patrouille stratégique qui vise à démontrer une visibilité que nous qualifions de «visuelle» au risque de commettre un pléonasme. Ils doivent chercher à établir des liens étroits avec les organismes locaux, à exploiter toutes les occasions disponibles d'entrer en contact avec les résidants et à générer des rencontres aux endroits et aux heures d'affluence. Les policiers doivent ajouter une dimension «ressentie» à cette visibilité.

Ces efforts, alliés à ceux des bénévoles et des autres policiers actifs dans le quartier, ont permis de renverser la perception d'absence policière que des années d'éloignement avaient créée. En effet, l'application de cette ligne de conduite a amené une chute notable des plaintes de non-visibilité logées auprès des autorités.

Cerner le sentiment d'insécurité afin d'intervenir de façon dirigée

Le sentiment d'insécurité semble être la source de plusieurs appels de citoyens au 911. Nos façons habituelles de répondre à ces demandes créent beaucoup d'insatisfaction de la part des citoyens et des policiers. Le mandat des CSSP inclut cette dimension émotive de la perception de la sécurité publique de telle sorte que nous en avons fait un objectif. En matière de sentiment d'insécurité les policiers sont aux premières loges pour identifier les sources et prendre action.

Un exemple concret concerne un problème de cambriolage dans le secteur ouest. Les résidants manifestaient beaucoup d'inquiétudes, lesquelles se traduisaient par une augmentation du nombre d'appels au 911 concernant des situations suspectes. Compte tenu de la répartition des effectifs, les policiers répondaient à ces appels avec un certain retard. Les vérifications qu'ils faisaient concluaient souvent à une situation normale. Nous avions donc des citoyens insatisfaits de la réponse policière et des policiers insatisfaits des déplacements qu'ils jugeaient inutiles.

Suite à l'ouverture du CSSP, les agents d'intervention communautaire s'impliquèrent dans le réseau qui s'était créé pour la circonstance. Ils mirent en place un plan d'action visant à réduire le sentiment d'insécurité des citoyens. Ce plan d'action mobilisa les citoyens dans des gestes concrets et des programmes de prévention. L'inquiétude sociale recula, les appels au 911 diminuèrent de 50 % et les observations des citoyens contribuèrent à la progression de l'enquête.

Nous utilisons également les réseaux informels qui se créent selon l'intérêt du moment. À titre d'exemple, les résidants des alentours d'une usine désaffectée du secteur Saint-François s'étaient mobilisés afin de faire disparaître les dangers concernant la santé et la sécurité des enfants qui y jouaient régulièrement. Les agents d'intervention communautaire intégrèrent ce réseau de parents inquiets, développèrent avec eux une stratégie qui a conduit au démantèlement d'une usine suite à l'ordre d'un juge. Ainsi nos policiers ont développé l'habileté de transformer un groupe de pression en un groupe d'actions axées sur la résolution des problèmes selon les principes de la démocratie et de la justice.

Beaucoup d'autres exemples pourraient être cités dans lesquels une situation d'insécurité sociale a pu être atténuée par des techniques de mobilisation des citoyens, dans un plan d'action généré par les agents d'intervention communautaire. Dans ces cas, le partage des responsabilités entre les citoyens et les policiers a produit des dividendes collectifs importants sur le sentiment d'insécurité. Nous considérons que cet objectif est atteint.

Vérifier les connaissances et la compréhension des besoins et attentes des citoyens sur le niveau de sécurité publique souhaité

Dans notre contexte social qui se modifie rapidement, nous devons vérifier périodiquement si notre perception des besoins et des attentes des citoyens correspond avec la réalité. À l'instar des entreprises privées, nous devons effectuer des études de marché.

L'analyse de nos données statistiques et des demandes des citoyens alimentent notre perception sur les besoins de la communauté. Nous savons que, comme policiers, nous avons tendance à privilégier les besoins de contrôle de la criminalité, alors que les citoyens priorisent souvent d'autres aspects de la sécurité publique. Nous ajoutons alors dans nos CSSP deux autres fenêtres d'observation sur ce qui se passe dans la communauté :

La première consiste à consigner dans un support informatique les situations de désordre public que l'on qualifie d'incidents. Cette base de données est articulée de telle façon que toute information déjà en banque (adresse, nom, activité, etc.) est automatiquement signalée à l'utilisateur sous forme de message à l'écran.

La perception de nos partenaires, membres du réseau local, nous permet une deuxième fenêtre. En effet, grâce à leurs activités, ils prennent connaissance de plusieurs problèmes de sécurité publique tels certains cas de violence conjugale.

La vision que nous procurent ces trois points d'observation de la communauté s'analyse selon les méthodes inspirées, entre autres, des travaux de Goldstein. La méthode SARA nous permet d'identifier très tôt les manifestations de désordre et de criminalité. Nous pouvons donc agir avant que ces problèmes deviennent incontrôlables. Cependant il existe une nuance importante entre le fait de connaître et celui de comprendre un problème. La compréhension permet d'assurer l'adéquation des services que nous rendons et des besoins qui sont identifiés. Dans nos CSSP, il s'agit de l'un des rôles du comité aviseur.

Chacun des CSSP est chapeauté par un comité aviseur, formé de citoyens, de manière à faciliter une gestion basée sur la démocratie directe, à fixer les priorités annuelles et à légitimer les actions policières auprès de la communauté. Nous communiquons au Comité aviseur notre connaissance de la réalité locale et nous validons notre compréhension. Nous constatons que les membres du Comité ajoutent beaucoup d'informations qui enrichissent notre compréhension. Il s'agit ici d'un élément essentiel à la fixation des objectifs opérationnels. Le Comité fixe également les priorités d'intervention locale car c'est lui qui saisit le mieux le seuil de tolérance des résidants et les préoccupations locales.

En adoptant ce mode de fonctionnement, nous comprenons mieux les besoins et les attentes de la communauté. À date, cette compréhension nous a conduits à la mise en place de nouveaux programmes tels la « Zone protégée » (un espace public doté du statut spécial de prise en charge par les citoyens et le système judiciaire des problèmes de désordre), à créer des réseaux informels qui ont fait pression sur des fauteurs de troubles et à trouver des solutions à des problèmes vécus par la communauté.

Diminuer le taux de victimisation

Nous savons tous que la victimisation altère grandement la qualité de la vie dans un quartier. L'identification du taux de victimisation local constitue une préoccupation importante pour le personnel des CSSP. Nous sommes conscients du fait que la criminalité rapportée n'indique pas l'ampleur de l'ensemble des crimes commis (chiffre nébuleux).

Toutefois, dans notre processus d'analyse de la criminalité, les agents d'intervention communautaire ont pu cibler des situations précises et planifier des opérations. Le réseau communautaire fut mis en alerte et plusieurs informations pertinentes nous furent rapportées par les citoyens. De concert avec les patrouilleurs et les enquêteurs, des opérations entraînèrent des arrestations de suspects. La promotion des programmes de prévention permit de rendre plus difficile la commission de délits.

Bien que le taux de crime ait chuté à Laval, il a baissé de façon encore plus significative dans les secteurs des CSSP et nous croyons que cette performance est attribuable aux actions de leur personnel.

Vérifier la sensibilisation des policiers non impliqués

Le travail des policiers dans les CSSP s'effectue en étroite collaboration avec les autres unités, postes et escouades du Département de police, car il arrive souvent que la résolution de certains problèmes nécessite leur participation. L'action des CSSP ne s'effectue pas en vase clos car elle fait partie de la stratégie organisationnelle. Ainsi, afin d'empêcher l'isolement et la marginalisation des CSSP dans les autres secteurs de l'organisation, les mesures suivantes s'appliquent :

— une durée d'assignation maximum de trois ans pour les agent d'intervention communautaire ;

— un bulletin d'information régulier produit par les CSSP pour les patrouilleurs du secteur ;

— l'accès aux locaux des CSSP, en tout temps, pour les patrouilleurs du secteur ;

— la coordination de réunions avec les équipes de patrouilleurs locaux ;

— la participation occasionnelle des responsables des CSSP aux réunions de gestion des postes de district ;

— la tenue de réunions de la Direction dans les CSSP.

De petit succès en petit succès, nos CSSP voient s'accroître leur légitimité dans l'organisation. Notre stratégie qui consiste à éviter de mettre en opposition l'approche traditionnelle et l'approche communautaire procure également des bénéfices dans le sentiment d'appartenance au clan policier.

Conclusion

Jusqu'à maintenant nous évaluons que l'expérimentation des CSSP est très positive, aussi nous planifions l'ouverture d'un troisième CSSP et de trois autres avant l'an 2000. Dans le même temps nous examinons la possibilité d'ajouter d'autres services dans les CSSP existants. Nous songeons à la décentralisation des activités de contrôle routier et de la patrouille solo.

En résumé, nous aspirons à séparer les services d'urgence des services non urgents de notre secteur gendarmerie. Cette réalisation permettra de régler la dichotomie, existant actuellement dans notre mode de gestion de l'organisation policière, lorsqu'on demande à notre personnel d'être à la fois performant dans le contrôle de la criminalité et le service aux citoyens. Il faut être un androïde pour gérer rapidement les émotions générées par une situation stressante et répondre adéquatement, dans les minutes qui suivent, à un appel pour un chien qui aboie.

En 1996, un autre pas fut franchi à Laval dans le domaine de la coordination et du partenariat par la réunion du Service de prévention des incendies, du Service social municipal, de la Brigade communautaire et du Service de police, sous la bannière d'un seul service baptisé Service de la protection du citoyen.

Nous croyons fermement que notre stratégie de modification progressive de notre organisation réussira à augmenter notre légitimité organisationnelle dans la communauté lavalloise. Cette stratégie redonnera également à nos policiers le sentiment qu'ils jouent un rôle important dans la société.

Nous croyons également que la police en tant qu'institution sociale doit jouer un rôle de leadership dans l'encadrement de l'évolution sociale actuelle. La police demeure l'une des seules figures d'autorité dans notre société de plus en plus anomique. Nous rappelons que policer la société signifie «hausser le niveau de civilisation». Dans cet esprit, il n'est pas dans notre intention d'abdiquer nos responsabilités sociales.

121

ANNEXE

Les CSSP au quotidien

es quelques exemples qui suivent sont tirés des expériences vécues par les policiers et les bénévoles qui ont uni leurs efforts via les CSSP afin d'améliorer la qualité de vie de leur quartier.

Sécurité routière — Vitesse excessive

Les résidants d'une rue de l'ouest de la ville se plaignaient depuis longtemps des excès de vitesse des conducteurs qui empruntaient cette voie. De nombreuses pétitions logées auprès des autorités avaient produit leur lot de surveillances sporadiques qui ne résorbaient le problème que temporairement.

L'étude engagée par les policiers du CSSP indiqua que cette route représentait un raccourci intéressant pour les résidants des quartiers avoisinants. Ces derniers cherchaient à éviter les arrêts et les feux de circulation pour rejoindre l'autoroute en se rendant à leur travail et en revenant. Une surveillance discrète menée à l'aide d'un radar confirma la vitesse excessive (90 km/h en moyenne) et indiqua les heures cibles où les efforts devaient être concentrés. L'échantillonnage des plaques d'immatriculation indiqua que la majorité des conducteurs provenaient du même quartier ou des quartiers environnants.

Les résidants furent rencontrés et on leur demanda de faire circuler une nouvelle pétition exposant la problématique et ses conséquences sur leur qualité de vie, mais dirigée cette fois vers les conducteurs insouciants du bien-être de leurs voisins.

Munis de ce document, certains résidants participèrent à un barrage routier opéré par les policiers. Ils remettaient la pétition aux conducteurs en leur demandant de la signer tandis que le policier qui les accompagnait informait l'automobiliste de sa propre vitesse lors des observations précédentes. Plusieurs centaines de personnes signèrent le document.

Les évaluations subséquentes de la vitesse , effectuées de façon anonyme sur plusieurs mois, indiquèrent que la vitesse moyenne était passée à 60 km/h pour ne jamais remonter de façon inquiétante. Durant cette période d'évaluation, quelques « irréductibles » reçurent une contravention, n'ayant pas réagi adéquatement aux appels à la solidarité de leurs voisins de quartier. Cependant, les résultats de cette intervention ont grandement amélioré la satisfaction des citoyens concernés, résidants et automobilistes.

Agressions sexuelles sur des enfants

La commission d'agressions sexuelles sur des enfants qui fréquentaient un parc traversé par une piste cyclable amena la mise en place d'un plan d'intervention communautaire par le personnel du CSSP. Le suspect abordait les enfants en alléguant avoir perdu son portefeuille. Il demandait leur aide puis, une fois hors de vue, se livrait à des attouchements et parfois à des agressions sexuelles.

Il fut convenu qu'il importait plus d'empêcher la victimisation que de viser l'appréhension de l'individu. Il fallait surtout éviter d'augmenter le sentiment d'insécurité du quartier en adoptant une position alarmiste. Les moyens priorisés furent l'information sur le suspect et la sensibilisation des enfants aux principes de prudence à l'égard des étrangers. Cette dernière tâche fut assumée par les écoles. Quant à la diffusion de l'information, tous les secteurs d'activité touchant le parc et la piste cyclable furent ciblés. Les employés municipaux attitrés à l'entretien, les moniteurs, les surveillants de piscine, les chauffeurs d'autobus et les patrouilleurs unirent leurs efforts afin de dépister le suspect.

Le portrait-robot leur fut remis et on l'afficha dans les commerces environnants. Finalement, une patrouille cycliste fut formée pour la période d'application du plan d'intervention.

Dans les dix-huit mois qui avaient précédé cette intervention, l'agresseur avait frappé à cinq reprises dans ce secteur. Durant et depuis l'application du plan, aucune agression n'a été signalée. L'objectif de victimisation zéro a été atteint. L'agresseur n'a pas été appréhendé.

Conférences témoignages d'un jeune voleur repenti

À l'automne de 1994, un adolescent décide de recommencer à neuf et demande l'aide d'un agent du CSSP qui lui avait témoigné de la sympathie. Il lui confie ses crimes, pour la plupart des vols par effraction, et fait face à la justice. Il reçoit une sentence sous forme de travaux compensatoires. Aidé du même policier, il met sur pied un projet de conférence/témoignage auprès des élèves des écoles du secteur. Son projet est accepté comme mesure compensatoire par les autorités. Les étudiants du secteur l'entendent parler de ses expériences avec les gangs et du cheminement qui l'a conduit au crime.

Politique communautaire de vente de colle

Préoccupé par des incidents qui lui sont communiqués, le personnel du CSSP sollicite l'assistance des animateurs de la Maison des jeunes du quartier afin de sensibiliser les commerçants aux dangers de la vente libre de produits pouvant être inhalés par des jeunes susceptibles de sombrer dans la toxicomanie. Informés par les intervenants du milieu, tous les commerçants concernés acceptent de contrôler la quantité et la fréquence des ventes de tels produits aux mineurs. Cette campagne est accompagnée d'interventions aux niveaux scolaire et communautaire visant à informer et à dissuader les consommateurs actifs et potentiels. Les vérifications subséquentes auprès des commerçants indiquent une baisse importante des ventes dans cette catégorie de produit.

Livre de bord

C.S.S.P. LAVAL OUEST

DATE : _____ / _____ / _____   Heure début : _____ h _____   Heure fin : _____ h _____

LIEU : 01   C.S.S.P. Laval Ouest

NO : _____ RUE : _____   SECTEUR : _____

CATÉGORIES

(PR) PRÉVENTION   (IN) INFORMATION   (ET) ANALYSE   (CO) CONSTATATION   (IP) INT. POLICIÈRE

NATURE

00 Iden. entreprise	20 Discipline/Déonto.	40 Profil	50 Vérification 48 hres	60 Désordre
01 Prêt burin	21 Recrutement	41 Criminalité	51 Rapport C. Criminel	61 Crime prog.
02 Haleine-O-Test	22 C. Criminel	42 Séc. routière	52 Rapport C.S.R.	62 C.S.R.
03 Passeport enfant	23 C.S.R.	43 Désordre	53 Liste effets volés	63 Ass. citoyen ou
04 Insp. sécuritaire	24 Ress. milieu	44 Travail adminis.	54 Personne se rapporte	groupe
05 Conférence	25 Services municipaux	45 Conciliation voisins	55	64 Visibilité
06 Prévol	26 Règl. municipaux	46 Sentiment insécurité	56	65 Ass. autre service
07 Parents-secours	27 Localisation rue	47	57	66 Transmission info
08 S.A.S.	28 Prog. interne	48	58	S.R.C.
09 Autographe	29 Mission C.S.S.P.	49	59	67 Transmission info
10 BOAT	30 Rétroaction PLV			D.E.C.
11 SVP conduis...	31 Système de justice			68 Transmission info
12 Sécurité vélo	32 Autorisations			postes
13 Op. citrouille	diverses			69 Enquête
14	33 Cause civile			70 Assistance véhicule
15	34 Visite policière			de service
16	35 Info. dossier			71 Vérification C.R.P.Q.
17	opérationnel			72 Info. d'un citoyen
18	36 Réunion			
19 Autre	37 Utilisation équip/			
	lloc aux policiers			
	38 Autres			
	39 Utilisation équip. +			
	locaux autres			

ORIGINE

→ Nombre de personnes rencontrées : _____

DOSSIER : _____   OUVERTURE : _____   FERMETURE : _____

COMMENTAIRES : _____

_____

_____

_____

INTERVENANTS

01 Pierre Brien
02 Guy Lajeunesse
03 Michel Dumas
04 Madeleine Dulude

Nom : _____
Prénom : _____

Organisme : _____

IMPLIQUÉ(S)

Nom : _____
Prénom : _____
D.D.N. : _____
Occupation : _____
Statut :   01 Plaignant
           02 Victime

Adresse : _____

Secteur : _____
Téléphone : ( ) _____

03 Personne rencontrée   05 Suspect
04 Personne ressource

La police communautaire au sein de la Gendarmerie royale du Canada*

Tonita Murray

Sous-directrice, politiques et planification
Gendarmerie royale du Canada
Maîtrise en histoire
Université de Victoria

Donald Loree

Analyste, politiques et planification
Gendarmerie royale du Canada
Doctorat en sociologie
Université d'Alberta

* Cet article a été traduit de l'anglais par monsieur Daniel LeMoine.

Origine et principes de la police communautaire à la GRC

C'est en 1990 que la Gendarmerie royale du Canada (GRC) a adopté le principe de la police communautaire. Elle n'était pas le premier organisme à le faire et ce n'était pas non plus la première fois qu'elle songeait à une telle méthode de travail. En effet, dans les années 70, le chef du Détachement de Surrey, en Colombie-Britannique, un avant-gardiste, avait présenté à ses employés le principe de la police communautaire. À cette époque-là, ce fut perçu comme un système s'écartant dangereusement du contrôle centralisé qui avait cours ; il fut donc rejeté. Toutefois, cette idée avait influencé un bon nombre de jeunes gendarmes du Détachement. Au début des années 80, avec un criminologue à l'emploi du Solliciteur général, l'un d'entre eux décida d'étudier plus à fond la nature de la police communautaire et les possibilités qu'elle offrait. Les résultats de l'étude furent publiés par le Collège canadien de police[1], mais, de nouveau, la GRC refusa de donner suite aux recommandations. En 1990, c'était donc la troisième tentative d'appliquer le principe de la police communautaire à la GRC, mais cette fois, avec l'assentiment du commissaire et de son état-major.

On adopta alors ce principe parce que la société évoluait et que la GRC devait s'adapter pour s'imposer. Un service de police composé en grande partie d'hommes de race blanche,

---

1. Christopher Murphy et R. Graham Muir, *Les services de police communautaire : un examen de la question*, Direction des programmes, Solliciteur général du Canada, Ottawa, 1985.

concentrant ses activités principalement sur l'exécution des lois et le contrôle de la criminalité, et évaluant son efficacité d'après la rapidité de ses interventions, convenait parfaitement à la société d'avant cette époque; toutefois, un tel service ne répondait plus aux besoins d'une population vieillissante, des communautés autochtones en pleine désintégration sociale et d'une société de plus en plus multiraciale et multiculturelle. Au début des années 90, la GRC faisait face à une situation fort complexe, probablement la première de toute son histoire, et n'avait d'autres choix que de renouveler ses façons de s'acquitter de ses responsabilités. Grâce à la police communautaire, elle serait en mesure de répondre aux nouveaux besoins de la population.

Au début de la décennie, selon les criminologues et les officiers hiérarchiques qui l'avaient définie[2], la police communautaire se résumait à une stratégie de prestation de services. Dans la documentation, la pratique et les discussions, on mettait toujours l'accent sur les exemples opérationnels. On ne semblait pas comprendre que de gros changements d'ordre culturel et organisationnel s'imposaient avant d'envisager l'élaboration de tout nouveaux rapports entre le prestataire et le bénéficiaire de services. La GRC se fonda donc sur sa structure centralisatrice et fortement hiérarchisée pour promouvoir la police communautaire. On créa à la Direction générale une «direction» pour élaborer des stratégies, puis en surveiller la mise en application dans les divisions. On croyait que les membres opérationnels comprendraient et se soumettraient sur-le-champ à ce qu'on leur demandait. Mais, pour diverses raisons, cela ne se produisit pas et les premières tentatives connurent des résultats peu concluants.

---

2. Voir: J. Wilson et G. Kelling, «Broken windows: the police and neighbourhood», dans *Atlantic Monthly*, mars, 1982; Chris Braiden, «Vols de banques et bicyclettes volées: réflexions d'un policier de la rue», dans le *Journal du Collège canadien de police*, Solliciteur général du Canada, Ottawa, 1985; R. G. Muir, «Community policing for the Royal Canadian Mounted Police: Implications of literature, learning and leadership», article inédit, 1990.

La GRC n'a pas été le seul service de police à faire un faux départ. Plusieurs autres ont vécu la même expérience et ont dû procéder par essais avant de bien comprendre toutes les implications de la police communautaire. Durant cette période, un grand nombre d'études externes sur les pratiques de la police communautaire furent publiées[3]. Les auteurs convenaient que la théorie devançait la pratique et que la police semblait lente, sinon hésitante, à adopter ce nouveau principe. C'est alors que le vérificateur général du Canada[4] découvrit qu'à la GRC la police communautaire était à peine sur pied malgré le fait qu'il s'agissait d'une priorité stratégique. Or, même les auteurs des études ne comprenaient pas que la police communautaire était un principe nouveau qui, même si on en comprenait les implications, nécessitait du temps pour la réorganisation et le changement d'attitude des policiers. Seuls les auteurs d'une étude menée conjointement avec la police canadienne comprirent les obstacles que posait l'adoption de la police communautaire. C'était le projet visant à élaborer une vision pour la police canadienne, mis sur pied au nom du Solliciteur général du Canada[5]. Dans le rapport sur l'étude, qui fut distribué à tous les agents de police du Canada, l'acceptation du principe de la police communautaire, qui répondait aux nouveaux besoins de la société canadienne, pouvait se faire seulement par des changements radicaux d'ordre organisationnel et culturel dans les organismes de police du Canada.

---

3. Voir Sandra Gail Walker, Christopher R. Walker et James C. McDavid, *Les postes de police sociopréventive à Victoria : une évaluation de trois ans,* Collège canadien de police, Ottawa, 1992 ; Joseph P. Hornick et autres, *Une évaluation du programme de patrouille pédestre du Service de police d'Edmonton,* Institut canadien de recherche sur le droit et la famille, Solliciteur général du Canada, Ottawa, 1990.

4. Canada, *Rapport du vérificateur général à la Chambre des Communes,* chapitre 22, Ottawa, 1992.

5. André Normandeau et Barry Leighton, *Une vision de l'avenir de la police au Canada : Police-Défi 2000,* Solliciteur général du Canada, Ottawa, 1990.

Le défi qui se posait à la GRC était de changer l'attitude et les méthodes de travail des membres qui avaient été recrutés et formés pour réprimer la criminalité, et dont les habitudes empêchaient de bien comprendre ce nouveau principe. Autre obstacle : les politiques et les modalités internes avaient été créées dans l'esprit d'un système de commandement et de contrôle plutôt que d'une organisation communautaire. Par conséquent, la planification et les prises de décision faites conjointement avec la population ainsi que l'élaboration de techniques innovatrices de résolution de problèmes n'ont mené nulle part à cause de l'approbation obligatoire à un échelon plus haut. En outre, certaines administrations locales craignaient qu'en consultant la population, la GRC passait outre à leurs compétences pour administrer la police. Cette opposition disparut dès qu'on apprit à connaître le principe de la police communautaire ; cependant, certains membres opérationnels craignaient qu'une trop grande réussite et une diminution de la criminalité n'entraînent une réduction des effectifs. Ironiquement, l'obstacle final à la police communautaire était la popularité même de la GRC. Étant donné que les sondages d'opinion donnaient une cote élevée à la GRC, on hésitait à changer les pratiques en cours.

Autre barrière : les rôles multiples joués par la GRC. En sa qualité de police fédérale, la GRC s'occupe des enquêtes sur les drogues, les douanes, l'immigration, les passeports, la sécurité nationale et la criminalité en col blanc, puis elle assure la protection des missions diplomatiques, des dignitaires en visite au pays et des dignitaires canadiens. De plus, elle assure, par contrat, des services policiers réguliers, notamment la patrouille routière, la prévention criminelle, l'exécution du Code de la route et les enquêtes en vertu du Code criminel dans toutes les provinces et territoires, à l'exception du Québec et de l'Ontario, ainsi que dans quelque 200 municipalités. En plus d'assurer des services de police dans de nombreuses grandes villes, la GRC offre des services aux communautés rurales du Canada et aux communautés autochtones du Grand-Nord. Elle offre également aux autres services de police et aux organismes d'exécution des lois une gamme de services dont le laboratoire judiciaire, l'identité judiciaire, l'information poiicière informatisée, des renseignements d'ordre criminel et des cours de police avancés. En raison de la grande variété des services qu'elle offre, la GRC dessert une gamme de clients et de communautés qui exigent chacun des services propres à leurs besoins.

En raison du grand nombre de responsabilités qui incombent à la GRC, il n'est pas surprenant que l'introduction de la police communautaire ait été lente. Toutefois, les compressions budgétaires du fédéral, des provinces et des municipalités en ont accéléré l'allure. La réduction des dépenses de la GRC a provoqué les changements nécessaires à la promotion de la police communautaire. En réalité, le problème des compressions budgétaires a pu être réglé en grande partie grâce à la police communautaire.

Étant donné que la police communautaire comporte beaucoup plus que la prestation de services, elle a pallié à la diminution des ressources. Il s'agit en fait de l'application de principes de gestion modernes. De nos jours, les organisations cherchent à aplanir et à décentraliser les pouvoirs, à responsabiliser les employés, à élaborer de nouvelles solutions et à consulter les clients, et ces activités sont propres à la police communautaire ; en outre, grâce à ces méthodes, on améliore l'efficacité et l'efficience en rationalisant les effectifs et en créant des organisations reliées par réseau, et non plus administrées selon une hiérarchie. Ainsi, la GRC a décidé d'accompagner la réduction de ses dépenses d'une réorganisation en fonction de la police communautaire. En d'autres mots, la police communautaire ne sera pas exclusive à la prestation des services, mais appliquée partout dans l'organisation ; par conséquent, les commis au classement et les analystes de politiques, les techniciens de laboratoire et les membres du Carrousel, le commissaire et les gendarmes seront tous appelés à réaliser cette vision de fonctionnement, c'est-à-dire la protection des foyers et des communautés grâce à la police communautaire.

En 1994, on a créé un groupe spécial chargé d'inciter tous les employés de la GRC à participer au renouvellement de l'organisme. Il s'est d'abord concentré sur la compression des dépenses ; mais une fois que cet objectif fut en voie d'être atteint, il a voulu éliminer les obstacles à la mise en application de la police communautaire. Les cadres supérieurs se sont mis à la tâche et y ont consacré beaucoup de temps. Les organismes centraux du gouvernement fédéral ont également donné un élan au principe en encourageant la mise sur pied de nouvelles méthodes de gestion publique dans la fonction publique. En réalité, nous pourrions dire que la police communautaire est synonyme de saine gestion publique.

Cinq ans plus tard, le vent tourne et la police communautaire est en train de devenir une réalité. Elle est perçue maintenant comme un phénomène évolutif et dynamique qui donne des résultats cumulatifs plutôt qu'immédiats. En outre, elle est multidimensionnelle étant donné qu'elle s'applique à chacune des activités policières. Elle permet d'améliorer les services par une planification des activités conjointement avec les communautés, elle responsabilise les agents de police pour qu'ils règlent eux-mêmes leurs problèmes, puis elle permet de former des agents de police pour qu'ils agissent de façon « proactive » et tiennent compte des causes plutôt que des symptômes des problèmes de la police communautaire.

Pratiques de police communautaire en cours à la GRC

Des changements doivent être apportés dans les trois secteurs suivants :

— La gestion ;

— L'administration ;

— Les opérations.

S'ils sont faits simultanément, ils permettent de mettre en application une démarche descendante et ascendante. Toutefois, la réorganisation des secteurs est interdépendante. La succès de la police communautaire repose sur la réussite des changements apportés en même temps dans ces trois secteurs.

La gestion

Il est nécessaire d'apporter des changements dans ce secteur pour définir la nouvelle orientation de la GRC et créer la structure organisationnelle et le climat nécessaires à la police communautaire. Parmi ces changements, notons :

— La restructuration ;

— L'amélioration des communications ;

— La vision de leadership ;

— L'entrepreneuriat ;

— La promotion de la qualité des services ;

— L'application des principes de police communautaire à l'ensemble des activités de l'organisation.

Restructuration

Pour se conformer aux directives de la Commission MacDonald, la GRC avait créé un grand nombre de niveaux d'examen afin d'éviter les erreurs et d'être en mesure de rendre des comptes au gouvernement fédéral. Cette responsabilité relevait des commandants divisionnaires, mais ces derniers ne détenaient pas les pouvoirs nécessaires pour gérer les opérations. C'est la Direction générale qui prenait les décisions concernant un grand nombre de questions opérationnelles. Cela a donné lieu à un engorgement de l'administration centrale ainsi qu'à l'apparition d'une structure bureaucratique qui ralentissait les prises de décision et d'un système rigide de politiques et de modalités qui bloquait tout changement et toute initiative. Bien qu'une telle structure permettait de rendre des comptes au gouvernement fédéral, la situation était différente pour les communautés locales parce que l'uniformité de la démarche avait comme conséquence d'écarter toute variation qui aurait permis de répondre aux besoins locaux.

Lorsqu'on a compris que la police communautaire ne pouvait offrir tous les services escomptés si les ordres continuaient à venir de la Direction générale, on a décidé de réduire la taille de cette dernière et de décentraliser les pouvoirs opérationnels. On a finalement pris cette décision parce qu'il fallait, de toute urgence, réduire les dépenses. On peut donc dire que ce sont les compressions budgétaires qui ont donné le coup d'envoi de la police communautaire. Le processus n'est pas encore terminé, mais les commandants divisionnaires ont vu à mettre en place des services de police qui répondaient aux besoins de leur province. Au début, certains hésitaient à décentraliser les pouvoirs généraux et les pouvoirs de dépenser, mais les pressions budgétaires qu'ils subissaient les ont obligés à rationaliser et à restructurer leur gestion opérationnelle, ce qui a eu pour effet de décentraliser les services et de responsabiliser les membres qui assuraient la prestation des services au public.

Amélioration des communications

Les communications internes ont toujours été importantes à la GRC ; or, en préconisant le concept de la police communautaire et le renouvellement de l'organisation, on s'est vite rendu compte que le système de communication en vigueur était inadéquat. Les messages émanant de la Direction générale étaient mal compris ou tout simplement ignorés, alors qu'il y en avait très peu venant des services. Les communications avaient donc l'effet contraire à celui recherché parce qu'elles manquaient de crédibilité et qu'elles favorisaient même le cynisme. De plus, comme la plupart des communications se faisaient par écrit, les membres se plaignaient qu'elles alourdissaient la paperasserie.

Les membres de l'État-major supérieur ont finalement compris qu'ils devaient s'occuper personnellement des communications avec les gestionnaires. C'était difficile dans une organisation comptant plus de 21 000 employés répartis dans un si vaste pays. Néanmoins, le commissaire et ses quatre sous-commissaires ont vu à organiser des réunions générales pour expliquer la nouvelle orientation de la GRC. De plus, on a formé des groupes de consultation composés d'employés de tous les secteurs, et on a tenu des séances de discussion pour connaître les divers points de vue et les suggestions de renouvellement de l'organisation. Les vidéoconférences et le courrier électronique aident le dialogue au sein de l'organisation parce qu'ils éliminent le problème des distances, de la taille de l'organisation et du coût des conférences. On a également amélioré l'utilisation des communications écrites. Les communications sont devenues une force multidimensionnelle et puissante qui aident à véhiculer les idées et les nouvelles pratiques.

Vision de leadership

L'étude de 1990 sur les cadres de la GRC a révélé qu'ils étaient d'excellents gestionnaires, mais des leaders trop conservateurs[6]. Ils avaient tendance à voir leur rôle de façon trop étroite, c'est-à-dire à se consacrer uniquement à leur responsabilité particulière, au détriment de tout apport au leadership organisationnel. En gros, nous pouvons dire qu'ils peuvent maintenir la stabilité, mais qu'ils ont de la difficulté à promouvoir et à contrôler les changements. Étant donné que des facteurs externes exigent que des changements soient apportés, il est important que les cadres exercent une forme de leadership plutôt que de maintenir le statu quo.

---

6. Gendarmerie royale du Canada, « Report on the survey of RCMP senior managers on enhancing leadership for managing change », article inédit, Ottawa, 1990.

Au cours des six dernières années, un grand nombre de cadres ont pris leur retraite et ont été remplacés par d'autres plus enclins au leadership. La décentralisation a donné à ces derniers davantage de pouvoirs, et le fait d'accéder à un poste décisionnel les a sensibilisés à la nécessité de changement. Ils se rencontrent plus souvent et apprennent à réfléchir et à régler les problèmes comme un seul corps. Bien que peu d'entre eux soient des progressistes actifs, ils ont quand même accepté de définir une nouvelle vision pour l'avenir de l'organisation et d'établir des directives conjointement avec les employés de la GRC. Cette conversion n'a pas été facile. En règle générale, on s'attend à que les agents de police soient conservateurs, bons gestionnaires, et évitent de contester le statu quo. Ce changement dans leur rôle s'est produit grâce à l'intervention du commissaire. Sans lui, il est peu probable qu'on aurait pu transformer spontanément les gestionnaires en leaders.

Entrepreneuriat

Autrefois, étant donné qu'on considérait que la police était avant tout responsable de l'exécution des lois et du contrôle de la criminalité, on était enclin à croire que ses responsabilités étaient non discrétionnaires, qu'elle n'avait aucun compte à rendre à la population et qu'elle bénéficiait d'une quasi immunité en ce qui a trait aux compressions budgétaires et aux réductions d'effectif, contrairement aux autres organismes du secteur public.

La police communautaire et la compression des ressources nous prouvent le contraire. Chacun sait que la GRC a des clients à servir, une organisation qu'elle doit rendre le plus efficace possible et des demandes qui ne peuvent être satisfaites que par la récupération et le partage des coûts. La police est donc devenue une sorte d'entreprise et ses gestionnaires ont adopté, avec l'assistance du Conseil du trésor fédéral, des stratégies du secteur privé afin qu'elle demeure « le service de police de choix » pour les organismes qui y font appel.

Actuellement, la GRC est davantage en mesure de répondre aux demandes de ses partenaires contractuels et de la population. En 1990, elle a créé un système de groupes consultatifs communautaires qui la conseille sur la prestation des services. En matière de gestion, le commissaire bénéficie des conseils d'un groupe consultatif pour les questions autochtones et d'un autre pour les minorités visibles. En outre, on est en train de mettre sur pied un groupe de conseillers pour les jeunes.

On a trouvé de nouvelles façons de se procurer des ressources. À part la récupération et le partage des coûts pour les services spécialisés tels que la vérification des casiers judiciaires en vue de la délivrance des visas de voyage, on a créé une fondation indépendante qui recueille des fonds pour les projets de police communautaire par la commandite et la concession de licences pour la vente de l'image de marque de la GRC. Au niveau local, on cherche à obtenir la collaboration de bénévoles ainsi que du secteur privé pour obtenir du matériel ou des ressources humaines supplémentaires qui aideront à la prestation de services de soutien.

Le projet du Conseil du trésor de créer des budgets de fonctionnement a fortement aidé à promouvoir un mode d'action axé vers l'entreprise privée, qui accorde aux officiers hiérarchiques des pouvoirs décisionnels sur les dépenses de leur service. La flexibilité qui s'ensuit permet une saine gestion des ressources et les officiers hiérarchiques sont plus en mesure de trouver des moyens innovateurs de réaffecter leurs ressources pour atteindre les nouveaux objectifs fixés.

On admet maintenant que les vérifications et les évaluations traditionnelles effectuées à la GRC permettaient d'assurer une bonne responsabilisation ; toutefois, elles avaient été conçues pour veiller au respect des politiques et des modalités plutôt que pour trouver des solutions intelligentes et efficaces aux problèmes. On a donc réorienté les vérifications et les évaluations pour favoriser une révision plus locale du rendement tout en introduisant des principes de gestion des risques. On ne vérifie plus automatiquement les programmes pour lesquels on n'a jamais relevé de problèmes. On se concentre plutôt sur les secteurs qui sont plus susceptibles que d'autres d'éprouver des problèmes. De cette façon, on évite de mettre sur pied des projets contraignants et on encourage les gestionnaires à être plus flexibles et innovateurs.

Dernièrement, d'autres organismes fédéraux se sont joints à la GRC pour instaurer des plans d'activité qui établissent un lien direct entre les objectifs opérationnels et la planification des ressources. On a institué un cycle de trois ans qui comprend une analyse du milieu, une consultation avec les clients et les parties intéressées, une définition des priorités, une élaboration de stratégies et une définition des objectifs de rendement. Jusqu'à maintenant, on a couvert tous les points du cycle. Bien que des améliorations soient nécessaires, on est parvenu à promouvoir la consultation au sein de l'organisation pour l'établissement des priorités et des stratégies. En outre, on s'est rendu compte que la police communautaire bénéficie grandement d'un tel système de planification, puisqu'il est maintenant possible de concentrer les ressources sur des stratégies importantes qui lui permettront d'atteindre ses objectifs.

Promotion de la qualité des services

Tandis qu'on faisait la promotion de la police communautaire, le gouvernement fédéral instaurait un projet visant à améliorer la qualité des services au public. La GRC en a profité pour mettre au point une série de normes permettant d'informer les clients des services et du rendement auxquels ils peuvent s'attendre de la GRC. Ces normes ont été élaborées conjointement avec les membres opérationnels et un échantillon des groupes consultatifs communautaires. En raison de la variété des communautés desservies, on a inscrit dans les normes des principes généraux qu'on pourra préciser avec la collaboration des clients au niveau local.

Il est difficile de rester engagé à assurer la qualité des services. Si on la tient pour acquise, l'intérêt tend à disparaître et les normes commencent à baisser. Pour éviter une telle situation et pour reconnaître les mérites de ceux qui consacrent beaucoup d'énergie à assurer la qualité des services, on a mis sur pied le projet « Avis de recherche ». On publiera dans un magazine interne de la GRC les projets innovateurs et les activités d'employés exceptionnels. En outre, on prévoit organiser une conférence sur les meilleures activités. Les personnes choisies seront invitées à présenter leur projet.

Application des principes de police communautaire à l'ensemble des activités de l'organisation

Puisque la police communautaire se veut l'application des principes de gestion modernes aux organisations policières, on a invité tous les employés à mettre ces principes en application. Cela signifie que les services administratifs tels que les finances, le personnel, l'alimentation, l'information du public et le classement des dossiers doivent répondre aux besoins des clients, consulter ces derniers en vue de la planification des services ou des changements qui seront apportés et assurer la prestation des services dans une optique de résolution de problèmes. Pour atteindre cet objectif, en ce qui concerne les principes de gestion des risques, on responsabilise les employés pour les rendre plus autonomes. Dans ce projet, on insiste sur le fait que les membres civils, les employés de la fonction publique et les membres réguliers doivent respecter les principes de la police communautaire et servir directement ou indirectement la population.

L'administration

La prestation des services de la GRC est assurée par ses employés, et environ 80 % du budget de l'organisation est consacré aux salaires. Par conséquent, les effets de la police communautaire et du renouvellement de l'organisation ont eu des répercussions profondes sur l'administration de la GRC, tout particulièrement en ce qui concerne la gestion des ressources humaines. On a dû effectuer des changements importants pour s'assurer que les employés possédaient les compétences nécessaires pour travailler au sein de la police communautaire et pour répondre au défi que pose le renouvellement de l'organisation. On a également apporté des changements dans les secteurs suivants :

— La sélection des recrues et la formation ;

— L'avancement ;

— La conversion de postes policiers en postes civils ;

— La politique et les modalités.

Sélection des recrues et formation

On a modifié les critères de sélection pour s'assurer que les recrues possèdent des aptitudes et des compétences en relations humaines afin d'aider les communautés à résoudre leurs problèmes. On recherche des recrues issues des communautés autochtones et des minorités visibles, ainsi que des femmes. Actuellement, un grand nombre de recrues détiennent au moins un diplôme universitaire et elles sont au milieu de la vingtaine, alors qu'autrefois elles n'avaient en moyenne que dix-neuf ans. Elles connaissent donc mieux la vie et ont acquis de l'expérience dans d'autres champs d'activité.

Jusqu'à tout récemment, les lois rendaient difficile le congédiement d'une recrue qui ne répondait pas aux exigences de la GRC, et les six mois de formation coûtaient très cher. Maintenant, les recrues n'entrent pas immédiatement dans la GRC. Elles suivent d'abord une formation, et si leur rendement est jugé satisfaisant, on leur offre un emploi. En outre, en plus de l'aptitude physique, on exige certaines compétences en natation, en dactylographie et en conduite automobile. Ces recrues, que l'on appelle des cadets, reçoivent une allocation durant leur formation, mais elle est moins élevée que la solde d'un gendarme subalterne.

La formation préparatoire se fonde maintenant sur des techniques d'apprentissage pour adultes. Les cadets ne sont plus soumis à une formation paramilitaire qui encourage le conformisme et décourage l'indépendance d'esprit. On utilise le drill pour former l'esprit de corps et on se sert d'exercices de simulation pour développer les compétences en matière de résolution de problèmes. Le modèle élaboré pour la formation des cadets de la GRC s'appelle le CAPRA, c'est-à-dire : clients, acquisition et analyse de renseignements, partenariats, réponses et auto-évaluations (voir le tableau). Même si ce système n'existe que depuis deux ans, on s'est déjà rendu compte que les cadets qui en sont à leur première affectation sont aussi avancés que les gendarmes formés il y a trois ans sous l'ancien système.

Avancement

Autrefois, les membres de la GRC pouvaient être promus plusieurs fois au cours de leur carrière, à la lumière de l'ancienneté et de l'étude de leur dossier. L'attrition à la baisse et l'augmentation du nombre de membres avaient déjà ralenti ce processus lorsque la police communautaire a été créée. On s'est vite rendu compte que le système d'avancement devrait être fondé sur le mérite, si ceux possédant le leadership et les compétences pour s'adapter à la police communautaire devaient être promus à des postes de superviseur. Pour trouver les meilleurs candidats, on fait donc subir un examen et une entrevue.

Le nouveau système a fait l'objet de critiques et de protestations en partie à cause d'une présentation maladroite et d'un certain nombre de problèmes mineurs qui accompagnent tout nouveau programme. La protestation a probablement pris beaucoup d'ampleur parce qu'on croyait que ce système remettait en question la tradition. On a traité les plaintes avec compassion et on a fait le plus de concessions possible, sans toutefois nuire à l'intégrité du nouveau système d'avancement. Actuellement, il est mieux accepté et il s'étend aux grades d'officier. L'ancien processus d'avancement au grade d'officier fait également l'objet de changements pour assurer l'uniformité avec celui créé pour les grades de sous-officier.

Conversion de postes policiers en postes civils

À la GRC, on a toujours pensé qu'un membre régulier sans spécialité pouvait occuper n'importe quel poste avec une formation élémentaire ou acquise en cours d'emploi. C'était peut-être vrai autrefois alors que tout était plus simple. Même si on admettait qu'on avait besoin de spécialistes pour certaines fonctions telles que les enquêtes judiciaires, on était d'avis que la recherche, l'administration budgétaire, le personnel, l'élaboration des politiques et la planification, ainsi qu'une variété de fonctions autres que policières seraient mieux effectuées par des membres réguliers de la GRC. Avec ce système, un nombre important d'agents de police ont été affectés à des postes d'administrateurs et de gestionnaires, et ces postes, qui étaient surtout du travail de bureau, étaient occupés par des membres supérieurs. Par conséquent, on manquait de membres pour les fonctions régulières de la police et les coûts de l'administration étaient plus élevés que si des membres civils compétents avaient rempli ces fonctions. En outre, cette façon de procéder dévaluait les compétences et le travail des membres civils chevronnés.

Pour s'assurer que les agents de police sont, dans la mesure du possible, affectés seulement à des postes qui exigent le statut d'agent de la paix et certaines compétences particulières, et aussi pour réduire les coûts de l'administration, on a répertorié les postes qui n'exigent pas que le titulaire soit policier, puis on remplacera ce dernier par un membre civil, en temps et lieu. À l'heure actuelle, des membres civils supérieurs occupent des postes de cadre dans l'organisation. Pendant neuf ans, un membre civil a occupé le poste de sous-commissaire à la Gestion générale. Cette tendance a contribué à améliorer la situation des membres civils et, maintenant, on les reconnaît de plus en plus comme des partenaires égaux capables d'assurer les services de police communautaire.

Politique et modalités

Au fur et à mesure que la police communautaire prend de l'expansion, on se rend compte que le grand nombre de politiques et de modalités à la base des activités, à tous les niveaux de l'organisation, constituent des barrières empêchant la police communautaire d'atteindre ses objectifs. Par conséquent, plusieurs d'entre elles ont déjà été annulées après avoir été analysées. Pour décider si des politiques ou des modalités seront conservées ou annulées, on vérifie si elles sont encore utiles et si elles aident ou nuisent à la police communautaire.

Le niveau opérationnel

L'aspect opérationnel de la police communautaire a été encouragé et appuyé par une direction spéciale de la Direction générale. Les employés ont fait des recherches, préparé de la documentation et des manuels sur la police communautaire, préparé des cours et des ateliers, encouragé la mise sur pied de projets pilotes et donné l'élan qu'il fallait pour lancer la police communautaire. Leurs efforts ont été menés sur deux fronts à la fois. En effet, en plus d'élaborer des modèles de police communautaire, on a réformé la formule de prestation de services policiers aux communautés autochtones. On est parvenu à sensibiliser les gens au principe de la police communautaire et à encourager sa mise en pratique.

On a créé un grand nombre de projets de démonstration concernant l'application des principes de police communautaire dans différentes régions du pays et dans des détachements[7] de tailles et de responsabilités différentes. Bien qu'on

---

7. Le détachement est à la base de la prestation des services. Viennent ensuite la sous-division, qui englobe plusieurs détachements, puis le quartier général divisionnaire. La GRC comprend treize divisions ; la plupart d'entre elles coïncident avec les frontière géographiques des provinces. Elles relèvent de la Direction générale qui est responsable de l'ensemble des activités de la GRC.

admette que chaque communauté possède des caractéristiques et des besoins qui lui sont propres, on veut aussi que d'autres détachements appliquent à leurs propres activités les leçons tirées de ces projets. Le but ultime est de transformer les « projets » en méthodes de prestation de services pour l'ensemble de l'organisation. Voici quelques-uns des projets pilotes.

Burnaby (Colombie-Britannique)

Burnaby est un gros détachement municipal situé dans le sud-ouest de la province. C'est là qu'on a mis sur pied l'un des principaux projets de démonstration. Pour le planifier, on avait eu des discussions et tenu des ateliers avec du personnel de la GRC et des leaders importants de la communauté. Cela a permis de rencontrer les parties intéressées et de définir les objectifs.

Ensuite, on a tenu d'autres ateliers et séances de formation à l'intention des employés de la GRC, de politiciens locaux et de membres de la communauté. On leur a fourni de l'information sur le concept de la police communautaire, la résolution de problèmes et les changements dans la gestion. Les citoyens et les employés ont discuté longuement de la façon dont le concept pourrait être appliqué à Burnaby et de sa capacité de modifier les rapports entre la police et la communauté.

À partir de ces discussions, une équipe formée d'employés de la GRC a étudié en détail les modalités d'application de la police communautaire dans d'autres organismes canadiens et américains. En plus de la documentation qu'ils ont consultée, ils se sont rendus dans plusieurs villes pour se renseigner sur la façon dont les principes avaient été mis en application. Le projet de Burnaby était bien lancé lorsque l'équipe, avec la collaboration d'un autre atelier important, a appliqué les notions apprises à la mise sur pied d'un modèle de prestation de services qui répondait aux besoins de Burnaby. L'atelier a défini cinq objectifs fondamentaux et 18 mesures nécessaires à l'atteinte des objectifs. Depuis ce temps, d'autres s'en sont servis pour élaborer leurs propres projets.

Objectifs	Mesures
Améliorer les services à la communauté.	Décentraliser des pouvoirs aux zones ou aux districts.
Améliorer la prestation des services.	Créer des postes ou des sous-postes de quartier.
Accroître la satisfaction au travail.	Offrir des choix d'interventions.
Améliorer les communications internes et externes.	Concevoir des modèles d'analyses criminelles.
Offrir plus de cours, les améliorer et les donner sur une base continue.	Offrir plus de ressources aux gendarmes.
	Offrir des cours sur la résolution de problèmes.
	Améliorer les communications.
	Créer une zone pilote pour des services axés sur la résolution de problèmes et la mise en application des stratégies de la police communautaire.
	Accroître les fonctions des gendarmes.
	Réaffecter des postes à des activités opérationnelles.
	Évaluer les besoins en matière d'utilisation des ressources actuelles et de leur efficacité afin de les réaffecter à la prestation des services.
	Consulter la communauté.
	Effectuer la mise en application dès que possible.
	Élaborer des stratégies de communication internes et externes.
	Diminuer la paperasserie.
	Flexibiliser les relais.
	Assurer une supervision appropriée.
	Faire le contrôle et l'évaluation.

Un grand nombre de ces mesures ont été plus ou moins mises en application. La résolution de problèmes a donné des résultats encourageants, puis le calendrier des relais et l'allocation des ressources ont été révisés pour pouvoir offrir de meilleurs services à la communauté. Parmi les réalisations importantes, notons la fermeture d'une distillerie illicite ; les méthodes policières traditionnelles n'avaient pas permis d'interrompre ses activités. Toutefois, les réformes ne se sont pas faites sans débats ni controverses ; on rencontre encore de la résistance aux changements dans les rôles et les rapports traditionnels, mais elle perd considérablement de sa vigueur au fur et à mesure que les avantages et les résultats se font sentir.

Cole Harbour (Nouvelle-Écosse)

Même si on a eu recours aux mêmes ateliers de formation et de consultation à Cole Harbour et à Burnaby, le projet de démonstration néo-écossais prend une forme différente. D'abord, il a été mis sur pied dans un détachement qui sert deux communautés distinctes : la municipalité d'Eastern Passage et la communauté noire des villages de North Preston, d'East Preston et de Cherry Bank. C'est en Nouvelle-Écosse qu'on retrouve la plus importante population indigène de race noire au Canada.

Le Conference Board du Canada a collaboré au projet d'Eastern Passage. Cette partie du projet a obtenu un certain succès parce qu'on l'a axée sur la communauté dès le début. Toutefois, la situation a été différente dans la communauté noire. Avant que la GRC ne puisse mettre en application les principes de la police communautaire, on a dû vaincre la méfiance qui existait de part et d'autre depuis longtemps.

Pour gagner la confiance de la population, on a créé une équipe composée de deux membres de la GRC et d'un travailleur social noir qui avait de la crédibilité aux yeux de la communauté. L'Église formant le noyau de la communauté et de l'autorité pour la population, on s'est ménagé l'appui du ministre du culte et on a utilisé cet endroit pour rencontrer les gens et leur parler de l'importance de la collaboration pour améliorer les conditions de vie de la communauté. Le fait que le travailleur social et le ministre appuyait l'effort policier a beaucoup aidé à faire accepter le projet. Toutefois, il reste encore beaucoup à faire. Tant la communauté que la GRC devront changer leur attitude et leurs opinions, et mettre de côté toute méfiance envers l'autre groupe. De plus, la GRC devra apprendre à comprendre l'autre culture et ses valeurs, et se montrer patiente si elle veut obtenir son appui. Élaborer de tels rapports pose un défi pour toutes les parties intéressées, et les résultats sont lents à venir.

Pour appuyer l'effort de collaboration entre la communauté et la police, le détachement de la GRC, à Cole Harbour, a créé un comité composé de membres de tous grades. Il est responsable de l'orientation du projet de police communautaire et doit obtenir l'engagement nécessaire pour atteindre les objectifs fixés. Il prend toutes les décisions concernant le projet et toute autre question importante.

Police de district de la Division J

Au Nouveau-Brunswick, les opérations de la GRC sont encadrées dans un ensemble administratif provincial appelé la Division J. En 1994, la division s'est engagée dans une restructuration en profondeur de ses services dans la province. Trois facteurs sont à la base de ces changements : des ressources financières limitées, la volonté d'être le service de police de choix dans cette province et le fait que la police communautaire ne peut survivre dans un cadre rigide et au sein d'une organisation centralisée.

Les quatre principaux objectifs du projet sont les suivants :

— Trouver de nouveaux moyens d'assurer les services de police ou améliorer ceux qui sont déjà en place ;

— Offrir de meilleurs services communautaires aux clients;

— Prévoir les besoins pour être en mesure de répondre aux changements dans le domaine de la justice pénale au Nouveau-Brunswick;

— Mettre en application l'ensemble des principes et des modalités de la police communautaire.

C'est en offrant de façon permanente une vaste gamme de cours aux employés qu'on a amélioré la police communautaire. La gestion des risques est devenue une pratique acceptée. L'agent qui en est responsable doit s'assurer qu'il n'y a plus d'obstacle à la mise sur pied de la police communautaire. Les chefs de district se rencontrent régulièrement pour comparer leurs notes et se faire part des réussites et des difficultés qu'ils ont eues.

Pour évaluer le programme, on organise régulièrement des rencontres dans chaque district, puis on interroge les clients réguliers. Un premier sondage a été mené en octobre et en novembre 1995 dans six des onze districts. L'échantillon était composé de plus de 500 personnes ayant eu des contacts avec la GRC au cours des six derniers mois, soit comme victime, témoin, plaignant ou délinquant. On a relevé un niveau très élevé de satisfaction envers les services de la GRC. L'information obtenue durant les sondages, soit auprès des groupes cibles, dans les rapports criminels et les rapports de police, et auprès des sources communautaires servent à mesurer les progrès et à découvrir de nouvelles façons de répondre aux besoins de la population. Une deuxième étude sera menée au printemps de 1996.

Dans l'un des districts, c'est un détachement qui s'est chargé de l'ensemble des fonctions administratives afin de libérer les membres des autres détachements et leur permettre de consacrer plus de temps à la prestation des services.

Comme les membres doivent consacrer plusieurs heures par semaines au travail administratif, le fait de n'avoir ni rapport à rédiger ni fonctions administratives a eu un effet positif sur la prestation des services. À cet égard, le projet a bénéficié de la mise en place de systèmes électroniques, notamment d'ordinateurs dans les voitures et de nouveaux systèmes de rapports qui ont diminué le fardeau administratif. Ce perfectionnement technique a été rendu possible grâce à la collaboration de la compagnie de téléphone du Nouveau-Brunswick qui est l'une des sociétés les plus avant-gardistes du Canada. Le chef du district, un sous-officier, est chef d'équipe et, avec d'autres membres, il a élaboré des stratégies permettant de régler les problèmes du district. Il est habilité à prendre des décisions conjointement avec la population.

Bien qu'il y ait eu une certaine résistance face aux changements, l'appui certain et sans compromis des gestionnaires supérieurs et le choix judicieux des chefs de district ont contribué à l'amoindrir. On les a invités à innover selon les compétences de leur personnel et les besoins de la population. Si on le juge approprié, on pourra adapter aux autres districts les changements mis de l'avant dans l'un d'eux.

Dauphin (Manitoba)

Dauphin est un petit détachement rural situé à environ quatre heures de voiture au nord-ouest de Winnipeg. Dans les environs se trouvent trois détachements ruraux plus petits. La GRC a déjà l'appui de la communauté. On a préparé un atelier sur la police communautaire à l'intention des employés de la GRC et des membres de la communauté qui appuient à fond le projet. L'atelier a permis de renforcer la collaboration entre la police et la population, d'améliorer le processus de consultation et de mettre au point de nouvelles méthodes de prestation des services. On a créé un comité consultatif qui joue un rôle actif dans le processus de changement.

On est en train d'étudier la possibilité d'intégrer les trois détachements ruraux dans un district. Un petit groupe d'employés s'est rendu au Nouveau-Brunswick pour recueillir de l'information sur la façon dont les districts fonctionnent dans cette division. Bien qu'on n'en soit encore qu'au stage initial, le projet de Dauphin est important et on le surveille de près parce qu'il pourrait servir d'exemple aux autres petits détachements du pays.

Services fédéraux

Les membres des services d'exécution des lois fédérales ont eu de la difficulté à déterminer comment incorporer les pratiques de police communautaire à leurs opérations, principalement parce qu'ils n'offrent aucun service à une communauté locale particulière. Par conséquent, il est difficile de savoir exactement quelle communauté bénéficie de leurs services et quels sont leurs clients. Les gens qui voyagent, le grand public, les gens d'affaire, les consommateurs, les ministères ou les diplomates peuvent, à tour de rôle, être les communautés servies. Toutefois, elles ne sont pas statiques et sont même parfois plus difficiles à rejoindre que les communautés géographiques. Néanmoins, la résolution de problèmes et les modes d'action « proactifs » fonctionnent bien dans des activités fédérales telles que la lutte contre le trafic et la consommation de drogues, la fraude ou la contrebande.

On a tenu des ateliers comme ce fut le cas pour les autres projets. Il y en a eu deux jusqu'à maintenant. Le premier s'adressait aux trois divisions du Canada central. Comme elles n'offrent aucun service contractuel, toutes leurs activités portent sur l'exécution des lois fédérales. Le second, avec des représentants de toutes les divisions, a été un suivi du premier. Ces ateliers ont permis d'obtenir des idées et d'élaborer un plan d'action visant à créer des liens et des services dans l'ensemble du pays.

Un autre résultat du premier atelier fut la décision d'élaborer trois projets pilotes pour les services fédéraux de police communautaire à Saint-Jérôme, au Québec, à Bowmanville, en Ontario, et à Vanier, dans la région de la capitale fédérale.

158

On retrouve donc un projet pilote dans chacune des trois divisions fédérales.

Le projet de Saint-Jérôme avait pour but de créer un partenariat entre des organismes fédéraux et provinciaux afin de repérer les commerces de la région utilisés pour faire le blanchiment des produits du crime organisé. On se servira à cette fin du modèle CAPRA de résolution de problèmes enseigné à l'École de la GRC. Même si ce partenariat a été établi il y a quelques mois seulement, on a déjà identifié 444 commerces ; de ce nombre, 93 ont été examinés et 12 autres le seront.

Le projet de Vanier a conduit à la formation d'un partenariat entre la police municipale et les groupes communautaires afin de réduire l'effet dévastateur de la consommation de stupéfiants. Par contre, le projet de Bowmanville, qui a pris du temps à s'orienter, axe ses efforts sur l'accroissement, parmi les membres du détachement, de la sensibilisation à la police communautaire et aux possibilités qu'elle offre pour l'exécution des lois fédérales.

Il n'a pas été facile de surmonter le scepticisme des membres des services fédéraux concernant l'applicabilité de la police communautaire au rôle fédéral, et plusieurs d'entre eux ne sont pas encore convaincus de son bien-fondé. Cette méthode a exigé beaucoup de réflexion et de discussions sur la façon dont on s'acquitte du mandat fédéral, et les gestionnaires ont invité les membres à faire des expériences et à prendre des risques calculés. L'un des résultats les plus utiles du projet est la résolution de problèmes par une équipe.

Évaluation de l'approche de la GRC à l'égard de la police communautaire

Après huit ans, on aurait cru que la police communautaire serait bien implantée à la GRC. Certains pourraient même soupçonner que son acceptation est davantage théorique que pratique. Toutefois, on aurait tort de croire une telle chose et on ignorerait les efforts et la sensibilité dont on a besoin pour changer des comportements, remplacer des structures organisationnelles, incorporer de nouvelles valeurs et préparer de nouveaux systèmes de formation et de motivation. Comme l'a démontré l'expérience du secteur privé, le changement organisationnel ne se produit pas rapidement et la mise en application de la police communautaire à la GRC, comme ce fut le cas dans tous les services de police, est un phénomène évolutif plutôt que révolutionnaire. Les progrès ne sont pas constants non plus. La police communautaire n'est pas une prescription mais une réaction dynamique à l'évolution de la société et, pour cette raison, c'est une affaire d'essais et d'erreurs.

Même si on accepte de plus en plus la police communautaire au sein de l'organisation, il reste encore des membres qui ne sont pas persuadés de ses avantages, tout particulièrement au niveau des cadres intermédiaires où on retrouve plusieurs sous-officiers supérieurs qui en sont à la dernière moitié de leur carrière. Il existe plusieurs raisons pour expliquer cette hésitation. Il manque à la police communautaire l'excitation du contrôle de la criminalité ; en effet, plusieurs policiers préfèrent se percevoir comme des militants qui luttent contre la criminalité plutôt que comme des « travailleurs sociaux ». D'autres croient qu'ils font déjà de la police communautaire puis, on a peur des changements. Il est possible que certains membres continuent de rejeter cette nouvelle approche mais, avec les stratégies élaborées pour faciliter son application, la plupart l'adopteront probablement.

On accepte de plus en plus la police communautaire parce qu'on comprend mieux en quoi elle contribue à générer l'appui de la communauté, et aussi parce qu'elle permet de régler des problèmes complexes en matière de services policiers et d'atteindre les objectifs opérationnels. Cette compréhension est le résultat des efforts faits pour améliorer la communication institutionnelle. C'est grâce à la communication qu'on a appris que les cadres supérieurs s'étaient engagés à fond dans la police communautaire et aussi à faire les changements nécessaires pour qu'elle devienne une réalité.

L'engagement, le leadership et la vision des cadres ont été les facteurs les plus déterminants des réussites qu'on a connues jusqu'à présent, sans compter l'engagement et l'imagination de ceux à qui on a confié la responsabilité de mettre la police communautaire en application. Ils ont compris qu'il fallait insister sur l'éducation et la formation pour changer les attitudes, les valeurs et la culture afin de faire de la police communautaire une réalité. En outre, ils ne se sont pas concentrés uniquement sur les membres de la GRC. Ils ont demandé la collaboration des politiciens locaux, des groupes d'intérêt et des citoyens. Cet objectif est atteint grâce à la communication et à la reconnaissance que les communautés sont différentes les unes des autres, et qu'aucune formule unique ne peut répondre à l'ensemble des besoins. De façon générale, on crée un climat au sein de la GRC qui tolère le risque qu'il y a à offrir de meilleurs services à la population. En d'autres mots, on admet que le progrès exige de l'expérimentation et que même si on échoue, les leçons qu'on en tire ont de la valeur.

Toutefois, l'aspect de la résolution de problèmes et de l'approche « proactive » n'a pas été aussi bien développé que celui des changements dans l'organisation et dans la communauté. La planification et la mise au point de stratégies font partie intégrante de la résolution de problèmes et de l'approche proactive. En ce sens, on peut dire que la police communautaire est synonyme de services de police planifiés. Des études telles que celle sur la patrouille de Kansas City ont révélé que les patrouilles policières faites au hasard ne permettent ni de prévenir la criminalité ni de s'assurer que les policiers arriveront sur les lieux d'un crime au moment même où il est commis[8]. Par conséquent, c'est l'un des

---

8. George L. Kelling et Tony Pate, *The Kansas City Patrol Experiment: Summary Report*, The Police Foundation, Washington, DC, 1974.

principes de la police communautaire d'éviter autant que possible les activités et les opérations faites au hasard. C'est logique étant donné que cela permet aux gestionnaires de la police d'avoir un meilleur contrôle des ressources et de s'assurer qu'elles sont disponibles à des fins stratégiques, c'est-à-dire la résolution proactive des problèmes. Si on ne peut utiliser les ressources de façon rationnelle, il est pratiquement inutile de définir les priorités conjointement avec la population. C'est la raison pour laquelle, dans la police communautaire, on doit mettre en place des mécanismes qui permettent de répondre aux appels de différentes façons.

Les services policiers proactifs et axés sur la résolution de problèmes ainsi que sur la planification doivent fonder leurs décisions sur l'analyse des renseignements. La GRC possède des systèmes informatiques très sophistiqués et les membres consacrent beaucoup de temps à y introduire des données; toutefois, il arrive souvent que l'information n'est pas utilisée par les détachements pour leurs décisions opérationnelles. Il semble que les systèmes n'ont pas été conçus pour venir en aide aux opérations des détachements mais plutôt pour aider les cadres supérieurs à prendre des décisions, pour préparer des compte rendu, pour satisfaire aux besoins des ministères ou pour répondre aux demandes de Statistique Canada. Il arrive que les détachements ne puissent pas récupérer facilement les informations une fois qu'ils les ont introduites dans l'ordinateur. Si on ne peut ni faire d'analyses de cas ou d'incidents au niveau de la prestation des services ni comprendre comment l'analyse des cas ou des incidents peut aider à mettre au point une stratégie, les détachements peuvent difficilement travailler à la résolution de problèmes dans leur communauté.

Les systèmes à architecture ouverte et le réseau Internet sont des atouts qui facilitent la résolution de problèmes. Les détachements de la GRC ainsi que d'autres services policiers préparent des pages d'accueil et des bulletins pour communiquer avec leurs clients. En outre, dans le réseau Internet, il existe une page d'accueil qui renferme de l'information sur l'ensemble de la GRC ainsi que sur des sujets utiles aux clients[9].

Dans l'avenir, on pourrait fournir aux membres des ordinateurs de poche munis de dispositifs de télécommunication leur permettant d'accéder à des systèmes d'information, à leurs collègues, à d'autres organismes, à Internet, à leur bureau ou à leur domicile. Cela serait profitable à l'avancement du principe de la police communautaire, car on libérerait ainsi les membres de leur dépendance du bureau et de l'auto-patrouille. De plus, cela convaincrait les gestionnaires de la GRC de leur donner plus de liberté parce qu'ils auraient à leur disposition des systèmes qui les responsabiliseraient. La responsabilisation n'empêche pas les agents de police de se conduire moralement et de respecter les lois. En outre, les ordinateurs de poche pourraient permettre aux gestionnaires d'avoir de l'information sur les activités des membres qui travaillent au sein de la communauté.

Il ne fait aucun doute que la GRC continuera ce qu'elle a entrepris parce que la police communautaire apparaît comme la seule solution viable aux problèmes sociaux de l'heure. À cet égard, la GRC et la communauté policière dans son ensemble font partie intégrante d'un mouvement communautaire qui comprend les services correctionnels ainsi que la santé et l'éducation. De plus, pour les gouvernements, il s'agit d'une nouvelle façon d'améliorer les services sociaux tout en réduisant les coûts.

Pour la GRC, la police communautaire est également un retour aux traditions et aux principes de Sir Robert Peel qui créa le premier corps policier. Le principe de Sir Robert Peel voulant que « la police soit le public et que le public soit la police » traduit bien la pratique médiévale du gendarme de village élu par la population et ayant l'appui des gens pour

---

9. Le numéro de la page d'accueil de la GRC est le www.rcmp-grc.gc.ca.

assurer l'ordre et la sécurité. En plus de prévenir la criminalité, le gendarme devait veiller au bon état des routes et des fossés car ces responsabilités semblaient tout aussi importantes pour l'ordre public et le bien-être de la population.

La GRC a joué un rôle semblable depuis sa création il y a 120 ans. Dès qu'elle a été créée pour maintenir l'ordre dans l'Ouest et protéger les indigènes, le gouvernement fédéral lui a confié une variété de tâches administratives, notamment d'offrir des services médicaux et de distribuer des vivres aux villages du Nord. Elle a donc été la seule structure administrative du gouvernement qu'ont connu un grand nombre de communautés éloignées.

À cet égard, il est vrai que la GRC a toujours fait de la police communautaire. Mais, ce qui était différent de la formule actuelle, c'était la façon paternaliste dont elle assurait ces services. Mais, la GRC n'était pas la seule à agir ainsi. En effet, jusqu'après la Seconde Guerre mondiale, un grand nombre de services gouvernementaux agissaient de façon paternaliste et autoritaire. Sans consulter, on décidait de ce qui convenait le mieux aux gens. Ce fut donc difficile pour la GRC, ainsi que pour d'autres organisations policières, de comprendre qu'elles devaient consulter les gens et tenir compte de leurs désirs avant de décider des priorités en matière de services de police.

Le vent a tourné et, maintenant, les meilleures traditions du passé se fondent aux idées modernes et donnent aux Canadiens des services policiers hors de l'ordinaire. La police communautaire canadienne ne s'arrête pas non plus aux frontières du pays. La participation de la GRC aux missions de paix des Nations Unies à l'étranger vise davantage le maintien de l'ordre, de la paix et de la sécurité que le contrôle de la criminalité. La GRC s'est donc servi du modèle de la police communautaire pour ses missions dans l'ex-Yougoslavie et maintenant à Haïti. Pour la mission à Haïti, des policiers des villes de Hull, de Gatineau et de Montréal se sont joints à la

GRC. La formule de la police communautaire de la GRC, de Montréal et de l'Outaouais sont pour les Haïtiens inquiets un bon exemple de méthodes policières démocratiques qui tiennent compte des préoccupations des communautés et des gens. Grâce au travail de pays tels que les États-Unis, l'Australie, la Grande-Bretagne, la France et bien d'autres, il est probable qu'on verra apparaître dans l'avenir un mouvement international vers la police communautaire. L'espoir qu'un tel mouvement puisse constituer un pas vers la paix, à l'échelle internationale et locale, peut demeurer un rêve mais, compte tenu des changements remarquables qui se produisent actuellement, il pourrait devenir une réalité.

LA POLICE
ET LA PRÉVENTION
DU CRIME

La planification et l'évaluation de projets en prévention du crime *

Maurice Cusson
Criminologue et professeur à l'Université de Montréal
Pierre Tremblay
Criminologue et professeur à l'Université de Montréal
Louise L. Biron
Criminologue et professeur à l'Université de Montréal
Marc Ouimet
Criminologue et professeur à l'Université de Montréal
Rachel Grandmaison
Criminologue et analyste à l'Université de Montréal

* Nous remercions le ministère de la Sécurité publique du Québec qui nous a permis de reproduire ce texte produit à l'origine pour les clients du Ministère.

Introduction

L a prévention est comme la vertu : personne n'est contre. Et tout le monde y contribue à divers degrés : les services policiers, les municipalités, les écoles, les groupes communautaires, la sécurité privée, les gouvernements. En fait, tous les citoyens et toutes les entreprises adoptent un minimum de mesures de prudence qui relèvent de la prévention du crime. Mais que savons-nous de l'efficacité de cette activité multiforme ? Au Québec, nous n'en savons pas grand-chose ou, plus précisément, nous en savons ce que nous apprennent les recherches réalisées ailleurs : aux États-Unis, en Angleterre, aux Pays-Bas, en Australie. Dans ces pays, maints projets de prévention ont subi le test d'une évaluation scientifique. Plusieurs ont passé l'épreuve avec succès, plusieurs autres ont échoué. Grâce à des évaluations répétées, un savoir s'accumule sur ce qui « marche » et ce qui ne « marche » pas en la matière. Curieusement, la francophonie est passée à côté de ce mouvement. Il est pratiquement impossible d'y trouver des évaluations scientifiques de programmes de prévention du crime. Le premier but de ce texte est de stimuler le développement de ce type de recherche.

Évaluer un projet de prévention du crime, c'est apporter une information utile et rigoureuse relativement à son impact sur la criminalité. Une véritable évaluation ne se satisfait pas d'un dénombrement des actions posées par les intervenants. Il est, bien sûr, utile de savoir combien de réunions ont été tenues ou combien de visites de sécurité ont été effectuées. C'est même nécessaire au contrôle de la mise en œuvre d'un projet. Mais évaluer, c'est aller jusqu'aux résultats et aux effets. La fréquence des délits ciblés a-t-elle diminué à cause de l'intervention ? Toute la question est là.

Il se trouve des projets de prévention qui sont « évaluables » à des coûts raisonnables et d'autres qui ne le sont pas. Parmi les premiers, nous trouvons des actions spécifiques ciblées sur un problème criminel circonscrit et conçues pour produire un résultat à court ou à moyen terme. Parmi les seconds, nous trouvons les projets diffus ou dont les effets préventifs ne sont attendus que plusieurs années après le début des opérations. Il existe aussi des programmes de prévention qui méritent plus que d'autres d'être évalués. En effet, dans l'état actuel des connaissances, nous savons que certaines mesures offrent des chances raisonnables de faire reculer le crime si les conditions favorables sont réunies. Nous savons aussi qu'il en est d'autres qui ne produiront probablement aucun effet, même dans les meilleures conditions.

Ce guide s'intéresse prioritairement aux projets suffisamment circonscrits pour qu'il soit possible de les évaluer avec des moyens abordables et aux mesures qui méritent de l'être.

Mais pourquoi évaluer ? Tout d'abord, pour éclairer la décision. Quelles mesures choisir pour faire reculer le vol à main armée ? Tel programme pourrait-il être étendu dans d'autres secteurs ? Ou faut-il, au contraire, y mettre un terme parce qu'il ne donne rien ?

L'argent se fait rare. Des coupures s'imposent. Mais tous conviendront qu'il vaudrait mieux cesser de financer les programmes qui ne produisent pas les résultats qu'on attend d'eux. Et s'il faut couper, il est plus facile de supprimer les opérations dont on ne connaît pas l'efficacité que celles qui ont fait leurs preuves. Au Québec, aussi bien qu'en France, la prévention du crime occupe une position vulnérable parce que, n'ayant pas été évaluée, il est impossible d'en démontrer l'utilité, chiffres à l'appui. Devant l'administrateur aux abois à cause des déficits accumulés, l'argument des bons sentiments aura moins de poids que celui de l'efficacité. Durant les années 70, les autorités américaines se demandaient si elles devaient continuer de soutenir les vastes projets de prévention connus sous l'étiquette *Mobilization for Youth*. Comme ils n'avaient pas été évalués, on n'avait pas d'argument convainquant à opposer à ceux qui affirmaient qu'on y dépensait de l'argent en pure perte. Aujourd'hui *Mobilization for Youth* n'est plus qu'un souvenir.

En dernière analyse, l'évaluation est une école de rigueur, de compétence et d'efficacité. Sachant qu'il sera évalué, l'intervenant luttera contre le laisser-aller, l'imprécision, le saupoudrage, le travail bâclé et le ritualisme. Confronté aux résultats de son action, il tirera les leçons de ses succès et de ses échecs. Il corrigera le tir. Il sera plus exigeant pour lui-même et pour les autres. Bref, il deviendra plus compétent et plus efficace.

Dans ce guide, nous avons privilégié la simplicité sans avoir toujours réussi à éviter la complexité. Il est déjà difficile de prévenir le crime et d'en évaluer les résultats, compliquer inutilement les choses serait suicidaire. Même les projets de prévention modestes ne sont pas faciles à concevoir, à planifier et à mettre en œuvre. Même les devis de recherche simples sont remplis d'embûches. (Berk et Rossi, 1990, p. 98). Cela nous a conduits à éviter toute complication inutile. Cependant concevoir et évaluer un projet de prévention valable exige compétences et connaissances. Cela demande aussi de la subtilité. En effet, quand on y pense, l'effet souhaité de la prévention est une série de non-événements : moins de crimes. Ce résultat n'est pas immédiatement perceptible. C'est le rôle de l'évaluateur compétent de déceler cet effet et de rendre visible l'invisible (Willemse et de Waard, 1993).

L'élaboration de programmes efficaces de prévention de la criminalité doit s'appuyer sur des diagnostics sérieux du problème, sur une analyse poussée de leurs composantes, sur une action bien planifiée et sur une évaluation sans complaisance des résultats. (*Rapport de la Table ronde sur la prévention de la criminalité*, 1993, p. 194)

Avec les auteurs de cette citation, nous pensons qu'il faut avoir une conception intégrée de la prévention, une conception qui articule dans un tout le diagnostic, l'analyse, la planification et l'évaluation. Dans ce guide, la prévention n'est pas dissociée de l'évaluation. Cette dernière s'articule étroitement à des projets de prévention spécifiques, opérationnels et explicites. C'est à cette condition que l'on saura précisément ce qui est évalué et selon quel critère. Cela nous conduit aussi à proposer une méthodologie de l'évaluation rigoureusement ajustée au type de prévention proposé. C'est pourquoi, bien que l'évaluation soit la première préoccupation de ce guide, nous avons jugé indispensable de traiter aussi de la nature de la prévention, puis de sa planification.

Qu'est-ce que la prévention du crime ?

Définition

Par prévention du crime, nous désignons les interventions non pénales sur les causes prochaines des événements criminels dans le but spécifique de réduire leurs risques ou leur gravité[1].

Prévenir un crime, c'est s'attaquer à ses causes ; c'est faire en sorte qu'une des conditions nécessaires au crime ne soit pas présente au moment où il aurait pu être commis. L'intervention préventive prétend donc briser un des

---

1. Cette définition s'inspire de Ekblom (1994) qui définit la prévention en ces termes : « Intervention in the mecanisms that cause criminal events » (p. 194). Il insiste un peu plus loin sur la nécessité d'intervenir sur les « proximal circumstances », c'est-à-dire sur les mécanismes qui agissent directement sur l'événement criminel.

maillons rapprochés de la chaîne causale qui aurait abouti au crime s'il n'avait été brisé.

Le terme **cause** est ici pris dans le sens large de tout ce qui influe sur la probabilité d'un délit. Certaines causes sont liées au mode de vie et aux caractéristiques de certains individus : leur habitude de faire l'école buissonnière, leur fréquentation de camarades délinquants, leur impulsivité, le laisser-aller de leurs parents. D'autres causes proviennent des circonstances qui conduisent ces individus à espérer se procurer des plaisirs illicites faciles, rapides et sans risque de sanction. L'être humain étant orienté vers un avenir plus ou moins proche, les circonstances qui influent sur ses anticipations contribuent à la causalité de ses actions. C'est en ce sens que la découverte par deux jeunes fugueurs d'une automobile sport dont le moteur tourne au ralenti alors qu'il n'y a personne en vue est une des causes du « *joyride* » qu'ils sont sur le point d'entreprendre.

Les causes **prochaines** du crime sont les facteurs directement liés à l'événement criminel et qui lui sont rapprochées dans le temps et dans l'espace. La première cause rapprochée du crime est un **délinquant potentiel**, c'est-à-dire un individu motivé à commettre un crime et dépourvu de contrôles personnels et sociaux. Exemple : un adolescent peu scrupuleux qui aimerait bien éprouver la griserie de la vitesse. La deuxième cause rapprochée est la **situation pré-criminelle** : l'ensemble des circonstances qui font qu'un délit peut être réalisé avec profit et sans risque excessif. Exemple : la puissante voiture avec les clefs de contact en l'absence du propriétaire ou de tout autre témoin gênant[2].

Par opposition, les causes lointaines du crime sont les facteurs qui n'ont qu'une influence indirecte et à long terme sur sa probabilité d'occurrence. De nombreux délinquants

---

2. Sur une vision légèrement différente de la causalité dans une perspective de prévention, voir Waller (1992).

ont été gravement négligés durant leur petite enfance : mère abandonnée, trop jeune, isolée, pauvre et désemparée. Très souvent, ils sont issus d'un sous-prolétariat dépendant et marginalisé. Il importe de lutter contre la pauvreté, contre la dépendance, contre l'isolement social et contre la dissolution des familles. C'est à de telles causes du crime que l'on s'attaque quand on mène une politique de revenu garanti, de rénovation urbaine, de logement ou d'aide à l'enfance. Ces politiques sont parfaitement défendables, mais elle poursuivent à juste titre des objectifs autres — et souvent plus importants — que la prévention du crime : faire reculer la pauvreté, créer des emplois. Par souci de rigueur et de précision, nous délimitons, pour la prévention, un champ que nous voulons ni trop ni trop peu étendu[3].

Le premier et le plus important but de la prévention du crime est d'en réduire le risque. Il s'agit donc d'agir là où on peut prévoir que des crimes pourraient être commis si rien n'est fait. Cela suppose que, avant d'intervenir, on repère les zones de risques criminels. Un autre but possible de l'intervention sera de faire baisser la **gravité** des crimes ciblés. Par exemple, pour limiter la gravité des blessures infligées durant les bagarres dans les stades, on vendra les boissons dans des contenants en plastique.

Il est d'usage de restreindre la prévention à des mesures **non pénales**. C'est pourquoi nous ne traiterons pas des actions dont la finalité est dissuasive et des mesures qui visent la réhabilitation, la neutralisation, la réparation à la victime ou la rétribution : enquête policière, arrestation, déjudiciarisation, procès, sentence, libération conditionnelle. Cela dit, il nous semble évident que toute politique de prévention doit être complétée par une action répressive et que les deux catégories de mesures se soutiennent mutuellement.

---

3. C'est aussi le choix d'auteurs comme Brantingham et Brantingham (1990), ainsi que de Gassin (1988 et 1992).

Classification

Au Québec, la Table ronde sur la prévention de la criminalité (1993), présidée par M. Yvan Bordeleau, inscrit les mesures de prévention dans une intéressante classification des actions visant la réduction de la criminalité. Les auteurs du rapport distinguent d'abord trois catégories de cibles. En prévention, on rejoint la population en général. En prévention primaire, on vise la population à risque et en prévention secondaire, ce sont les délinquants avérés que l'on veut rejoindre. Ensuite, les auteurs proposent une autre distinction tripartite selon le type de stratégie adoptée : 1. le **développement socioéconomique**, 2. la **réduction des occasions de délit** et 3. la **responsabilisation**. En combinant les trois catégories de cibles et les trois genres de stratégies, les auteurs obtiennent neuf types de prévention.

Cette classification présente l'avantage d'être ouverte et complète. Elle accorde une place de choix aux mesures sociales qui ont un impact à long terme sur la criminalité. Et elle aide à comprendre que nos stratégies doivent viser plusieurs cibles et une diversité de causes.

Cependant l'organisation du champ qui prévaut de plus en plus chez les spécialistes internationaux part d'une distinction entre l'action préventive sur les **circonstances** dans lesquelles les délits pourraient être commis, d'une part, et sur les **délinquants potentiels**, d'autre part, c'est-à-dire sur les individus qui risqueraient de commettre des délits si les conditions propices au passage à l'acte étaient réunies[4].

Cela nous donne deux types de base : 1. la prévention **situationnelle**, quand l'intervention porte sur les circonstances dans lesquelles des délits risquent d'être commis et 2. la prévention **individuelle**, qui fait porter les efforts sur ce qui favorise le potentiel délinquant des individus à risque.

---

4. Sur la classification, voir aussi Gassin (1992) et Waller (1994).

La prévention individuelle se subdivise à son tour en deux sous-types :

— la prévention du potentiel délinquant actuel, par exemple la lutte contre l'absentéisme scolaire dans un groupe d'adolescents à risque ;

— la prévention développementale, qui porte sur les facteurs qui, durant l'enfance, contribuent au développement ultérieur d'une propension durable à la délinquance. Elle repose sur l'idée que la délinquance résulte de caractéristiques personnelles stables acquises tôt durant le développement de la personne. Il s'agit d'empêcher que des enfants à risque ne deviennent des adolescents inadaptés ou des délinquants persistants. Par exemple, on offre aux familles monoparentales isolées et désemparées des garderies, des pré-maternelles avec des programmes enrichis et de la formation visant à améliorer la compétence éducative des parents (voir Mc Cord et Tremblay (eds.), 1992 ; Patterson *et al.*, 1982 ; Graham, 1990 ; Tremblay et Craig, 1994)[5]. Malgré son grand intérêt, nous ne nous attarderons pas à la prévention développementale parce qu'elle s'inscrit dans le long terme et parce que nous ne traiterons pas, dans ce guide, de l'évaluation de programmes qui exigeraient des investissements considérables et dont l'impact sur la délinquance prendra cinq, dix ou quinze ans à se faire sentir.

---

5. Dans une revue des écrits très fouillée, Tremblay et Craig (1994) démontrent que des interventions précoces et intenses sur des sujets à risque font baisser la probabilité de délinquance ultérieure. Ils montrent qu'il est aussi possible de réduire les troubles de comportement, d'améliorer le fonctionnement cognitif et de rendre les parents plus compétents. Encore faut-il que les interventions se produisent de préférence dès l'âge de la maternelle. Si on intervient seulement à l'adolescence, l'impact sur les prédispositions délinquantes est faible ou nul. Il semble que, à l'adolescence, ces prédispositions se soient structurées dans des patterns rigides qui résistent au changement.

La prévention mixte. Il ne manque pas de projets de prévention qui combinent des mesures portant simultanément sur les situations précriminelles et sur les délinquants potentiels. Certains auteurs placent ces programmes sous la rubrique de «prévention communautaire[6]». C'est ainsi que les projets dits de surveillance de quartier, combinent des mesures situationnelles (surveillance par les voisins, marquage des objets de valeur, patrouilles de citoyens et inspection de sécurité dans les résidences) et des mesures sociales (maison de jeunes pour adolescents à risque, amélioration des contrôles sociaux). Le plus précis nous semble être de parler de prévention mixte pour désigner ces programmes.

Le tableau suivant permet de voir en un coup d'œil notre classification.

Types de prévention

1. La prévention **situationnelle** (portant sur les situations précriminelles et sur les occasions).

2. La prévention **individuelle** (portant sur les délinquants potentiels et sur leurs dispositions criminelles).

   a) La prévention du potentiel délinquant **actuel** (agissant sur les facteurs qui, à court terme, prédisposent les individus à réagir de manière criminelle).

   b) La prévention **développementale** (qui agit sur les facteurs à long terme du potentiel délinquant durable).

3. La prévention **mixte** ou «communautaire» (qui combine des mesures situationnelles et individuelles).

---

6. La prévention communautaire porte souvent sur un quartier dont on veut renforcer la cohésion et les contrôles sociaux par un ensemble de mesures visant les délinquants potentiels et les occasions de délits (Graham, 1990, p. 104). Ekblom et Pease (1994) sont assez critiques à l'endroit de ce type de prévention. Le terme «communautaire» est imprécis et confus. S'agit-il d'œuvrer pour créer une communauté ou d'utiliser la communauté comme moyen? Ils regrettent que l'on garde le silence sur le mécanisme par lequel on prévient le crime.

Les bases théoriques de la prévention

Dans ce qui suit, nous présenterons sommairement les notions sur lesquelles reposent les formes de prévention dont il sera question dans ce guide.

La prévention situationnelle

On entend par prévention situationnelle l'ensemble des mesures non pénales visant à empêcher le passage à l'acte en modifiant les circonstances particulières dans lesquelles une série de délits semblables sont commis ou pourraient l'être (Cusson, 1992). Il s'agit donc d'éviter l'accomplissement d'actes que des délinquants potentiels pourraient commettre en supprimant l'occasion de les poser ou en la rendant moins intéressante.

La prévention situationnelle repose sur une réflexion théorique articulée portant sur la rationalité des choix pris par les délinquants, sur la théorie des opportunités, sur les stratégies criminelles, sur le déplacement, sur l'espace défendable et sur l'aménagement du milieu (Newman, 1972 ; Cohen et Felson, 1979 ; Cusson, 1981, 1986, 1990 ; McInnis, 1982 ; Cornish et Clarke (sous la direction de), 1986 ; Moran et Dolphin, 1986 ; Poyner et Webb, 1991 ; Felson, 1994). Ces auteurs acceptent le postulat selon lequel les délits résultent en partie de choix influencés par les données immédiates des situations dans lesquelles se trouvent leurs auteurs (Clarke, 1980). La stratégie préventive consiste à peser sur les décisions que prennent les délinquants avant qu'ils ne passent à l'action. Elle atteint son but quand elle fait en sorte que ceux-ci ne soient pas exposés à la tentation de transgresser la loi ou quand, devant la tentation, ils aboutissent à la conclusion que le geste qu'ils désirent poser est trop difficile, trop risqué et trop peu profitable. L'intervention se donne donc pour cible la **situation précriminelle**, c'est-à-dire les circonstances extérieures qui précèdent et qui entourent le délit pour le rendre plus ou moins profitable, plus ou moins risqué ou plus ou moins facile (Cusson, 1992).

L'encadré qui suit résume un projet de prévention situationnelle assez élaboré.

Prévention situationnelle
dans les transports publics en Australie

Dans les transports publics (trains, autobus et tramway) de l'État de Victoria en Australie, les voyageurs craignaient pour leur sécurité, ce qui faisait baisser la fréquentation de ces moyens de transport. Cette peur n'était pas seulement due à la criminalité de violence (690 crimes contre la personne en 1990) mais à la malpropreté des véhicules et des stations, à l'effet intimidant des graffitis qui s'accumulaient, aux comportements agressifs de groupes de voyous et à l'effet amplificateur des médias qui rendaient compte des incidents.

Les mesures adoptées à partir de la fin de 1990 furent les suivantes :

— grand ménage des stations et des véhicules incluant un nettoyage des graffitis (en 1991), suivi d'un programme de nettoyage rapide visant à éliminer les graffitis dès leur apparition. La communauté participe à cet effort ;

— installation de téléphones publics dans toutes les stations métropolitaines ;

— amélioration de l'éclairage dans les stations ;

— patrouilles de police ciblées sur les secteurs problématiques et aux heures où les troubles ont tendance à se manifester ;

— installation de télévision en circuit fermé dans les stations, les trains et les autobus ;

— présence accrue des préposés du système de transports publics ;

— gardes de sécurité circulant dans les trains.

Ce train de mesures a fait baisser le nombre de crimes contre la personne de 42 %. Les autres types de délits ont aussi baissé. Le vandalisme a fortement chuté (700 fenêtres brisées par semaine en 1990 contre une centaine en 1992). Le nombre des graffitis a aussi considérablement diminué (Carr et Spring, 1993).

Les **dimensions** des situations précriminelles sont au nombre de trois :

— Tout ce qui se rapporte aux **victimes**, aux **cibles** ou aux **clients** des délinquants (dans les cas de trafic de drogues ou de biens volés).

— Les **conditions** qui rendent possible la **convergence** spatio-temporelle du délinquant potentiel et de sa victime (ou de sa cible ou de son client).

— Le **contexte physique et social** qui contribuera à rendre le délit envisagé plus ou moins **faisable**, plus ou moins **gratifiant** et plus ou moins risqué. Par exemple, un éclairage insuffisant, l'absence d'un gardien et la présence d'une porte arrière permettant au cambrioleur de fuir rapidement.

La prévention individuelle

Par prévention individuelle, nous entendons les interventions non pénales sur les délinquants potentiels visant à atténuer leur propension au crime.

Supposons que plusieurs individus soient placés devant exactement la même situation précriminelle. L'on posera que ceux d'entre eux qui commettront alors un crime ont une propension à la délinquance plus forte que ceux qui auront résisté à la tentation. Quételet (1835, p. 249) parlait de « penchant au crime » pour désigner cette probabilité plus ou moins grande de commettre un crime quand, par hypothèse, les circonstances extérieures sont maintenues constantes.

Dans ce qui suit, on verra un exemple de projet de prévention individuelle portant sur les facteurs contemporains du penchant au crime.

Prévention individuelle dans des écoles des Pays-Bas

Trois écoles secondaires professionnelles des Pays-Bas sont affligées de taux élevés d'absentéisme scolaire et d'abandon précoce des études. Sachant que les troubles scolaires et l'absentéisme sont en forte corrélation avec la délinquance, les auteurs du projet décident d'agir sur les élèves qui s'absentent souvent de l'école.

L'intervention comporte quatre dispositifs :

— On instaure dans les trois écoles un système informatisé d'enregistrement des absences.

— On prend l'habitude de téléphoner systématiquement à tous les parents le matin même où l'absence de leur enfant est signalée.

— On embauche des conseillers scolaires qui font le suivi des élèves s'étant absentés, qui traitent des problèmes disciplinaires, qui rencontrent les élèves qui parlent d'abandonner les études et qui conseillent les enseignants sur ces questions.

— On crée des classes spéciales dans lesquelles les élèves qui faisaient l'école buissonnière sont placés durant trois mois au maximum (pour permettre un retour rapide dans les classes normales).

Ces mesures ont fait baisser significativement la fréquence des absences non justifiées des écoles. Avant le programme, on calculait une moyenne de 1,4 heure d'absence par élève par semaine et quand le programme fut pleinement en opération, cette moyenne était tombée à 0,5 heure. (Willemse, 1994).

Les facteurs qui exercent une influence à court ou à moyen terme sur les prédispositions à la délinquance tombent sous cinq rubriques :

— **Les insuffisances de la régulation et du lien social :** parents absents, indifférents, négligents, laissant l'enfant sans surveillance et sans discipline ; adolescents qui sont insuffisamment intégrés à leur milieu familial, scolaire ou professionnel ; troubles, inconduite et absentéisme scolaire, déracinement et marginalité, (voir, par exemple, LeBlanc, 1994 et Fréchette et LeBlanc, 1987) ;

— La fréquentation de **pairs délinquants**, la codélinquance, l'appartenance à des réseaux délinquants ou criminels (Reiss, 1988) ;

— Des **besoins insatisfaits** qui pourraient être comblés par des moyens illégitimes : besoins d'argent pour payer des dettes ou pour satisfaire un désir pressant, besoin d'action, de stimulation et d'excitation, frustration, désir de vengeance, etc. ;

— La consommation excessive d'alcool et d'autres drogues ;

— Les faiblesses de la personnalité et du caractère associées à la délinquance persistante : insuffisance du contrôle de soi, impulsivité, égocentrisme, etc. (Gottfredson et Hirschi, 1990).

Les finalités de la prévention individuelle centrée sur les facteurs actuels découlent de ces constats. On voudra aider les sujets à risque à satisfaire leurs besoins essentiels et leurs aspirations légitimes ; on visera à faciliter leur insertion familiale, scolaire et professionnelle ; on soutiendra les contrôles sociaux informels à l'école et dans la famille ; on voudra faire reculer l'échec scolaire, l'absentéisme et l'abandon précoce des études ; on découragera les regroupements délinquants et on s'efforcera de démanteler leurs réseaux ; on luttera contre l'abus d'alcool et de drogues et on fera acquérir aux sujets à risque les habiletés sociales qui leur manquent.

La prévention mixte

Comme la prévention mixte combine des mesures situationnelles et individuelles, c'est par un exemple que sa nature peut être le mieux saisie.

Prévention mixte dans des HLM de Delft

Les habitations à loyer modique d'un quartier de Delft en Hollande étaient affligées de maints problèmes : décrépitude et délabrement des édifices, loyers non payés et délits en tous genres.

En consultation avec les résidents de ces HLM, on adopta le train de mesures suivantes :

— Aménagement d'un centre de loisir pour les jeunes habitant ces habitations ;

— Embauche d'un animateur de loisir pour ces jeunes ;

— Engagement de sept préposés ayant pour tâche de surveiller les lieux, faire les réparations nécessaires et de négocier avec les locataires pour régler les problèmes au fur et à mesure qu'ils se présentaient ;

— Aménagement du milieu physique pour améliorer les contrôles des accès des parcs et des rues des alentours.

Le tableau montre les résultats de l'expérience en utilisant comme mesure le nombre des délits par 100 logements.

	Avant	1 an après	2 ans après	3 ans après
Taux de délits par 100/H dans le secteur expérimental	74	50	32	36
Taux dans l'ensemble de la ville de Delft	33	35	35	31

La baisse fut particulièrement significative pour le vandalisme, les vols dans les boîtes aux lettres et pour les délits liés à la drogue. Par contre, ni la fréquence des introductions par effraction, ni celle des crimes de violence n'en furent affectées (Willemse, 1994).

Les mesures prometteuses

Contrairement à ce que croient de trop nombreux pessimistes, les projets qui ont contribué à prévenir le crime ne manquent pas. Dans une recension récente de 122 évaluations, Poyner (1993) dénombre 249 interventions (un projet pouvant contenir plusieurs interventions) ayant été évaluées et 121 qui sont considérées comme des succès. Dans ce qui suit, nous présentons au lecteur une liste assez longue de mesures prometteuses pour l'une des deux raisons suivantes : 1. soit que des évaluations ont établi — souvent de manière répétée — leur efficacité ; 2. soit que les connaissances criminologiques nous autorisent à penser qu'elles pourraient être efficaces et cette hypothèse n'a pas été contredite par une évaluation qui en aurait établi l'inefficacité.

Dire d'une mesure qu'elle est prometteuse ne signifie pas qu'elle peut être efficace en toutes circonstances. C'est dire qu'elle a des chances de l'être à deux conditions : d'abord quelle soit une solution appropriée au problème criminel que l'on veut contrôler et ensuite qu'elle soit correctement mise en œuvre.

Les mesures de prévention situationnelle[7].

▪ La surveillance

Les mesures et les systèmes pour percevoir et détecter les signes d'une activité délinquante et pour ainsi augmenter les risques auxquels les délinquants s'exposent.

— La surveillance par les personnes ;

— Les équipements de surveillance ;

— Les mesures de détection ;

— L'amélioration de la visibilité des cibles potentielles et des accès.

(Voir Ekblom, 1986 ; Grandjean, 1988 ; Burrows, 1991 ; Clarke, 1992 ; Pease, 1992 ; Poyner 1992 ; Scherdin, 1992 ; Van

---

7. Pour une liste plus détaillée des mesures, voir l'appendice I.

Andel, 1992; Reiss et Roth (sous la direction de), 1993; Willemse, 1994).

■ Les empêchements physiques au délit

Nous désignons par là toutes les mesures de renforcement de la cible qui dressent un obstacle matériel devant l'infracteur pour rendre son délit difficile, sinon impossible à réaliser, ou pour le ralentir dans ses opérations.

— Les obstacles à la pénétration.

— L'immobilisation des cibles.

— Le ralentissement du délinquant lors de sa fuite.

— L'amélioration systématique des protections physiques résidentielles par les inspections de sécurité (« security survey », « visites sécuritaires »).

(Voir Mayhew et al., 1976; Lurigio et Rosenbaum, 1986; Lindsay et Mc Gillis, 1986; Tien et Cahn, 1986; Ekblom, 1987; Clarke, 1992; Poyner et Webb, 1992; Poyner, 1993; Reiss et Roth (sous la direction de), 1993; Archambault, 1994).

■ Les contrôles d'accès

Mesures visant à empêcher les intrusions, à contrôler la circulation sur un site et à limiter l'utilisation de services à ceux qui y ont droit.

— Les postes de garde à l'entrée des sites.

— Les contrôles d'entrée dans les blocs appartements.

— Les codes d'accès.

(Voir Young et al., 1978; Fennelly, 1989; Clarke, 1992; Poyner, 1991; Archambault, 1994).

- Le détournement des délinquants de leurs cibles

Modifications de l'environnement, des habitudes et des trajets visant à réduire la fréquence des contacts entre les délinquants potentiels et leurs cibles.

— Aménager les trajets pour éviter la convergence des délinquants potentiels et de leurs cibles.

— Situer les lieux de rassemblement des délinquants potentiels loin de leurs cibles.

— Séparer les adversaires par des mesures physiques.

— Gérer les horaires pour limiter les convergences des délinquants vers leurs cibles ou leurs victimes.

(Voir Brantingham et Brantingham, 1984 et 1991; Clarke, 1992; Shearing et Stenning, 1992; Reiss et Roth (sous la direction de), 1993; Felson, 1994; Fowler et Mangione, 1982; Archambault, 1994).

- L'élimination ou la réduction des bénéfices pouvant être gagnés par le délit

— Moyen de paiement sans argent comptant.

— Réduction des sommes d'argent conservées dans les caisses.

— Nettoyage rapide des graffitis et réparation de la propriété détruite pour enlever aux vandales le plaisir de revoir le fruit de leur « travail ».

— Marquage et burinage des objets de valeur et des pièces d'automobile (« opération identification »).

— Surveillance des receleurs.

— Radios dans les automobiles rendues inutilisables si elles sont volées sans que l'on connaisse le numéro pouvant réactiver le système électronique.

— Système électronique de type «Lojack» permettant de localiser une voiture volée.

(Voir Chaiken et al, 1974; Linden et al., 1984; Poirier, 1985; Sloan-Howitt et Kelling, 1990; Clarke, 1992; Poyner, 1993).

■ Le contrôle des instruments et objets pouvant servir à commettre un délit

— Contrôler les armes.

— Éliminer des objets pouvant servir d'arme.

— Rendre plus difficile les fraudes par cartes de crédit ou carte d'assurance-maladie en y incorporant la photographie du détenteur légitime.

— Réglementer la vente d'instruments pouvant servir aux vandales, comme les cannettes de peinture munies d'un vaporisateur (*spray*).

(Voir Landes, 1978; Clarke, 1992; Lester, 1993; Reiss et Roth (sous la direction de), 1993).

Prévention individuelle portant sur le potentiel délinquant actuel: mesures prometteuses

Les mesures prometteuses sont moins fournies dans ce secteur. En effet, les mesures de prévention individuelles agissant à court terme ne sont que rarement évalués et celles qui l'ont été n'ont pas toujours obtenu des résultats encourageants. Malgré tout, il existe des mesures de prévention individuelle qui présentent un intéressant potentiel, surtout parce qu'elles visent des causes de la délinquance dont la virulence n'est plus à démontrer.

▪ Milieu scolaire

C'est en milieu scolaire que la prévention individuelle possède ses meilleures chances. Les mesures qui sont les plus prometteuses sont les suivantes :

— Édicter dans l'école un code de vie clair pour assurer le respect de la personne et des biens d'autrui ;

— Instaurer une discipline consistante et ferme assortie de sanctions équitables, prévisibles et effectivement appliquées ; sanctionner sans faiblesse les comportements violents ;

— Organiser la médiation des conflits et l'arbitrage des différends ;

— Organiser des loisirs et des activités parascolaires ;

— Favoriser l'insertion scolaire, le sentiment d'appartenance des élèves en les intégrant dans des écoles et des classes de taille restreinte sous la supervision d'un titulaire qui connaît bien ses élèves et qui peut les suivre de près ;

— Lutter contre l'absentéisme, l'échec scolaire et l'abandon par un suivi systématique des élèves permettant d'intervenir rapidement, de concert avec les parents dès que des difficultés apparaissent ;

— Aider les élèves en difficulté à faire leurs devoirs.

(Voir Cusson, 1990 ; Olweus, 1991 ; Reiss et Roth (sous la direction de), 1993 ; Janosz et Leclerc, 1993 ; Willemse, 1994).

▪ Co-délinquants et réseaux

Pour empêcher que les délinquants ne se regroupent et qu'ils ne développent des réseaux, LeBlanc (1992) propose de surveiller les bandes en étant particulièrement attentif aux leaders et à ceux qui recrutent des complices.

▪ Intégration des jeunes adultes sur le marché du travail

Pour faciliter l'intégration des jeunes adultes sur le marché du travail, on préconise de leur offrir des programmes de formation et d'orientation professionnelle (Hope et Shaw, 1988 ; Curtis, 1988).

Il est aussi possible de faire de la prévention individuelle dans un centre d'achat, comme le montre l'exemple que voilà.

**Prévention individuelle
dans un centre commercial de Rotterdam**

Dans un centre commercial de Rotterdam sévissaient les vols à l'étalage et le vandalisme.

Pour faire face au problème, on apporta les solutions suivantes :

— Embauche d'un travailleur de milieu qui devait prendre contact avec les jeunes qui fréquentaient le centre ;

— Aménagement d'un espace réservé aux jeunes ;

— Organisation d'activités de sports et de loisirs ;

— Formulation d'une politique d'intervention insistant sur le refus d'expulser les jeunes du centre commercial.

Résultat : baisse significative du vandalisme et du vol à l'étalage dans le centre.

(Junger-Tas, 1988, in Graham, 1990).

Comment concevoir et planifier un projet de prévention?

Pour qu'un projet de prévention ait des chances d'être efficace, il doit être conçu et planifié selon les règles de l'art.

La planification d'un projet de prévention peut être découpée en cinq opérations :

— Identifier et analyser le problème criminel à contrer ;

— Se fixer des buts clairs, spécifiques et mesurables ;

— Choisir des moyens qui auront des chances d'agir sur les causes rapprochées du problème criminel ciblé ;

— Obtenir une concentration suffisante des moyens ;

— Mobiliser les partenaires.

L'identification et l'analyse d'un problème criminel

Prévenir un crime, c'est, essentiellement, réduire le risque que ce type de crime ne soit commis dans l'avenir. Cela suppose que ce risque existe et qu'il soit reconnu. On ne se donne pas la peine de mettre sur pied un programme de prévention là où la probabilité de délinquance est insignifiante. Un diagnostic s'impose donc pour choisir judicieusement la ligne d'action la mieux ajustée[8]. Il s'agit de savoir si le problème est bien réel, puis de le connaître suffisamment pour mener une action judicieuse sur les bonnes cibles. La démarche peut être découpée en huit étapes.

---

8. Cette analyse du problème paraît si importante à Willemse et de Waard (1993), qu'ils suggèrent de n'accorder une subvention à un projet de prévention seulement après qu'une analyse du crime à prévenir aura été menée.

L'identification du problème

Il importe d'abord de s'entendre sur l'existence d'un problème qui mérite que l'on prenne action. Celui-ci peut être signalé aux décideurs de plusieurs manières. Par exemple, les plaintes convergentes de nombreuses victimes ou le consensus d'un comité consultatif de citoyens conduisent à la reconnaissance que les vols de motoneige sont devenus extrêmement fréquents ; l'examen des statistiques de la criminalité fait repérer la croissance rapide des vols qualifiés avec des armes blanches ; l'analyse de la distribution spatiale de la criminalité permet de localiser un secteur excessivement touché par la violence ; l'inventaire d'un grand magasin fait découvrir d'importantes pertes dues au vol à l'étalage ; un sondage de victimisation fait découvrir qu'une catégorie de citoyens est singulièrement affectée par le crime.

Quelle que soit la source d'information, elle permet de déceler une ou des anomalies (Ekblom, 1988). Une analyse plus approfondie permettra d'établir jusqu'à quel point le problème est bien réel puis de le circonscrire.

> Par « problème criminel », on désigne une activité délinquante spécifique et localisée qui frappe une catégorie de biens ou de personnes et dont l'intensité est telle qu'elle suscite une demande de solution. (Cusson, 1994)

Cette définition laisse sous-entendre qu'il existe des situations exemptes de problème criminel. Non pas qu'il ne s'y commet pas de crimes, mais qu'il s'en commet peu et qu'ils ne sont pas très graves. En d'autres termes, à la suite de Durkheim (1895), les criminologues pensent qu'il peut exister une quantité **normale de crimes**. Cet état normal serait une situation d'équilibre social dans laquelle la quantité et la gravité des crimes commis ne seraient pas suffisamment élevées pour compromettre la qualité de la vie sociale. C'est au terme de jugements de valeur que l'on conclut qu'il y a problème, que l'état réel de la criminalité ne correspond pas à l'état désiré, que la situation est inacceptable et « qu'il faut faire quelque chose ». La science ne permet pas de trancher en la matière; elle permet cependant de déterminer si les affirmations des gens sur la fréquence des crimes sont fondées. Il se pourrait que le meilleur moyen pour conclure qu'un problème criminel est sérieux serait la consultation et l'accord des intéressés. Si un certain volume de crimes est perçu comme intolérable non seulement par les victimes, mais aussi par les principaux porte-parole d'un milieu, il y a de bonnes chances qu'il vaille la peine de s'y attaquer (Willemse et de Ward, 1993).

C'est en s'appuyant sur un consensus minimal à propos du problème à résoudre, que l'on pourra mobiliser les personnes et les ressources nécessaires pour monter un projet de prévention adéquat. Une fois établi que le problème criminel est bien réel, il reste à l'analyser pour découvrir le meilleur angle d'attaque. On commencera en se penchant sur la nature même du délit en cause.

La spécification de la nature du délit

Quel est précisément le **type de délits**, ou la combinaison de délits, auxquels on a affaire? Si ce sont des cambriolages, s'agit-il de cambriolages résidentiels ou commerciaux? Si on a affaire à des vols de véhicules, quel est le problème le plus sérieux: les vols pour la revente des pièces? Les « *joyrides* »? Quelles sont les tactiques ou les *modus operandi* des malfaiteurs (techniques, outils, armes, complicité, temps d'exécution, mode de pénétration dans les lieux, mesures pour déjouer les dispositifs de protection.)? Dans quelles circonstances sont-ils commis?

Le degré de risque posé

Avec quelle fréquence le délit sous examen risque-t-il d'être commis dans un proche avenir? Il s'agit d'estimer la probabilité d'occurrence du délit en question. Cela peut se faire par l'analyse de l'incidence des délits commis dans un passé récent. Cela exige un système d'enregistrement rigoureux des délits commis: statistiques de police, questionnaire de victimisation, ou de délinquance révélée, compilation des incidents notés sur un site, etc.

Les auteurs

Que savons-nous des **auteurs** de ces délits? Ont-ils des antécédents criminels? Quel est leur âge? Quels sont leurs motifs? Quels lieux fréquentent-ils (résidence, école, bar, magasin)? Quels trajets empruntent-ils pour atteindre leurs cibles? Qui sont leurs complices et leurs réseaux? Ont-ils des habitudes qui favorisent le contact avec leurs victimes et leurs cibles?

L'identification des victimes et des cibles

On veut savoir quels sont les personnes, les biens et les informations confidentielles qui sont les plus exposés pour ensuite déterminer ce qui devra être protégé en priorité. Dans les cas de délits contre les biens, il sera utile d'identifier les avoirs les plus précieux et de déterminer l'ampleur des préjudices qui seraient encourus en cas de vol ou de méfait. Il peut aussi être utile de faire le profil des victimes: âge, habitudes de vie, histoire de leur victimisation, etc.

L'analyse spatio-temporelle

Où et quand les délits sont-ils commis? Dans un quartier urbain, l'utilisation de logiciels géomatiques du genre «Mapinfo» peut servir à identifier les points chauds du crime (Sherman et al, 1989; voir aussi le numéro de 1994 de la revue *Criminologie* portant sur l'analyse spatiale du crime, vol. 17, nº 1). Sur un site délimité, par exemple, sur le campus d'une université ou d'un centre d'achat, il peut être utile d'interroger des témoins privilégiés comme les gardes de sécurité pour savoir où et quand sont commis le plus souvent les délits.

L'analyse causale

Pour frapper le problème à la source, il importe d'en découvrir quelques-unes des causes probables. Pourquoi tel type de vol d'automobile est-il beaucoup plus fréquent dans tel quartier qu'ailleurs? Comment s'explique la recrudescence soudaine des introductions par effraction dans les commerces sur telle rue? La criminalité n'est pas l'effet d'une cause unique: une longue chaîne de causes et de facteurs doit être forgée pour que des délinquants motivés réunissent les conditions favorables à l'exécution de leurs crimes. Certaines causes sont lointaines, d'autres sont rapprochées. Il est possible d'agir sur certaines et non sur d'autres. L'on s'efforcera donc d'identifier, non pas toutes les causes, mais quelques-unes sur lesquelles il serait possible d'agir, par exemple les vulnérabilités de maisons mal protégées contre le vol, les étalages mal surveillés d'un magasin, la disponibilité d'armes, les offres dans les bars qui encouragent des consommateurs potentiellement violents à se saouler (les formules 2 pour 1, 5 $ pour entrer et 1 $ pour toutes les autres consommations, ou 12 $ pour entrer et pour avoir accès au bar ouvert).

Pour déterminer les causes d'une délinquance spécifique, les opérations suivantes pourraient être envisagées:

— Une revue des écrits sur le type de délit ciblé;

— Une réflexion consistant à appliquer au problème criminel sous examen les théories explicatives de la criminalité;

— Un examen attentif des données qualitatives sur le délit en question (par exemple, dans les rapports de police);

— L'étude des données disponibles sur des variables jouant probablement un rôle causal: recensement, journaux, locaux, données administratives, sondages, etc., pour tester les hypothèses formulées lors des trois premières étapes;

— Des entrevues auprès de praticiens et de témoins privilégiés : agents de probation, policiers, criminologues, gardes de sécurité, victimes choisies, politiciens locaux, journalistes, commerçants.

Il peut arriver que l'on découvre une cause assez précise du problème à résoudre, comme on le voit dans l'exemple que voici.

Le concierge d'un bloc appartement

Le service de police d'une ville de banlieue confia à des étudiants un emploi d'été qui consistait à découvrir les raisons pour lesquelles les habitants d'un bloc appartement appelaient si souvent la police. Après l'analyse de la situation, les étudiants constatèrent que les gens se plaignaient surtout du vandalisme, du bruit et des larcins commis dans le bloc. Allant plus loin dans l'examen de la situation, ils conclurent que ces problèmes résultaient vraisemblablement de l'apathie du concierge qui surveillait mal l'édifice et n'y faisait pas observer le règlement.

Le chef de police alla rencontrer le concierge à ce propos. Il lui suggéra des mesures, ajoutant que le propriétaire du bloc serait averti si la situation ne s'améliorait pas.

À la suite de cette intervention, le volume moyen des appels à la police provenant de ce bloc passa de 150 à 10 par mois. (Engstad et Evan, 1980 in Linden *et al.*, 1984)

L'analyse des contrôles sociaux existants

Il est exceptionnel que l'on ne fasse rien pour se prémunir contre un crime. Cela vaut pour les victimes potentielles, pour les policiers, pour les experts en sécurité, pour les dirigeants d'entreprise, pour les familles et les communautés. Les mesures de prévention et de répression peuvent être :

— des habitudes de prudence des individus et des règlements internes d'une organisation ;

— des systèmes de contrôle d'accès ;

— la surveillance par un personnel spécialisé ou non ;

— des équipements de surveillance et de détection (alarmes, caméras, éclairage) ;

— des systèmes pour enquêter sur les crimes et pour sanctionner les criminels ;

— des pressions et des sanctions informelles, etc.

Une connaissance des moyens déjà mis en place pour contenir le problème criminel sous examen est indispensable. Le but visé est d'identifier les forces et, surtout, les faiblesses des dispositifs existants pour apporter les correctifs qui s'imposeront.

Quand les délits sont commis dans des maisons, des commerces ou autres lieux fermés, l'**inspection de sécurité** s'impose pour y découvrir les vulnérabilités. En sécurité privée, on recommande d'identifier d'abord les cibles possibles d'une attaque criminelle, d'estimer ensuite la probabilité de telles attaques et, enfin, de découvrir les faiblesses du système de prévention en place. (National Crime Prevention Institute, 1986 ; Hayes, 1991). Deux notions sont utiles dans la recherche des défauts de la cuirasse d'un système de protection contre le crime : la vulnérabilité et l'accessibilité.

La vulnérabilité est tout ce qui favorise l'exécution d'un délit et l'impunité de son auteur. Une résidence est vulnérable à l'introduction par effraction si le voleur peut y pénétrer facilement, rapidement et sans risquer de se faire prendre. La découverte des vulnérabilités d'une cible permettra de proposer des mesures correctives qui tendront à rendre le délit plus difficile, plus risqué ou à forcer le délinquant à s'exposer plus longtemps pour arriver à ses fins. Un problème criminel s'alimente très souvent sur les vulnérabilités des cibles visées.

L'accessibilité d'une cible est tout ce qui en facilite l'approche : l'absence d'obstacle, une entrée facile, la proximité entre le délinquant potentiel et sa cible. La cible est accessible si elle se trouve à portée de la main des délinquants. Les contrôles d'accès sur un site (portes, grillages, barrières, serrures, gardiens, etc.) servent tous à limiter l'accessibilité des cibles. L'aménagement de l'espace dans le secteur d'une ville ou dans un site peut aussi rendre certaines cibles moins accessibles aux délinquants potentiels. C'est ainsi que des murs, des sens uniques, des culs-de-sac et des haies peuvent être disposés de manière à maintenir une distance suffisante entre des délinquants potentiels et des cibles intéressantes.

Dans l'exemple qui suit, on eut recours à un moyen inédit pour découvrir les vulnérabilités des protections contre le crime.

Hold-up dans les dépanneurs « Seven-Eleven »

Les dépanneurs de la chaîne « Seven-Eleven » étaient devenus la cible favorite des auteurs de vols à main armée qui profitaient des longues heures d'ouverture de ces établissements pour y dérober l'argent de la caisse. Les gestionnaires de la chaîne mirent alors sur pied un groupe de travail ayant pour mission d'analyser la situation et de faire des recommandations. On recruta dans ce groupe des ex-délinquants réadaptés à qui on demanda d'examiner plusieurs dépanneurs « Seven-Eleven » pour identifier ce qui en faisait des cibles intéressantes pour les bandits. Cet exercice permit d'identifier cinq raisons :

— On gardait des sommes d'argent importantes dans les caisses ;
— La zone de la caisse étant dissimulée par des étalages et des affiches, les voleurs opéraient sans être vus de la rue ;
— L'éclairage à l'extérieur des établissements était insuffisant ;
— Les accès étaient souvent disposés de manière à faciliter la fuite des voleurs.
— Les vendeurs ne faisaient pas attention aux clients suspects ;

La stratégie adoptée tirait les conséquences de ces observations :

— On limita la somme dans chaque caisse à 50 $;
— On améliora la visibilité dans les établissements, spécialement autour de la caisse ;
— On forma les employés à la prévention du crime ;
— On améliora l'éclairage extérieur ;
— On installa autour des dépanneurs des clôtures et des jardins pour ralentir la fuite des bandits ;
— On plaça les caisses près des vitrines pour qu'elles soient visibles de l'extérieur ;
— On équipa les caisses d'un dispositif avec minuterie.

Pour fins d'évaluation, ce train de sept mesures fut adopté dans 60 dépanneurs et, dans 60 autres, rien ne fut changé. Une mesure avant-après montra que les hold-up avaient baissé de 30 % dans les magasins modifiés durant la première année ; ils n'avaient baissé dans les autres établissements. (Linden *et al.*, 1984 p. 4)

Des buts clairs, spécifiques et mesurables

Pour qu'un programme de prévention soit évaluable, il doit poursuivre des buts clairs, spécifiques et mesurables. De tels buts sont aussi nécessaires pour orienter le choix des moyens et pour donner une direction commune à tous les participants au projet.

Trop souvent, les buts assignés aux projets de prévention sont sans grand rapport avec la prévention du crime au sens propre. En France, Robert (1994, p. 56) dénonce les « maquillages qui permettent de faire financer des actions dont la relation à la prévention est très lointaine ou hypothétique ». « Les programmes de prévention deviennent alors de simples rallonges des politiques communales d'animation socioculturelle. » Par la faute de cette dérive, la prévention se dilue alors dans la philanthropie et le socioculturel : ateliers de marionnettes, animations de rue, visites de détenus, soupes populaires. Sous le chapeau de la prévention, on fait un peu tout (Di Marino, 1991 ; Lazerges, 1994).

Aux États-Unis, on a reproché aux vastes programmes de prévention communautaire comme le *Mobilization for Youth* de poursuivre des buts trop ambitieux, comme l'amélioration générale et la rénovation des quartiers (Rosenbaum, 1988 ; Brantingham et Brantingham, 1990 ; Graham, 1990).

Par opposition, la plupart des projets récents qui ont donné de bons résultats proposent des buts précis et modestes, comme on le voit dans ce qui suit.

**Prévention du vol de produits chimiques
par le marquage à Portage-la-Prairie**

En 1978, à Portage-la-Prairie (à l'ouest de Winnipeg) la GRC fut saisie de très nombreuses plaintes de fermiers qui s'étaient fait voler des produits chimiques dans leurs élévateurs à grain. À 200 $ le bidon, les pertes d'un fermier pouvaient être considérables s'il s'en faisait voler des dizaines. Il était très difficile de surveiller les élévateurs à grain à cause de leur relatif isolement. Les produits chimiques étant en forte demande chez les fermiers de la région, il était facile de les revendre à bon prix.

Après l'analyse de la situation, la police en vint à la conclusion que la meilleure solution au problème serait de marquer les bidons pour en rendre la revente plus difficile. À chaque fermier participant, on attribua un signe distinctif. Il était marqué sur ses bidons avec de la peinture orange fluorescente. Cette « opération-identification » assez particulière fut annoncée dans les journaux locaux et à la radio. Les policiers de la GRC verrouillèrent le tout par des inspections de sécurité dans les entrepôts où on conservait les bidons.

Durant l'année précédente, on avait enregistré neuf cambriolages et des pertes de 22 500 $ pendant les 15 jours durant lesquels les produits chimiques en question étaient le plus en demande.

Après l'opération, on n'enregistra que deux vols : dans un cas, le voleur avait dévalisé un commerçant non participant et, dans l'autre cas, un fermier participant avait été la victime. (Linden *et al.*, 1984, p. 2-3)

La lutte contre le **sentiment d'insécurité** devrait-elle être reconnue comme un objectif en prévention du crime ? Bien qu'on puisse comprendre le désir d'agir non seulement sur les causes de la criminalité, mais également sur ces conséquences prochaines, cette ambition louable est pourtant semée d'embûches techniques et conceptuelles. Trois sortes d'écueils méritent d'être signalés : a) la mesure du sentiment d'insécurité est complexe ; b) la criminalité peut être une cause du sentiment d'insécurité, mais cette cause n'est ni la seule, ni la plus déterminante ; c) il existe des contre-indications à vouloir abaisser à tout prix le sentiment d'insécurité.

Comme le sentiment d'insécurité est de nature subjective, les données statistiques disponibles ne suffisent pas à le mesurer. Il y faut un sondage et une stratégie d'échantillonnage. Les difficultés techniques associées à ces opérations de recherche seront présentées plus loin. La question habituellement posée pour mesurer le sentiment d'insécurité est la suivante : « Vous sentez-vous en sécurité quand vous marchez seul(e) dans votre quartier, ou vous sentiriez-vous en sécurité si vous y marchiez seul(e)(pendant le jour(une fois la nuit tombée ? » Les répondants ont généralement quatre choix de réponse : très grande sécurité, sécurité raisonnable, une certaine sécurité, une très grande insécurité. Les limites d'une telle mesure ont souvent été soulignées (Taylor et Hale, 1986, p. 152 ; Skogan et Maxfield, 1981, p. 59-78). D'autres indicateurs existent également qui mesurent l'étendue des zones du quartier où le répondant éprouvent un sentiment d'insécurité (Tremblay et coll., 1993). Cette mesure « spatiale » exige des répondants qu'ils expriment non pas leur sentiment privé de vulnérabilité (à quel point ai-je peur ?), mais qu'ils objectivent leur sentiment d'insécurité dans un cadre de référence concret et observable (où ai-je peur ?).

La relation entre les risques de victimisation et le sentiment d'insécurité sont particulièrement complexes. Ainsi le sentiment d'insécurité dépend non seulement de la probabilité perçue d'être victime d'un crime, mais de la gravité anticipée des coûts personnels encourus en cas d'attaque (Warr et Stafford, 1983). Cette gravité anticipée est à son tour déterminée par la vulnérabilité objective des victimes potentielles. C'est pour cette raison que les personnes âgées sont plus anxieuses que d'autres, même si leurs risques de victimisation sont moins élevés. Par ailleurs les zones urbaines où le sentiment d'insécurité est le plus marqué chevauchent rarement les zones où la densité des crimes est la plus élevée ; deux autres facteurs, aussi importants, sinon plus, doivent être pris en considération : la concentration d'individus perçus comme des délinquants potentiels et la proximité des ressources humaines en cas d'attaque personnelle (Tremblay et coll., 1993). Cette multiplicité des facteurs qui modulent le sentiment d'insécurité explique pourquoi la proportion d'individus qui ont peur du crime est beaucoup plus élevée que la proportion de personnes réellement à risque (Skogan, 1987 ; Maxfield, 1984, p. 240) et pourquoi les secteurs urbains où les cambriolages sont les plus fréquents ne correspondent pas aux quartiers où les résidents sont les plus inquiets à ce sujet (Waller et Okihiro, 1978 ; Taylor et Hale, 1986, p. 153).

Lorsqu'un programme de prévention de la criminalité se propose de « diminuer le sentiment d'insécurité », on doit se demander non seulement, si un tel objectif est réaliste (puisque le sentiment d'insécurité est la résultante de facteurs difficilement contrôlables), mais encore, s'il est toujours souhaitable. Si la peur du crime est une réponse saine à un danger bien réel, ce serait une erreur de lutter contre ce sentiment (Murray, 1983). En effet, le sentiment d'insécurité motive les victimes potentielles à modifier leurs habitudes de manière à prévenir leurs risques personnels. Stafford et Galle (1984) ont montré que les catégories d'individus qui se sentent les plus vulnérables ou pour qui les coûts appréhendés d'une agression sont plus élevés (les femmes, les personnes âgées), adoptent un ensemble diversifié de précautions et d'évitements préventifs. Par exemple, le nombre d'heures passées dans la rue est moindre chez les femmes que les hommes, chez les plus vieux que chez les plus jeunes.

Ces réserves ne nous empêchent pas de convenir que faire baisser l'insécurité peut être un objectif valable. Il est souhaitable en effet que tous nos concitoyens puissent circuler en toute quiétude dans nos villes. Cependant, en aucun cas, on ne devrait traiter les mesures du sentiment d'insécurité comme des substituts aux mesures de la criminalité.

La spécification du but exige que l'on définisse clairement **le ou les délits** qui devront faire l'objet d'une intervention. Cambriolages dans les commerces ? Vols d'appareils électroniques dans les magasins ? Coups et blessures durant les batailles d'ivrognes ? Violence conjugale ?

Il importe aussi de délimiter la **zone d'intervention** : dans tel ou tel quartier, sur tels ou tels «points chauds du crime», dans tels commerces d'un centre d'achat, dans tels rayons d'un grand magasin, dans telle école.

La raison pour laquelle l'amélioration de l'éclairage des rues produit des effets dans certains cas et non dans d'autres tient vraisemblablement à ce que, dans les seconds cas, la cible n'est pas assez spécifique. Atkins et al. (1991) ont constaté qu'une amélioration générale de l'éclairage dans toute une ville anglaise n'avait pas eu d'impact sur la criminalité, cependant que Painter (1989) montrait qu'un meilleur éclairage dans un bout de rue et dans un passage souterrain manifestement trop sombres faisait baisser la criminalité et l'insécurité (Archambault, 1994).

Il importe aussi de dire qui seront **les personnes sur lesquelles portera l'intervention**. En prévention individuelle, on visera un groupe de sujets à risque de délinquance alors qu'en prévention situationnelle, ce seront les victimes et les victimes potentielles qui, le plus souvent, seront les bénéficiaires de la mesure.

Les personnes qui ont été victimisées dans un passé récent apparaissent de plus en plus comme des cibles prioritaires de la prévention situationnelle. Cela résulte de la découverte du phénomène des **victimisations à répétition**. Une victimisation en annonce souvent une autre. Le Sondage canadien de victimisation en milieu urbain, montre que les individus et les ménages qui ont été victimisés une fois présentent des risques de victimisations supplémentaires nettement plus élevés que le sont les risques d'une victimisation unique dans la population en général. Ainsi, 8 % de l'ensemble des ménages ont été victimes d'au moins une introduction par effraction alors que 15 % des ménages touchés par ce délit ont été cambriolés plus d'une fois. Le risque d'être de nouveau victime du même crime est neuf fois plus élevé chez les victimes de vol qualifié que pour l'ensemble de la population (9 % c. 1 %). La probabilité qu'un individu ou un ménage victime d'un délit donné soit aussi victime d'un **autre** type de crime est aussi relativement élevée. Plus le crime subi est grave, plus les risques d'une victimisation future sont élevés. Bref, « la victimisation répétée et multiforme fait qu'un nombre relativement petit de victimes subit un nombre disproportionné d'actes criminels » (Solliciteur général du Canada, 1988, p. 8). Cette concentration des victimisations multiples a aussi été observée aux États-Unis. (Fattah, 1991, p. 315-317).

Il est clair que certains individus et certains ménages sont sujets aux victimisations à répétition : ils présentent des risques élevés d'être plusieurs fois touchés par le crime probablement parce que certaines cibles apparaissent plus accessibles, plus vulnérables et plus attirantes que d'autres aux délinquants. Ce fait signale la présence d'un besoin auquel les criminologues pourraient répondre. C'est précisément ce que les chercheurs et les intervenants du projet Kirkholt ont décidé de faire.

Un critère minimal

La détermination des buts devrait être suffisamment précise pour que les évaluateurs et les intervenants s'entendent pour fixer un seuil minimal de succès (Ekblom et Pease, 1994). On dira, par exemple, que, à telle date, les vols d'automobile devront avoir baissé de 20 %.

**Kirkholt : cambriolages, victimisations à répétition
et surveillance « en cocon »**

À Kirkholt près de Manchester en Angleterre, des criminologues avaient découvert que la probabilité de cambriolage d'une résidence qui venait d'être visitée par les cambrioleurs était quatre fois plus élevée que celle d'une résidence qui ne l'avait pas été.

Ce constat a donné aux responsables du projet l'idée de donner la priorité à la prévention des victimisations à répétition. Dès qu'une famille avait été visitée par des cambrioleurs, les travailleurs du projet allaient leur offrir aide et conseils. S'ils obtenaient l'accord des intéressés, ils menaient une analyse de sécurité pour identifier les points de vulnérabilité du logement et pour proposer les mesures en conséquence. En complément, ils organisaient un réseau de surveillance « en cocon ». Il s'agissait de solliciter la collaboration de résidants des six au sept maisons contiguës à celle qui venait d'être dévalisée pour que chacun surveille le secteur et rapporte les mouvements suspects. Tous les membres du « cocon » se voyaient offrir une analyse de sécurité et les améliorations qui paraissaient devoir s'imposer.

Durant les cinq mois qui suivirent le début de l'implantation de ces mesures (et de quelques autres), les taux de cambriolage baissèrent de 40 % ; ils chutèrent de 58 % durant l'année qui suivit.

(Forrester *et al.*, 1988 ; Pease, 1991 ; Archambault, 1994)

Des moyens pour peser sur une cause prochaine du crime

Dans toute évaluation, on veut savoir quelle est précisément la mesure qui, après examen, s'est révélée efficace ou non. C'est dire qu'il faut être explicite sur la nature de la mesure qui subira le test de l'évaluation.

Le choix des moyens dépend d'abord du problème concret que l'on aura documenté, puis du but que l'on se sera fixé. C'est ainsi que le choix entre des mesures relevant de la prévention situationnelle ou individuelle découlera du diagnostic du problème et de la réflexion sur les buts. Si la plupart des délits qui préoccupent la communauté sont le fait d'un groupe bien identifié d'individus, on préférera une intervention sur leur potentiel délinquant. Si le problème découle des opportunités offertes, il sera, bien sûr, préférable de regarder du côté de la prévention situationnelle.

Le principe actif

En dernière analyse, l'action préventive n'aura l'effet désiré que si elle pèse sur les décisions et les actions des délinquants potentiels. L'art de la prévention est de fournir aux gens qui seraient tentés de commettre un délit des raisons de n'en rien faire. Ces raisons constituent le « principe actif » de la mesure. En prévention situationnelle, on s'efforce de peser sur les décisions du délinquant potentiel par trois mécanismes principaux (Clarke, 1992) : 1. rendre l'exécution du délit trop difficile à son goût ; 2. la rendre trop risquée, et 3. le rendre trop peu profitable.

Les principes actifs de la prévention individuelle les plus évidents sont les suivants :

— L'insertion du délinquant potentiel dans un groupe dans lequel il subira une pression à la conformité ;

— La dissociation des sujets à risques de leurs pairs délinquants et le démantèlement de leurs réseaux ;

— Le renforcement chez eux des contrôles intériorisés, l'élargissement de leur horizon temporel et le développement de leurs habiletés sociales ;

— La satisfaction, par des moyens légitimes, des besoins qu'ils ont tendance à satisfaire par la délinquance.

L'inefficacité de certaines mesures que l'on croyait préventives s'explique par l'absence d'un quelconque principe actif qui aurait pu infléchir les décisions de délinquants potentiels. On sait, par exemple, que les projets de **rénovation** résidentielle (réparation, peinture et ménage) sont généralement sans effet sur la délinquance (Poyner, 1993). À la réflexion, cela se comprend : la rénovation n'intervient nulle part dans la chaîne causale qui aboutit au crime.

On sait aussi que la création de maison de jeunes, de centres communautaires et l'organisation de loisirs pour la jeunesse ne réussissent que rarement à faire baisser la délinquance (Poyner, 1993). Ce résultat s'explique quand on sait que ces projets échouent souvent à rejoindre les sujets à risques (les meilleurs participants aux activités de ces maisons sont souvent des garçons et des filles qui n'ont aucune difficulté d'adaptation alors que les sujets qui ont le plus fort potentiel délinquant « décrochent » très vite).

Les campagnes de prévention dans les médias et dans les écoles donnent des résultats décevants parce qu'elles ne réussissent pas à peser sur une cause prochaine du crime. Sacco et Silverman (1981) ont montré qu'une campagne de publicité à la radio n'eut que peu d'impact principalement parce que les victimes potentielles qu'elle visait ne modifièrent pas leurs habitudes. Au terme de la campagne, les sujets interrogés ne verrouillaient pas plus souvent leurs portes qu'avant ; ils n'allumaient pas plus leurs lumières, ils ne s'étaient pas procurés de chien, etc. (Archambault, 1994). Comme les gens ne prenaient pas plus de précautions qu'avant, on ne pouvait pas espérer que les occasions de vols diminuent.

La constitution d'associations de citoyens et les réunions de quartier n'ont guère plus d'effet (Graham, 1990 et Poyner, 1993). Car ces rencontres débouchent rarement sur des mesures concrètes susceptibles d'influer sur les délinquants.

Autre déception, la doctrine du « *defensible space* », selon laquelle l'architecture devrait être conçue de manière à favoriser un sentiment de territorialité en créant des zones semi-privées. Par des mesures comme l'installation de clôtures symboliques et de fenêtres, Newman (1972) pensait qu'on pouvait aménager les alentours des HLM de manière à limiter la circulation des étrangers, à promouvoir la surveillance spontanée et à encourager les résidants à intervenir face aux intrus. Les évaluateurs de projets inspirés par ces idées concluent qu'ils réussissent assez peu à faire baisser la criminalité. Dans les faits, les modifications architecturales proposées ne conduisent pas les gens à mieux surveiller et à mieux défendre leur «territoire». Résultat : les risques **réels** qu'un délinquant soit vu et dénoncé ne changent pas (Murray, 1983).

Les **travailleurs de rue** sont des animateurs qui, durant les années 60 et 70, étaient envoyés dans les quartiers à risques pour se faire accepter par les gangs délinquants. Cela fait, ils étaient supposés aider les membres de gangs à s'orienter vers des activités positives et à s'intégrer à la société. Cette formule fut sans effet sur la délinquance. Il arriva même que les travailleurs de rue renforçaient la cohésion des bandes sans pour autant réduire leur marginalité (Klein, 1971 ; LeBlanc, 1991). Échouant à intégrer les membres des gangs à la société globale, les travailleurs de rue n'intervenaient pas dans la chaîne causale conduisant au crime.

La concentration des moyens

La grande leçon des évaluations de plus de 200 projets de prévention dans les Pays-Bas est que nous ne pouvons espérer obtenir de résultat si l'intervention manque d'intensité. (Polder, 1992). Un projet mené avec des moyens insuffisants ne réussit pas à avoir un impact sur les décisions des délinquants potentiels.

Ceci nous aide à comprendre pourquoi, la **publicité** sur la prévention dans les mass-medias n'a pas les résultats escomptés (Sacco et Silverman, 1981 ; Linden *et al.*, 1984 ; Poyner, 1993 ; Archambault, 1994). La publicité peut cependant servir de complément utile comme élément d'un programme comportant d'autres mesures comme le burinage ou les inspections de sécurité. L'inefficacité de la publicité prise isolément tient possiblement à son manque de force.

Lorsque la participation des citoyens au **burinage** de leurs biens (Opération identification) est médiocre, les taux de cambriolage ne baissent pas, même si ceux qui participent au programme jouissent d'une protection relative. Cependant quand les taux de participation atteignent 70 % grâce à un porte-à-porte systématique et une publicité intensive, — comme ce fut le cas dans les municipalités anglaises étudiées par Laycock (1985) — on assiste à une réduction substantielle des cambriolages (Archambault, 1994).

C'est probablement parce qu'elles manquent d'intensité que les **patrouilles de police** ordinaires n'ont pas d'impact sur la criminalité. Par contre, des patrouilles policières bien concentrées sur un petit nombre de « points chauds du crime » très bien délimités (*focused patrol, saturation patrol*) possèdent une efficacité très réelle (Sherman, 1992 ; Poyner, 1993).

L'intensité peut être acquise par la concentration. On fait converger le gros de ses moyens sur un point précis et un type de crime spécifique.

Pour s'assurer d'un minimum d'intensité, il est recommandé aux intervenants de se fixer des **objectifs intermédiaires** assortis de **critères de mise en œuvre**. L'objectif intermédiaire décrit, non pas l'impact espéré sur la criminalité, mais la mise en application souhaitée. Par exemple, dans un projet dont le but ultime serait de faire reculer les cambriolages commerciaux, les deux objectifs intermédiaires seraient 1. d'effectuer des inspections de sécurité dans les établissements visés et 2. de persuader les commerçants de faire les correctifs qui s'imposent. Le critère de mise en œuvre est un indicateur de performance minimal. Dans l'exemple précédent, ce pourrait être deux choses, premièrement, de compléter les inspections de sécurité dans 80 % des commerces victimisés et, deuxièmement, de réussir à ce que 50 % des commerçants visités mettent en application les recommandations.

Dans le projet de Seattle, le succès de l'opération tenait en partie à ce que les critères de mise en œuvre furent respectés.

Seattle : surveillance de quartier

En 1972, un **sondage** réalisé à Seattle fait découvrir aux autorités municipales que le cambriolage est devenu une sérieuse préoccupation chez les citoyens.

Une analyse fouillée du problème fait ressortir le caractère rudimentaire de maintes effractions. La plupart des voleurs que la police arrête ont moins de dix-neuf ans (70 % pour les cambriolages de jour et 30 % de ceux commis la nuit). Un tiers des introductions se font par une fenêtre entrouverte ou par une porte non verrouillée. L'étude conclut aussi que les patrouilles de police ont un impact pratiquement nul sur le cambriolage et que seulement 10 % des cambriolages se soldent par une arrestation ou par le recouvrement du butin. Le gros des biens volés est vendu directement aux gens, sans l'intermédiaire d'un receleur. Dans la majorité des cambriolages résolus, un témoin avait pu voir le ou les cambrioleurs.

L'administration municipale, de concert avec le service de police se donne pour **cible** la réduction des cambriolages résidentiels dans les secteurs de la ville les plus touchés. Ces secteurs à risque élevé de cambriolage devront être « saturés » par les interventions. On se fixe quatre objectifs intermédiaires accompagnés de leurs critères de mise en œuvre :

1. Mener des inspections de sécurité dans 30 % des foyers visés par le programme ;
2. Buriner les biens dans 30 % des foyers ;
3. Constituer des équipes de surveillance de quartier formées de groupes de 10 à 15 citoyens qui seraient alimentés par des informations très précises sur le cambriolage (30 % des résidences) ;

---

4. Fournir aux citoyens des renseignements sur le cambriolage (70 % des foyers).

L'opération est annoncée dans les médias et la police y participe activement.

Les critères de mise en œuvre ont été dépassés : 40 % des foyers sont effectivement rejoints par les opérations 1, 2 et 3. L'**évaluation** s'appuie principalement sur deux sondages de victimisation passés avant et un an après l'intervention dans les secteurs visés (1 300 foyers). La moitié des foyers visés ont bénéficié du programme ; l'autre moitié étant le groupe de contrôle. Les sondages permettent de déceler une baisse de 61 % dans les cambriolages des secteurs expérimentaux. Dans les secteurs-témoin, la baisse n'est que 5 %. On ne décèle pas de trace de déplacement vers les secteurs adjacents. Les statistiques de police enregistrent une augmentation des taux de cambriolages rapportés (le projet encourage les citoyens à rapporter) qui dissimule la diminution réelle du nombre de délits. (Cirel *et al.*, 1977 ; Linden *et al.*, 1984 ; Lindseys et Mc Gillis, 1986)

La mobilisation des partenaires

L'implantation réussie d'un programme de prévention suppose la participation de plusieurs partenaires suffisamment motivés pour mettre effectivement en œuvre les interventions projetées. C'est à une mobilisation insuffisante que tient l'échec de maints projets de prévention. Ils se sont heurtés à la passivité, à l'indifférence ou aux désistements, de telle sorte que les partenaires dont on avait besoin pour traduire les idées dans les faits n'étaient pas au rendez-vous.

C'est en ces termes que s'analyse l'inefficacité assez générale de la **surveillance de quartier**. Les promoteurs de ce type de programme visent en gros trois buts ; premièrement, renforcer les contrôles sociaux informels dans la communauté ; deuxièmement, inciter les citoyens à observer les agissements suspects pour ensuite les rapporter à la police et, troisièmement, les encourager à adopter des mesures de sécurité. La condition nécessaire à l'efficacité de la surveillance de quartier est que les citoyens participent au contrôle social et à la réduction des opportunités. Pour y arriver, on utilise divers moyens : distribution de dépliants, lettres, porte-à-porte et, surtout, réunions de voisins. Malheureusement, ces réunions ont tendance à être épisodiques et la participation y est faible. Elles ne réussissent pas à motiver les gens à mieux surveiller leur quartier. Il n'est pas rare que le programme tombe dans un état de léthargie profonde. (Garofalo et McLœd, 1989 ; Rosenbaum, 1989).

Aux États-Unis, la plupart des programmes de surveillance de quartier fonctionnent dans des quartiers résidentiels de classe moyenne ayant de faibles taux de criminalité. Comme le problème à résoudre n'y est pas aigu, la motivation des citoyens à participer est cyclique. Inversement, dans les quartiers fortement criminalisés, la greffe de la surveillance de quartier prend mal : les résidants se méfient les uns des autres ; ils refusent de collaborer avec la police et ils ont une faible capacité d'organisation sociale. C'est ainsi que les milieux qui souffrent le plus du crime sont aussi ceux où le rejet de la surveillance de quartier est le plus manifeste (Rosenbaum, 1987 ; Garofolo et McLeod, 1989 ; Graham, 1990 ; Bennett, 1990 ; Archambault, 1994).

La prévention du crime est le fruit d'une collaboration à laquelle participe plusieurs « coproducteurs ». La police en est presque toujours un partenaire indispensable. (Linden *et al.*, 1984, p. 17). Les policiers sont bien placés pour se rendre compte de l'émergence de problèmes criminels ; ils disposent d'informations sur les méthodes des criminels et leur contribution à la mise en œuvre des solutions est souvent indispensable (Table ronde, 1993).

Les victimes récentes et les victimes potentielles ont aussi intérêt, pour des raisons évidentes, à collaborer à prévenir le crime. C'est parce que les victimes de cambriolages et leurs voisins immédiats ont participé au projet « Kirkholt » que celui-ci connut le succès que nous savons (Forrester *et al.*, 1988 ; Pease, 1992 ; Archambault, 1994).

La liste des autres partenaires susceptibles d'apporter leur contribution à la lutte contre le crime est assez longue : commerçants, concierges, vendeurs, directeurs d'école, enseignants, élus locaux, groupes communautaires, chambre de commerce, médias, services de sécurité privée, sociétés de criminologie, services de probation ou de libération conditionnelle, architectes, urbanistes, administrateurs municipaux chargés de l'aménagement urbain, associations de parents, groupes ethniques, Églises, CLSC, maisons de jeunes, etc.

Comment soutenir la motivation des partenaires jusqu'au bout ? Comment les intervenants seront-ils incités à faire le travail qu'on attend d'eux ? On court à l'échec si on espère que le programme sera implanté par des employés déjà surchargés qui accepteraient de faire du travail supplémentaire sans être payés (Berk et Rossi, 1990). La motivation des participants risque aussi de chuter si on attend d'eux des activités peu gratifiantes, si on leur demande trop de temps ou trop d'efforts. Les patrouilles de citoyens ont fait long feu, surtout celles qui étaient faites de nuit. C'est pourquoi, les stratégies préventives devraient être conviviales (*user-friendly*). Elles devraient pouvoir s'intégrer dans les milieux sans perturber les habitudes des gens, sans limiter leur liberté de mouvement et sans nuire à leur intimité. (Felson, 1994)

Comment évaluer un projet de prévention du crime ?

Évaluer un programme de prévention de la criminalité, c'est aller voir s'il a atteint son but. Il ne suffit pas d'en mesurer la mise en œuvre ; il faut aussi connaître son impact sur le crime.

Quels projets pourraient être évalués ? Tout simplement, ceux qui méritent de l'être parce qu'il est raisonnable d'en espérer un impact sur la criminalité (Ekblom et Pease, 1994).

Dans les écrits, deux types de démarches cohabitent : l'évaluation *a priori* et *a posteriori*.

Dans la démarche *a priori*, une équipe formée de praticiens et de chercheurs construit de toute pièce un projet de prévention dont l'évaluation est partie intégrante. Le projet est alors conçu de bout en bout selon les règles de l'art : analyse du problème criminel, détermination des objectifs, choix des moyens (voir plus haut) et plan d'évaluation.

D'autres fois, un chercheur adopte une démarche *a posteriori*. Ayant pris connaissance d'une initiative préventive particulièrement prometteuse, il décide d'en mesurer l'impact. Cela est indiqué quand le programme qu'on se propose d'évaluer s'attaque à un problème criminel bien défini, quand ses objectifs sont précis, quand ses moyens semblent adéquats et quand on a des raisons de croire qu'ils sont efficaces. Une telle démarche présente l'avantage d'être moins coûteuse qu'un projet de prévention monté de toutes pièces. Elle mérite d'être encouragée. En effet, les initiatives de prévention sont nombreuses, dans les services de police, dans les municipalités, dans les écoles, dans les groupes communautaires. Pourquoi ne pas évaluer les projets dont ont dit qu'ils sont des succès sans pour autant en fournir la démonstration ? Parce qu'on néglige de le faire, nous passons à côté d'interventions qui sont peut-être fort efficaces, mais qui seront abandonnées et oubliées en l'absence d'évaluation crédible.

Il est rare que l'on n'ait strictement rien fait pour faire face à un problème criminel quel qu'il soit : les victimes ont pris un minimum de précautions ; la police a fait enquête ; la municipalité a amélioré l'éclairage. Cela signifie que la plupart des projets de prévention ne font que rajouter une ou quelques mesures nouvelles à ce qui se fait déjà. Par conséquent, dans la grande majorité des cas, on évalue l'**efficacité marginale** d'un programme : est-ce que l'ajout de telles mesures augmente le niveau d'efficacité des contrôles sociaux existants ? Il est donc logique d'adopter un devis de recherche évaluative fondé sur une comparaison entre l'état de la criminalité avant que l'on intervienne et son état pendant ou après. La mesure « avant » fournit une estimation de l'efficacité des solutions déjà en place ; la mesure « après » permet de vérifier si l'action préventive évaluée y ajoute quelque chose. On comprend alors le constat fait par Lurigio et Rosenbaum (1986) : aux États-Unis, plus de 90 % des « designs » évaluatifs en prévention utilisent un devis de recherche de type avant-après (prétest-postest). Ce schéma évaluatif permet de vérifier si l'incidence de la criminalité que l'on souhaite prévenir baisse ou non durant la période expérimentale de fonctionnement du programme et peut être imputable aux moyens préventifs mobilisés. Il y a de fortes chances de croire, qu'en matière de prévention de la criminalité, ce schéma continuera d'être massivement utilisé (Ekblom et Pease, 1994). Plutôt que de proposer des devis évaluatifs plus performants, mais qui seraient irréalistes compte tenu du contexte, notre objectif, ici, sera de montrer comment on construit un plan d'évaluation « avant-après » raisonnablement solide, convaincant et qui exploite les opportunités d'analyse qui s'offrent aux criminologues.

La démarche proposée est de nature expérimentale ou plus exactement « quasi expérimentale » (sur la méthodologie quasi expérimentale, voir Cook et Campbell, 1979 et le texte classique de Campbell, 1969 ; on trouvera d'excellentes introductions à la démarche quasi expérimentale par Fortin, 1982 et Fortin et Robert, 1982). Une évaluation expérimentale exige en effet une répartition aléatoire de sujets à des groupes expérimentaux et des groupes contrôles ainsi que la capacité de créer un environnement dans lequel certaines causes peuvent opérer librement alors que d'autres sont délibérément neutralisées ou exclues. Pratiquement aucun programme de prévention de la criminalité n'est en mesure de satisfaire à ces exigences (Ekblom et Pease, 1994). Néanmoins la démarche expérimentale est une source d'inspiration pour les criminologues qui interviennent sur le terrain. Pour les besoins de l'exposé nous conservons le terme « expérimental », étant entendu que l'expression appropriée devrait plutôt être « quasi expérimental ».

216

Deux exemples

Pour donner au lecteur une idée concrète d'une évaluation d'un programme de prévention de la criminalité, nous commençons par deux exemples. Ils ont été choisis pour la simplicité de leur méthodologie.

Un système de détection électronique dans une librairie

Selon des estimations américaines sérieuses, les librairies doivent consacrer plus de 10 % de leur budget au remplacement du matériel volé ou mutilé. Tout indique que les documents audiovisuels disparaissent plus rapidement que les imprimés.

Durant l'été 1982, on installe dans la bibliothèque de l'Université du Wisconsin à Whitewater un système de détection électronique. Les documents audiovisuels (cassettes, disquettes, etc.) ne sont pas protégés par le nouveau système parce que les « désactiveurs » magnétiques effacent leur contenu. On espère cependant que ce type de matériel sera aussi protégé en se disant que les étudiants ne sauront pas que les documents sur support magnétique ne sont pas protégés.

Pour évaluer l'impact du système de sécurité électronique, on compare les inventaires durant les deux années précédant son installation et durant les deux années suivantes. Les bibliothécaires font l'inventaire chaque année durant l'été.

Nombre de documents perdus avant et après l'installation des détecteurs électroniques

	AVANT		APRÈS	
	1980-1981	1981-1982	1982-1983	1983-1984
Imprimés	268	154	31	45
Audiovisuel	124	94	33	24

Il faut savoir qu'entre 1981 et 1984, le volume des prêts augmente de 8 % pour les audiovisuels et de 25 % pour les imprimés. Entre ces deux années, la baisse des pertes est de l'ordre de 80 % aussi bien pour les imprimés que pour les audiovisuels. (Scherdin, 1992)

Vols dans les paniers au marché de Birmingham

En 1980, deux spécialistes anglais de la prévention (Poyner et Webb, 1992) avaient constaté une fréquence anormalement élevée de vols d'un type particulier dans quelques sections d'un vaste marché du centre de Birmingham (Angleterre). Des inconnus s'emparaient des sacs à main et des porte-monnaie déposés dans les sacs ou dans les paniers à provisions. Ces vols se produisaient durant les périodes de fort achalandage, surtout les vendredis et samedis entre 13 h et 16 h, et ils étaient fortement concentrés dans les secteurs du marché les plus congestionnés et les plus mal éclairés. Les voleurs profitaient de l'encombrement qui résultait de l'étroitesse de l'espace des rangées entre les étalages durant les heures d'affluence pour s'emparer des sacs ou des porte-monnaie sans être vus. La victime ne constatait la disparition de son bien que quelques instants plus tard : le voleur était déjà loin. Malgré une intensification de la surveillance policière durant l'année 1982, les voleurs restaient insaisissables.

La principale recommandation faite par Poyner et Webb fut de redisposer l'espace entre les étagères en aménageant des allées qui seraient larges de trois mètres plutôt que de deux mètres. Cette proposition ne fut pas appliquée immédiatement, mais en 1983, dans le cadre d'une importante rénovation du marché ouvert, on élargit les allées à trois mètres, on aménagea plus d'espace pour les vendeurs et le personnel de manutention et on améliora grandement l'éclairage des lieux.

Poyner et Webb profitèrent de l'occasion pour mesurer l'impact de ces modifications sur les vols. Comme le vol de sac à main dans les paniers n'est pas une catégorie codifiée dans une catégorie spécifique, les chercheurs retournèrent aux rapports de police originaux Ils décidèrent de calculer le nombre des vols ciblés de mars à août de chaque année. Le tableau qui suit donne les résultats de cette étude.

Vols dans les paniers à provisions à Birmingham

| | (Surveillance policière) | | (Rénovation) | | |
	1978	1982	1983	1984	1985
Marché ouvert (intervention)	54	21	45	33	12
Marché de vêtements (zone adjacente)	52	82	54	17	12

En 1982, l'intensification de la surveillance policière fait baisser les vols au marché ouvert mais semble les avoir redistribués vers le marché au linge. Les mesures préventives (élargissement des allées et éclairage) qui sont faites durant les trois premiers mois de 1983 font baisser les vols dans les paniers de pratiquement 40 % durant la première année et de 70 % sur les deux années suivantes. Dans le marché au linge, la baisse est aussi substantielle. Les chercheurs l'attribuent à l'amélioration de l'éclairage dans ce secteur mais aussi à la diffusion des bénéfices de l'aménagement du marché ouvert. Il semble que tout le secteur soit devenu moins intéressant pour les voleurs. (Poyner et Webb, 1992).

Éléments de base d'une évaluation

Les quatre éléments essentiels d'une évaluation de type « avant-après » sont présents dans ces deux exemples. Ils devraient être incorporés dans tout devis d'évaluation, à moins de justification explicite.

Premier élément, la fixation d'au moins **deux périodes** d'analyse conçues pour vérifier l'impact du projet : la période contrôle (presque toujours avant) et la période expérimentale (après ou, plus précisément, pendant que l'intervention est supposée faire sentir son effet).

Deuxième élément, l'identification et le dénombrement systématique du ou des délits qui serviront de critère pour mesurer l'effet du programme. Dans l'étude du marché de Birmingham, les évaluateurs ont retenu comme critère le nombre de vols dans les paniers et sacs à provision calculés en épluchant les rapports de police. Dans l'évaluation de l'impact des détecteurs électroniques installés en bibliothèque, les vols de documents sont dénombrés en utilisant les données d'inventaire sur les pertes. La spécification du ou des délits à prévenir découle de l'analyse du problème criminel. Notons que, dans les deux exemples cités plus haut, les vols cibles ne collent parfaitement à aucune catégorie légale. Il arrive que le type de délits visé soit spécifié en tenant compte du type de victimes que l'on veut protéger (par exemple, les victimes à répétition), du type de sujets à risque (les élèves qui font l'école buissonnière) ou même du type de sites (les points chauds de la violence criminelle). Si le projet s'attaque à deux ou plusieurs problèmes criminels distincts, il importe de capter les effets différentiels des interventions en mesurant séparément l'incidence de chaque sous-catégorie de délits. Il se pourrait, en effet, qu'un programme visant deux problèmes distincts ne semble pas produire d'effet si on additionne leur incidence alors qu'il ait un effet positif sur l'un, masqué par un effet négatif sur l'autre.

Troisième élément, une **description précise de l'intervention et de sa mise en œuvre**. Cette tâche ne soulève pas de difficultés particulières quand on se contente d'installer un dispositif de détection ou quand on réaménage physiquement un site. Mais si le facteur humain intervient et s'il se pose des questions sur la quantité et la qualité de l'intervention, il importe de se doter de moyens pour les mesurer.

Quatrième élément, des **données comparatives** pour faire face aux problèmes d'interprétation quand on discutera de déplacement, de diffusion des bénéfices, et de l'influence de facteurs exogènes sur l'évolution de la criminalité sous examen. Quelquefois, on retiendra deux délits : un délit contrôle et un délit expérimental ou encore deux sites : contrôle et expérimental. Dans certaines recherches, on utilisera, comme point de comparaison externe, les statistiques de la criminalité à l'échelle de toute une ville pour déterminer si la baisse sur le site expérimental ne serait qu'un aspect d'un mouvement général à la baisse de la criminalité.

Le facteur temps

Dans l'évaluation adoptant le schéma « avant-après », le temps est une variable cruciale. En effet, la décision essentielle prise par le chercheur est de comparer un phénomène avec lui-même en deux points différents dans le temps. Dans cette section, nous justifions ce choix ; nous indiquons comment le temps peut être bien exploité, enfin, nous traitons de la saisonnalité et de la régression vers la normale. Ce sont là deux tours que le temps risque de jouer à l'évaluateur.

Périodes contrôles et expérimentales

L'évaluation d'un projet de prévention exige au départ que l'on distingue soigneusement deux périodes d'analyse : la période expérimentale durant laquelle le programme est en opération et une période contrôle durant laquelle le programme n'existe pas. Le plus souvent, on se contente d'une seule période contrôle et d'une seule période expérimentale.

La plupart du temps, la période expérimentale suit la période contrôle ; plus rarement, elle la précède[9].

Figure 1

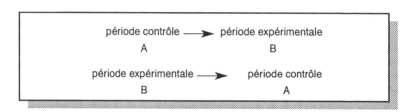

La comparaison de deux sites sans période contrôle

Un devis évaluatif faible consiste à comparer le volume de délits ciblés, commis sur le territoire expérimental, durant la période expérimentale aux délits commis durant la même période, dans d'autres quartiers urbains ou dans le reste de la ville. Ce plan d'évaluation, dans le jargon spécialisé est désigné comme un plan « post-test seulement et groupe contrôle non équivalent ». L'expression « post-test seulement » signifie qu'on ne considère qu'une période, la période expérimentale ; et l'expression « groupe contrôle non équivalent » signifie que le groupe de référence n'est pas comparable en tous points au groupe expérimental.

---

9. Un raffinement supplémentaire serait de disposer de plus d'une période contrôle ou expérimentale. Le schéma évaluatif ABA (période contrôle — période expérimentale — période contrôle) est un plan d'évaluation plus puissant que plan AB. Les plans à deux périodes rendent vraisemblable que la baisse observée durant la période expérimentale soit le résultat des moyens de prévention mis en place, mais rien ne garantit que la baisse observée soit imputable au programme de prévention. Par contre, si le volume de criminalité baisse durant la période expérimentale et augmente de nouveau lorsque les moyens de prévention cessent d'être activés, il devient plus difficile de rester sceptique. On peut également mettre sur pied un schéma évaluatif qui comporte plus d'une période expérimentale (BAB) ou qui comporte deux périodes contrôles et deux périodes expérimentales (ABAB). Ces plans d'évaluation sont appelés des schémas d'évaluation à niveaux de base répétés.

Ce type de plan évaluatif résiste mal à la critique. En effet, un groupe contrôle non équivalent présuppose que l'on sache en quoi le groupe contrôle n'est pas équivalent. Même si la criminalité ciblée baisse dans le quartier expérimental et augmente ou reste stable dans l'autre quartier, la conclusion que l'on souhaiterait en tirer (le programme est efficace) exige que l'on démontre que cette différence n'est pas imputable aux caractéristiques de ces deux environnements. C'est ici que le bât blesse : la liste des facteurs à prendre en considération est très longue et, à toutes fins pratiques, décourageante. C'est pourquoi il est préférable de contourner le problème en comparant la collectivité ciblée à elle-même dans un laps de temps rapproché. Comme les programmes de prévention opèrent à court terme, les chances que cette collectivité ait changé sont faibles.

L'incorporation de « groupes contrôles non équivalents » dans un plan d'évaluation est une option intéressante à rajouter à un canevas « avant-après » mais ne devrait pas être une solution de rechange. Lorsqu'on évalua l'efficacité préventive des caméras dans le métro de Londres, on examina l'incidence de la criminalité avant et après la mise en place des caméras dans les quinze stations où elles furent activées (Burrows, 1980). On compara **aussi** les stations expérimentales et les stations contrôles.

La durée des périodes contrôles et expérimentales selon la fréquence des délits visés

Il est utile d'offrir une justification raisonnée de la durée du programme de prévention et du plan d'évaluation. La durée optimale d'une période expérimentale dépend, en effet, de la fréquence de base des comportements délinquants ciblés. Leur fréquence de base est leur incidence habituelle durant la période contrôle. Cette incidence se calcule, sur une base journalière, hebdomadaire, mensuelle ou annuelle. Plus la fréquence de base d'un type de délit est élevée, plus la durée des périodes contrôles et expérimentales peut être raccourcie. L'inverse est également vrai : plus la fréquence de base d'un délit est faible, plus on doit allonger la durée des périodes. Ainsi une stratégie pour prévenir les agressions sexuelles (un délit peu fréquent) requiert une durée d'opération des programmes de prévention nettement plus longue qu'un projet de prévention destiné à prévenir les cambriolages. La mesure de la fréquence de base peut être faite en termes absolus (nombre de délits par mois) ou en termes de taux (nombre de délits par 1 000 habitants par mois).

Saisonnalité de la criminalité

Il y a des saisons du crime, par exemple, les hold-up augmentent avec l'approche du temps des fêtes. Les programmes de prévention fonctionnant sur le court terme doivent s'assurer que les différences observées entre les périodes contrôles et expérimentales ne résultent pas d'effets saisonniers.

Une solution est de mettre en parallèle les variations d'incidence de la criminalité observées durant la période contrôle et la période expérimentale et celles qui furent observées durant la même période de l'année précédente. On observe ainsi dans la figure 2 que ce qui semblait être un raté du programme de prévention durant le deuxième mois d'opération était en réalité un effet saisonnier (qui se répète d'année en année).

Figure 2

Année d'implantation du programme de prévention

période contrôle ━━▶ période expérimentale																
mois	avril				mai				juin				juillet			
semaines	1	2	3	4	5	6	7	8	9	10	11	12	13	14	15	16
incidence	45	40	30	45	20	25	20	25	35	45	35	35	20	10	25	20
Année précédente																
semaines	1	2	3	4	5	6	7	8	9	10	11	12	13	14	15	16
incidence	48	28	32	42	48	53	56	57	65	58	70	75	32	15	35	30

Régression vers la moyenne

Il arrive qu'un programme de prévention soit mis en opération en réaction à une augmentation marquée de la criminalité. Or, une augmentation inhabituelle du volume de la criminalité est généralement suivie d'une baisse. C'est ce que les statisticiens appellent le retour ou la **régression vers la normale** (ou vers la moyenne). D'une semaine à l'autre, d'un mois à l'autre, la criminalité tend à fluctuer de manière marquée. La volatilité d'une série chronologique de la criminalité n'est pas apparente lorsqu'on examine ses variations annuelles à l'échelle d'une ville ou d'un pays. Elle le devient, par contre, dès qu'on s'intéresse à l'évolution de la criminalité dans un quartier ou qu'on s'attache à une forme particulière de délit. Les programmes de prévention dont le cadre d'opération est un quartier urbain et qui ciblent certaines formes spécifiques de délits (cambriolage résidentiel, vol de véhicules automobiles) sont sensibles aux effets de régression vers la normale. Si cela se produit, la baisse observée durant le programme n'est pas imputable aux effets du programme, mais résulte du retour de la criminalité à son niveau « normal ». La solution est de mesurer avec un soin particulier l'évolution de la criminalité ciblée à la fin de la période contrôle et au début de la période expérimentale.

Les aléas de la mise en œuvre

Pour évaluer, il ne suffit pas de mesurer un résultat, il faut aussi être au clair sur l'intervention qui le cause. L'évaluateur doit donc s'assurer lui-même qu'elle a été mise en application comme prévu. En prévention, il se creuse souvent un large fossé entre l'intervention projetée et l'intervention réelle, entre ce qu'on se propose de faire sur papier et ce qui se fait effectivement sur le terrain. Cela s'explique par les aléas de l'implantation : les intervenants n'obtiennent pas toutes les ressources nécessaires ; ils se heurtent à des résistances imprévues ; ils ne réussissent pas à attirer la clientèle anticipée ou, encore, ils ne peuvent pas maintenir la participation au niveau souhaité.

Supposons que l'analyse des résultats d'un programme oblige à conclure que celui-ci n'a pas eu d'impact sur la criminalité. Est-ce le concept même du projet qui est en cause ou est-ce parce qu'il n'a pas été correctement mis en application ? Seule une information précise sur la mise en œuvre permettra de trancher. Il importe donc, dans tout projet où le facteur humain est important, de tenir une chronologie des actions menées et des événements significatifs qui se sont produits durant la période expérimentale. De plus, des visites sur le terrain, la consultation du journal de bord des intervenants et l'examen de leurs dossiers devrait permettre à l'évaluateur de répondre, le cas échéant, aux questions que voici :

— Les intervenants ont-ils fait avec compétence ce qu'on attendait d'eux ?

— Combien d'intervention ont été faites et à quels moments ?

— Quelle proportion des destinataires du projet a été effectivement rejointe ?

— Les destinataires ont-ils participé comme on espérait qu'ils participent ?

— Les dispositifs de sécurité ont-ils été correctement installés et ont-ils bien fonctionné pendant la durée du projet ?

— Est-il opportun de mesurer les fluctuations de la mise en œuvre ?

— S'est-il produit un ou des événements qui auraient pu perturber le projet ou influencer la criminalité ?

Problèmes d'interprétation

L'interprétation des résultats d'une évaluation est pleine d'embûches. Le chercheur novice risque fort de tomber dans l'un des nombreux pièges qui résultent des réactions surprenantes des délinquants et des victimes à l'intervention. Les criminologues connaissent de mieux en mieux ces phénomènes. Les principaux sont le déplacement, la diffusion des bénéfices, le remplacement et la propension des victimes à rapporter plus de crimes.

Quand les délinquants sont confrontés à une mesure de prévention, il leur arrive de se détourner des cibles trop bien protégées pour s'en prendre à d'autres qui le sont moins ; ou encore, ils changent de tactique : c'est le **déplacement**. Par contre, au Marché de Birmingham et à la bibliothèque de l'Université du Wisconsin, on note le contraire du déplacement : les voleurs, ne sachant trop l'extension des mesures de prévention et l'étendue des risques auxquels ils s'exposent, préfèrent éviter toute activité illicite y compris là où l'intervention préventive n'opère pas. On parle à ce propos de la **diffusion des bénéfices** de la prévention (Clarke et Weiseburd, 1994). Quand un programme s'adresse à un groupe de délinquants, il pourra arriver que les sujets à risques qui cessent de commettre des délits soient **remplacés** par d'autres. Par exemple, on organise un programme d'activités de loisirs durant l'été pour empêcher qu'un groupe de jeunes ne se livrent au trafic de la drogue. Mais si la demande de drogues est forte, il y a fort à parier que d'autres petits revendeurs prendront la relève pour y répondre. Les victimes peuvent aussi avoir des réactions qui dérouteront le chercheur. Par exemple, c'est dans l'esprit de la surveillance de quartier d'encourager les victimes à rapporter les crimes à la police. Résultat : une augmentation artificielle du volume de la criminalité.

Déplacement territorial de la criminalité

Quand un programme de prévention est géré sur une base territoriale circonscrite, il arrive que bon nombre de délinquants s'adaptent à la situation en se déplaçant dans des secteurs adjacents au territoire d'opération du programme de prévention (sur le déplacement, voir Barr et Pease, 1990 et

Gabor, 1990). Même si le programme produit les effets préventifs escomptés, un observateur externe peut toujours supposer que ces effets positifs ont été annulés par une augmentation concomitante de délits aux marges du territoire expérimental (comme c'est le cas dans la figure 3).

Figure 3

périodes	contrôle				expérimentale			
mois	1	2	3	4	5	6	7	8
terrain expérimental	45	40	30	45	20	20	15	25
secteurs adjacents	20	15	15	18	35	45	20	35

Dans certains cas — comme au Marché de Birmingham — l'inverse se produit et le site adjacent profite des effets bénéfiques du programme (comme c'est le cas dans la figure 4).

Figure 4

périodes	contrôle				expérimentale			
mois	1	2	3	4	5	6	7	8
terrain expérimental	45	40	30	45	20	20	15	25
secteurs adjacents	20	15	15	18	5	8	10	9

Le plan de cueillette de données requis pour l'évaluation de l'impact d'un programme de prévention exige par conséquent qu'on se renseigne adéquatement à la fois sur la criminalité ciblée sur le territoire expérimental et sur celle qui prévaut dans les secteurs qui lui sont immédiatement adjacents. Cette exigence tombe, bien entendu, lorsque le programme de prévention se préoccupe de délits pour lesquels la notion de déplacement territorial n'a guère de sens (la violence conjugale par exemple).

Le déplacement tactique

Les délinquants ne sont pas, pour la plupart, de grands spécialistes mais pratiquent plusieurs formes de délits. Même si l'évaluation montre que la baisse observée dans la criminalité ciblée n'a pas fait l'objet de déplacement territorial, on peut toujours supposer que les délinquants ont modifié leurs tactiques ou types de délits. Pour contrecarrer ce type d'objection, il est suggéré de mesurer un délit contrôle très voisin de celui que l'on prévient.

Il n'est pas nécessaire d'accumuler inutilement les délits contrôles. La règle de la parcimonie s'applique ici : l'objectif n'est pas d'éliminer tout doute raisonnable mais de choisir un ou deux délits pour lesquels on a de bonnes raisons de croire qu'un effet de substitution est vraisemblable. Le terme « délit contrôle » doit être compris dans un sens assez large : toute infraction qu'un délinquant pourrait choisir comme substitut du délit initialement envisagé.

Par ailleurs, le fait que les délinquants se soient adaptés à la situation nouvelle créée par l'intervention ne suffit pas en soi à disqualifier les effets préventifs observés. Il est possible que les délinquants aient changé de types de délit durant la période expérimentale, mais que cette substitution soit néanmoins globalement bénéfique. Cela se produit s'ils se rabattent désormais sur des délits de gravité moindre. Il est donc souhaitable de tenir compte, même approximativement, de la gravité du délit expérimental et des délits contrôles.

Impact du programme sur la tendance des victimes à rapporter un crime à la police

Certains programmes de prévention encouragent explicitement ou implicitement les victimes à aviser les autorités policières d'incidents qu'ils n'auraient pas pris la peine de notifier auparavant. L'efficacité réelle du programme peut être ainsi masquée par l'augmentation du pourcentage des délits rapportés à la police (sur ce thème, voir Rosenbaum, 1986). Ce problème est inhérent aux programmes de surveillance de quartier. Le questionnaire de victimisation fournit une mesure du nombre de délits qui n'est pas affectée par les variations dans les pourcentages des délits rapportés à la police. Cependant cette solution est coûteuse (elle exige du temps et il est peu rentable de faire remplir un questionnaire lorsqu'on s'intéresse à une seule variable). Une solution indirecte, mais plus efficiente, serait d'obtenir la collaboration de la police pour qu'elle demande, durant la période expérimentale, aux plaignants s'ils sont au courant du programme de prévention et, si oui, s'ils auraient porté plainte de toutes façons.

On peut également tabler sur le fait que les délits mineurs et les tentatives sont moins systématiquement rapportés à la police que les délits graves ou menés à terme. Si le programme de prévention affecte le taux de reportabilité, on devrait par conséquent s'attendre à ce que l'impact du programme de prévention sur ce taux soit plus marqué pour les délits les moins graves et les tentatives. Le programme peut être évalué favorablement s'il provoque une augmentation des délits mineurs et inachevés mais qui s'accompagne d'une diminution des délits graves.

La crédibilité de l'évaluation et sa diffusion

Quelque soit le résultat d'une évaluation, il plaira aux uns et déplaira aux autres. Les promoteurs du projet tiendront, bien sûr, à être confortés dans leurs espérances ; alors que ses adversaires voudront être confirmés dans leur scepticisme. L'évaluateur a donc besoin d'une bonne dose d'indépendance d'esprit. Pour être crédible, il ne saurait être totalement identifié au projet. Selon Robert (1994, p. 64), « l'évaluateur doit être distinct de l'acteur, autrement dit, on ne peut s'évaluer soi-même ». Le praticien plongé dans l'action ne se défait que difficilement de ses parti-pris et il est improbable qu'il dispose du temps nécessaire pour mener à bien son évaluation. Son intérêt le pousse si évidemment à conclure « mission accomplie » qu'il manquera de crédibilité aux yeux des observateurs extérieurs.

Cependant, une bonne évaluation suppose une bonne compréhension du projet et une connaissance de ses opérations. En cela, le praticien a une longueur d'avance sur le chercheur indépendant.

C'est surtout au début et à la fin du processus préventif qu'on a le plus besoin d'un évaluateur professionnel et indépendant. Au début, il élabore le devis de recherche ; à la fin, il analyse et interprète les résultats (Ekblom et Pease, 1994). Entre les deux moments, il devrait faire quelques visites sur le terrain pour avoir une connaissance de première main de la mise en œuvre du plan.

Un moyen d'assurer la crédibilité d'une évaluation serait d'en confier la responsabilité à un chercheur affilié à une université ou à un organisme reconnu. Ce chercheur serait aussi le principal signataire du rapport de recherche.

Au-delà de l'indépendance, il y a la compétence. Les Néerlandais l'ont appris à leurs dépens : la majorité des évaluations subventionnées par le gouvernement — mais réalisées souvent par des amateurs — se sont révélées inutilisables. Un évaluateur compétent devrait connaître la méthodologie de la recherche en sciences sociales et, bien sûr, tout spécialement la méthodologie de l'évaluation. Il devrait aussi posséder de solides connaissances en criminologie.

L'évaluation n'a de sens que si ses conclusions sont connues. Pour cela, elles doivent être accessibles. La **diffusion** des résultats des recherches évaluatives est donc indispensable. Plus un rapport est court, plus il a de chances d'être lu. Et il ne sera lu que s'il est publié sous une forme ou sous une autre : dans une revue scientifique, dans un bulletin d'information ou dans tout autre média.

Les sources de données

Un projet de prévention judicieusement conçu suppose un problème bien diagnostiqué et analysé. Une évaluation convaincante nécessite une information systématiquement recueillie sur la criminalité visée et sur l'action entreprise. L'un et l'autre exigent des données fiables et valides. Le propos du présent chapitre est d'indiquer les sources de données pertinentes qui sont disponibles au Québec et de donner quelques conseils sur la cueillette de données originales.

C'est surtout au stade de l'évaluation que le besoin de données solides se fait sentir. En effet, toute recherche évaluative est exposée à la contestation d'une catégorie de lecteurs : ceux qui sont déçus par ses conclusions. Un rapport de recherche évaluative risque d'être taillé en pièces par la critique s'il y manque des renseignements a) sur la criminalité à prévenir b) sur les moyens utilisés pour la prévenir ou c) sur les facteurs susceptibles d'invalider l'interprétation des résultats.

Ce sont également les trois critères auxquels vont se référer les critiques éventuels lorsqu'ils apprécieront la valeur intrinsèque du projet de prévention.

— La pertinence du projet sera mise en cause si la criminalité ciblée est un ensemble vague ou hétérogène de comportements, si sa mesure est inadéquate ou sa fiabilité incertaine.

— L'intérêt pratique du projet laissera sceptique si les moyens utilisés ne sont pas appropriés à la délinquance ciblée ou si leur impact est incertain.

— L'efficacité du projet sera mise en doute s'il est possible de montrer que les résultats ne sont pas attribuables à l'intervention, mais à d'autres facteurs (effet de sélection, déplacement de la criminalité, régression statistique vers la normale, etc.).

La cueillette des données doit être par conséquent conçue en anticipant les critiques que le rapport aura, sans doute, à affronter. Il est préférable d'adopter une stratégie aussi équilibrée que possible : faire face, même imparfaitement, aux trois types de critiques plutôt que d'en contrer une de manière décisive, mais en prêtant le flanc aux deux autres.

Les données quantitatives sur la criminalité

Il existe trois sources principales de données quantitatives sur la criminalité : les sondages de victimisation, les questionnaires de délinquance autorévélée et les statistiques policières.

Les sondages de victimisation

Dans les sondages de victimisation, les questions posées concernent les délits que les répondants ont subis au cours de l'année précédente. Plusieurs auteurs ont écrit d'excellents bilans sur ces sondages : Gottfredson et Hindelang, 1981 ; Sparks, 1981 ; O'Brien, 1985 ; Gove et coll., 1985 ; en langue française, ont peut consulter les travaux de Killias *et al.*, 1987, 1990, p. 81-98. Nous disposons actuellement de trois sondages de victimisation canadiens. Le premier date de 1982 et portait sur sept villes canadiennes, dont Montréal. Le deuxième sondage date de 1987 et concerne l'ensemble de la population canadienne. Les données ont été publiées en 1990 par V. Sacco et N. Johnston sous le titre *Le sondage canadien de victimisation* (Ministère de la justice, Ottawa). Un sondage plus récent a été réalisé en 1993 et ses résultats sont désormais disponibles depuis le début de 1994. Un sondage international de victimisation, incluant le Canada, a aussi été réalisé en 1989 (voir Van Dijk, Mayhew et Killias, 1990).

Les données de ces différents sondages de victimisation n'ont peut-être qu'une utilité limitée pour l'évaluation de l'efficacité des projets de prévention. Par contre, elles fournissent des éléments d'information sur la réalité criminelle (par exemple, le type d'individu le plus susceptible d'être victimisé) qui peuvent servir à mieux cibler un projet de prévention donné. De plus, la technologie employée lors de ces sondages (par exemple, le questionnaire téléphonique utilisé) pourrait servir à l'élaboration d'un nouveau questionnaire à être utilisé, dans le cadre d'un sondage « avant-après » pour mesurer l'impact d'un programme de prévention.

Les questionnaires de délinquance auto-révélée

Les questionnaires de délinquance auto-révélée sont des instruments permettant de calculer le pourcentage d'individus qui admettent avoir commis des délits au sein d'une population préalablement définie. Ils peuvent aussi capter la variété et la fréquence de ces délits. Huizinga et Elliott (1986) et Hirschi, Hindelang et Weis (1980) offrent deux excellents états de la question sur ce type de sondage. Ces questionnaires sont principalement destinés à des fins de recherches. Le professeur Marc LeBlanc demeure, au Québec tout comme au Canada, le grand spécialiste des sondages de délinquance autorévélée. Le questionnaire utilisé et validé par Fréchette et Leblanc (1987) comprend 200 questions, couvre 39 délits et a été administré à 3 070 écoliers et 470 adolescents judiciarisés. C'est la référence de base pour tout projet de prévention qui prévoit la passation d'un sondage de délinquance autorévélée. Ce type d'instrument peut servir à mesurer l'impact des projets de prévention qui visent la diminution des comportements inadaptés d'un groupe d'individus.

Les statistiques policières

Bien que les questionnaires de victimisation et de délinquance autorévélée soient utilisés occasionnellement en recherche évaluative, les statistiques policières ou toute autre compilation de délits par les organisations et par les services de sécurité, demeurent la principale source de renseignements quantitatifs pour évaluer l'impact des projets de prévention (sur les statistiques criminelles et leur utilisation ainsi que pour comprendre les tendances de la criminalité au Québec, voir Ouimet, 1994 et Ouimet et Tremblay, 1993)[10].

Il y a plusieurs raisons à cela :

— Les coûts d'utilisation des statistiques policières sont pratiquement nuls. Le coût d'un sondage de victimisation, par contre, est élevé, surtout en raison de la taille des échantillons qu'il exige. Un sondage omnibus de victimisation (que ce sondage couvre la population de Montréal, de la province du Québec ou du Canada dans son ensemble) requiert que l'on contacte au moins 10 000 répondants. En effet, la criminalité est un phénomène statistiquement rare : le pourcentage de répondants ayant été victimes de tel ou tel délit durant une année est toujours faible (10 % ou moins). Plus le délit est grave, plus l'incidence de la victimisation est faible. Un questionnaire de victimisation n'est utilisable en prévention que s'il est possible de rejoindre **toute** la population visée et si le délit cible n'est pas très grave.

— Les statistiques policières constituent une mesure adéquate, non pas de toute la criminalité, mais de la criminalité que les citoyens estiment devoir être portée à l'attention des autorités publiques (voir à ce sujet les travaux de Gove et coll., 1985, et l'analyse de Cusson, 1990, p.15-25). Bien que le chiffre noir (le nombre de délits qui ne sont pas rapportés aux autorités policières) ait été souvent évoqué pour critiquer l'utilité des statistiques policières comme mesure de la criminalité, il s'agit souvent d'un contresens : la

---

10. Il est aussi possible de mesurer l'impact d'un programme par des indicateurs indirects : le nombre de graffitis et de fenêtres brisées, pour la prévention du vandalisme, le nombre de seringues abandonnées et de consultations pour « overdose » pour la prévention de la toxicomanie, etc.

plupart des délits qui ne sont pas rapportés à la police sont des délits de gravité moindre pour lesquels les victimes estiment qu'il ne vaut pas la peine de notifier les corps policiers (certaines exceptions notoires, concernant notamment la violence conjugale, n'infirment pas la généralité de cette proposition). Tous les délits ne méritent pas la mobilisation de l'appareil d'État et de l'opinion publique.

— Paradoxalement, ce sont les sondages de victimisation eux-mêmes qui ont permis une interprétation plus rigoureuse des statistiques policières et ont encouragé leur exploitation (Skogan, 1984). C'est grâce aux sondages de victimisation que nous pouvons évaluer la proportion de délits rapportés ou non à la police, pour chaque type de délits, compte-tenu de sa gravité relative et des relations qui existent entre les délinquants et leurs victimes. C'est grâce à ces sondages également que nous connaissons, pour chaque type de délits, les raisons pour lesquelles les citoyens choisissent de notifier les autorités policières du délit dont ils ont été victimes. Les sondages de victimisation permettent ainsi une meilleure appréciation de la nature, de la direction et de l'ampleur relative des biais intrinsèques aux données policières. Du coup, ces dernières sont mieux maîtrisées et leur interprétation plus aisée.

Comment exploiter les statistiques policières ?

Les statistiques criminelles sont bien connues des policiers, des politiciens, des criminologues et du grand public. Elles ne constituent cependant qu'un sommaire quantitatif des données policières lesquelles se composent en réalité de trois séries de documents : les **rapports d'événements**, les demandes d'intenter des procédures de mise en accusation et les dossiers des enquêtes spécialisées. Les rapports d'événements servent à compiler les statistiques sur les crimes connus et réels (dans le jargon des statistiques policières un crime réel est une plainte fondée). C'est dans les rapports d'événements que l'on trouve les narrations qui relatent brièvement les circonstances du délit et les témoignages des protagonistes impliqués. Les **demandes d'intenter des procédures d'accusation** (les DIP) sont les données de base qui servent à compiler les statistiques sur les personnes accusées et leur sexe. C'est dans les DIP que l'on trouve le détail des antécédents policiers et les condamnations antérieures des prévenus. La troisième source de données policières vient des **dossiers des enquêtes spécialisées et des renseignements criminels**. Ces dossiers permettent d'étudier en détail les réseaux plus ou moins structurés et organisés de délinquants, le milieu criminel en général et les marchés criminels en particulier.

Autant les statistiques criminelles sont citées et utilisées par les médias et les criminologues, autant les données criminelles de base (rapports d'événements, DIP et dossiers d'enquête) sont peu exploitées. Bien entendu, les données criminelles sont protégées par la Loi d'accès à l'information, mais les corps policiers ainsi que la Commission d'accès à l'information permettent leur utilisation pour fins de recherche.

À partir de 1962, les statistiques criminelles se basaient sur un formulaire de codification des données policières de base appelé la «Déclaration uniforme de la criminalité» (la DUC). Ce formulaire qui constitue la partie quantitative des rapports d'événements policiers est l'instrument à partir duquel les statistiques policières sont compilées. Sa fonction principale est d'assurer la fiabilité des données recueillies. À noter que les corps policiers consacrent des ressources considérables pour valider ce formulaire et s'assurer qu'il soit correctement codifié.

Depuis 1991, toutefois, le programme de la Déclaration uniforme de la criminalité a été modifié. La «nouvelle DUC» diffère de l'ancienne à plusieurs égards. La différence principale réside dans le fait que toutes les données compilées pour fins de statistiques (données sur le délit, la victime et le suspect) adoptent la même unité d'analyse ou de décompte (le délit). Autre différence : on dispose désormais de renseignements beaucoup plus détaillés sur les victimes des délits. Ces renseignements sont cruciaux pour la conception et l'évaluation des programmes de prévention.

L'informatisation des données policières permet au chercheur de passer directement à leur analyse et de manipuler rapidement de grandes quantités d'informations. Les statistiques criminelles de la nouvelle DUC permettent aussi de cartographier rapidement par district policier ou par segment de rue (selon le niveau d'analyse choisi) la criminalité par type de délits, par heure de la journée, jour de la semaine ou mois de l'année. Cela ouvre d'intéressantes perspectives : il est dorénavant possible de choisir très finement le délit ou la famille de délits qui servira de critère pour mesurer l'impact des mesures préventives.

Les données policières portant sur les rapports d'événements peuvent être obtenues directement du corps de police concerné. Ainsi, lorsque le type de données à obtenir a été identifié (par exemple, les introductions avec effraction commis dans des résidences la nuit à l'intérieur du district 34), il est relativement facile pour un analyste de la police d'obtenir la série sur une longue période (par exemple, le nombre total de ces crimes pour chacun des mois au cours des deux dernières années).

Pour les **crimes de violence**, la nouvelle Déclaration uniforme de la criminalité nous renseigne sur le sexe, l'âge, le statut ethnique, et la consommation d'alcool ou de drogues non seulement des suspects interpellés mais également des victimes ; elle nous renseigne également sur le nombre de suspects par délit, la relation qui pré-existe ou non entre l'agresseur et la victime (parent, ami, conjoint, ex-conjoint, étranger) ; elle permet de savoir si la relation s'accompagne d'une cohabitation ou non, si le lieu du crime est la résidence de la victime (ou celle de l'agresseur, ou dans un commerce, ou sur la rue) ; si l'agresseur était armé ou non, le genre d'arme utilisé ; elle nous indique enfin le degré de gravité des blessures (aucune, légère, grave).

Pour les **crimes contre la propriété**, la nouvelle DUC nous renseigne sur la cible visée (résidence, commerce, particulier), sur les types de biens volés (bijoux, hi-fi, vêtements, armes etc.), sur la valeur totale des biens volés ou endommagés, sur la marque de la voiture volée. Ces informations sont cruciales et peuvent être exploitées encore davantage en les combinant à d'autres banques de données (notamment les statistiques économiques sur les ventes au détail de tel ou tel produit, hi-fi, bijoux).

Alors que, dans les crimes de violence, les victimes peuvent généralement identifier leurs agresseurs, ce n'est pas le cas des délits contre les biens (où le délit se commet lorsque la victime est séparée de son bien). Dans un projet de prévention qui cible un délit de violence, on dispose ainsi d'informations sur les victimes et les agresseurs. Malheureusement, dans un projet qui cible un délit contre les biens, les informations sur les voleurs portent sur un échantillon de prévenus dont on connaît mal la représentativité.

Les données policières contiennent également deux autres blocs de renseignements qui méritent d'être pris en considération dans l'évaluation des projets de prévention :

Les renseignements relatifs au désir de la victime de porter plainte ou non (en matière de délits de violence

Il se trouve des plaignants qui refusent subséquemment de maintenir leur plainte. De tels refus influencent subséquemment le taux de mise en accusation. Par ailleurs, la notification des autorités policières n'est pas toujours faite par la victime concernée mais par un tiers (un proche, un voisin). L'origine de la plainte et la volonté variable de la victime de porter plainte nous informent sur la dynamique sociale sous-jacente de la criminalité que l'on désire prévenir.

Les renseignements relatifs aux accusés

Les statistiques sur les accusés sont les parents pauvres des statistiques policières. Néanmoins les formules pour intenter des procédures contiennent généralement le détail des antécédents policiers et judiciaires des prévenus (incluant les causes pendantes). La proportion de récidivistes dans un bassin de délinquants est un indicateur important pour apprécier une situation criminelle. La nature des antécédents également. Par ailleurs, la nouvelle DUC contient également des informations sur le nombre de suspects par délit (lorsque ces suspects peuvent être identifiés par la victime ou un témoin) et le nombre de victimes par délit. La proportion de délits impliquant des victimes ou des suspects multiples est une information utile pour l'analyse d'un problème criminel. Les projets de prévention gagneraient à présenter des informations plus détaillées sur les caractéristiques des délinquants ciblés. Les données policières pertinentes existent ; elles sont malheureusement sous-exploitées.

Comment exploiter les données de recensement ?

Le recensement est une autre source de données quantitatives utilisables dans le cadre d'un programme de prévention. Les statistiques de recensement nous renseignent sur les caractéristiques sociales de la population totale par secteur de recensement (ensemble d'îlots et de blocs résidentiels d'environ 4 000 personnes) ou par quartier (la population d'un district policier est d'environ 75 000 personnes à Montréal). Ce sont ces statistiques qui permettent, le plus souvent, de spécifier les caractéristiques des populations ciblées par les projets de prévention.

Les données de recensement sont classées en deux parties. La première, appelée le profil A, provient d'un décompte de l'ensemble de la population (exception faite des personnes institutionnalisées). On y trouve, par secteur de recensement, les variables suivantes (nous mentionnons ici celles qui nous semblent les plus pertinentes pour les projets de prévention de la criminalité) : population totale, les classes d'âge (enfants, adolescents, jeunes adultes, adultes et personnes âgées), la langue parlée à la maison (français, anglais, autres langues).

Dans le profil B, basé sur un échantillon aléatoire de 20 % de la population, on trouve des renseignements sur le statut ethnique (nombre d'immigrants par pays d'origine, origine ethnique), le revenu moyen des familles, le nombre de familles, le nombre de familles vivant sous le seuil de pauvreté, le nombre de personnes ayant un emploi, le taux de chômage par classe d'âge, le nombre de personnes n'ayant pas complété une 9e année, la profession et le statut occupationnel des résidants, la structure familiale (nombre de familles avec ou sans enfants, nombre de familles monoparentale, etc.).

Les données de recensement sont désormais accessibles sur support informatique. Leur coût d'utilisation est nul à moins de réanalyse des données brutes. Elles sont d'accès facile (grâce à la technologie compacte des CD-ROM, disques accessibles à tous les dépôts officiels de Statistique Canada). Certaines données sont plus problématiques que d'autres. C'est le cas notamment de l'origine ethnique : ainsi la population de la minorité noire qui habite à Montréal est deux à trois fois plus élevée que le nombre de personnes catégorisées comme étant, dans le jargon de Statistique Canada, d'«origine noire unique» (cette sous-estimation est imputable à la formulation des questions posées aux répondants).

Le couplage des données de recensement et des statistiques policières exige encore un certain «bricolage». L'informatisation des données de recensement et des statistiques criminelles ainsi que la diffusion des logiciels géomatiques comme *Mapinfo* facilitent grandement le couplage des banques de données. Par exemple, des chercheurs de l'école de criminologie de l'Université de Montréal disposent d'une table de correspondance qui permet de regrouper les données de recensement de 1991 qui font partie de chacun des 23 districts policiers de Montréal. L'intégration des deux banques de données sera plus fonctionnelle encore lorsque le couplage se fera non pas au niveau des districts policiers mais au niveau des îlots ou des segments de rue.   .

Mise en garde sur les questionnaires

Les statistiques policières et celles du recensement sont des données **secondaires**. Elles ne sont pas produites par les chercheurs eux-mêmes pour des fins de recherche ponctuelle. Il arrive cependant qu'on ait besoin de données originales. C'est le cas quand un programme de prévention s'adresse à des populations très spécifiques et qu'il n'existe pas de données quantitatives fiables sur leurs risques de victimisation.

La solution peut être de faire passer un questionnaire aux victimes potentielles ou aux délinquants potentiels. C'est faisable quand la population ciblée est petite. On fait alors passer le questionnaire à tout le monde (exemple : à tous les commerçants d'un centre commercial). Mais quand il faut échantillonner parce qu'un questionnaire ne peut être distribué à tous, on doit affronter deux problèmes connexes : choisir l'échantillon ; décider ensuite du mode d'administration du questionnaire. Ces problèmes ne sont pas faciles à résoudre, surtout lorsque les budgets sont limités. Voici quelques exemples de difficultés techniques :

— Si le questionnaire est envoyé par la poste, le taux de réponse est généralement faible et il n'existe aucun contrôle sur la qualité des réponses ou l'identité réelle du répondant. Et rien ne garantit la représentativité de la population visée.

— Si on fait passer les questionnaires par téléphone, cela exige un personnel qualifié, des horaires souples, beaucoup de temps et une logistique qui dépasse de loin les capacités des programmes habituels de prévention de la criminalité. Le questionnaire téléphonique est un art qui ne s'improvise pas. Il s'apprend ou s'achète chez les maisons de sondage.

— La taille d'un échantillon ne dépend pas de la taille de la population d'où il est tiré, mais des procédures choisies pour le tirage au sort et de la fréquence de base du comportement ciblé. La population ciblée par le programme de prévention peut se limiter à 2 000 individus mais l'échantillon devra être presqu'aussi élevé que si la population ciblée se compose de 200 000 personnes. Il n'est généralement pas efficient d'échantillonner des petites populations ayant des caractéristiques très spécifiques. Il est souvent préférable de les recenser carrément au complet.

— Moins le comportement ciblé par le questionnaire est fréquent, plus il est nécessaire d'augmenter la taille de l'échantillon. C'est pour cette raison qu'un sondage de victimisation doit rejoindre au moins dix fois plus de répondants qu'un sondage politique ou de marketing normal.

— La passation de plus de 50 questionnaires implique qu'ils seront codifiés, stockés sur support informatique et analysés. Il est inutile de se lancer dans une opération majeure de passation de questionnaires si on ne dispose pas du temps requis.

Les programmes de prévention devraient avoir les ambitions de leurs moyens. Quand ces moyens sont modestes, les stratégies de cueillette de données devraient l'être également. Par exemple, il est possible de recourir à des stratégies qualitatives pour savoir si le programme est apprécié ou non de la population. Des intervieweurs peuvent interroger à ce sujet le personnel embauché par le programme (généralement lorsque le public est insatisfait d'un service, ceux qui l'offrent sont démotivés). Ils peuvent citer les articles des journaux locaux ou interviewer une dizaine de destinataires du programme. Ces entretiens peuvent être très convaincants si les personnes interviewées donnent des exemples précis et des illustrations concrètes des raisons pour lesquelles elles ont été satisfaites ou non des services offerts.

Plutôt que de rivaliser avec les gouvernements (recensements) ou les firmes privées (maisons de sondage), les criminologues œuvrant en prévention devraient imiter les anthropologues et rester près du terrain. Concrètement, cela pourrait vouloir dire de rencontrer tous les résidants ayant certaines caractéristiques spécifiques plutôt que tirer au hasard un échantillon. On ira, par exemple, interviewer tous les gens qui habitent autour de l'épicentre du foyer criminogène plutôt que sonder au hasard un échantillon de résidents dispersés dans tout un quartier. Ces foyers sont souvent très localisés de sorte que le nombre de ménages ciblés est restreint. On voit ici l'avantage de limiter l'intervention préventive à un petit territoire : un parc comme le carré Saint-Louis ; les ménages d'un bloc-appartement de 100 unités qui se délabre ; les ménages qui habitent des deux côtés d'un segment de rue qui sert de comptoir de vente de drogues, etc.

Une autre stratégie de cueillette de données est de recourir à des observateurs «locaux» ou à des témoins privilégiés. Un témoin privilégié est celui qui habite le terrain expérimental, qui dispose du temps voulu pour l'observer à loisir, et qui est à la fois articulé et fiable. Les témoins qui satisfont à ces critères peuvent être interviewés une fois lors de la période contrôle, et une autre fois aux deux tiers de la période expérimentale. Les critères utilisés pour choisir ces témoins dépendent bien entendu des objectifs particuliers de chaque programme, mais devraient faire l'objet d'une discussion détaillée. Les entretiens se dérouleraient en face-à-face.

Les données qualitatives

Elles proviennent d'entretiens auprès d'intervenants, d'experts, de témoins, de délinquants ou de victimes, rencontrés avant et pendant la durée d'opération du programme de prévention. Ces données devraient être transcrites avec soin. Elles ont pour fonction principale de mieux faire comprendre le sens d'une situation, de préciser la pertinence d'un projet, d'en vérifier la mise en œuvre et d'affiner l'interprétation des résultats obtenus. L'utilité des données qualitatives intervient souvent au début et à la fin du projet d'évaluation. Leur valeur réside dans leur authenticité (au sens où une image vaut mille mots). La cueillette de ces données peut aussi se faire par observation.

Les narrations des circonstances des délits que l'on trouve dans les rapports d'événements policiers représentent une source encore inexploitée de données qualitatives. Autant les statistiques policières font l'objet d'une consommation massive, autant on néglige de réanalyser la partie qualitative, fort instructive, des rapports d'événements rédigés quotidiennement, et le plus souvent consciencieusement, par les policiers. Les déclarations des témoins, consignées verbatim, et la narration des faits des policiers constituent des mines de renseignements. Nous suggérons que les projets de prévention redécouvrent les données qualitatives contenues dans les rapports d'événements rédigés par les policiers et procèdent éventuellement à leur analyse de contenu.

Appendice — Énumération des mesures de prévention prometteuses

Les mesures de prévention situationnelle

La surveillance

1. La surveillance par les **personnes** :
   - gardien de sécurité,
   - patrouilleur de la police,
   - concierge,
   - chauffeurs d'autobus,
   - vendeurs dans les magasins,
   - dépanneurs,
   - préposés,
   - voisins organisés en « cocon ».

2. Les **équipements** de surveillance :
   - caméras,
   - vidéo,
   - TV en circuit fermé,
   - rayons X,
   - centre de télésurveillance,
   - miroirs.

3. Les mesures de **détection** :
   - systèmes d'alarme,
   - détecteurs de métaux,
   - détecteurs électromagnétiques,
   - étiquettes électroniques,
   - chiens de garde.

4. L'amélioration de la **visibilité** des cibles potentielles et des accès :
   - éclairage des commerces et des rues,
   - suppression des haies qui dissimulent les entrées de la vue des voisins,

— aménagement des étalages dans un magasin pour supprimer ce qui obstrue la vue,

— installation de fenêtres et de portes vitrées donnant sur des espaces où des délits pourraient être commis,

— élimination des objets qui obstruent la vue autour des caisses,

— installation des caisses dans le secteur le plus visible du magasin,

— installation des marchandises précieuses à la vue des employés.

Les empêchements physiques au délit

1. Les obstacles à la **pénétration** :

   — portes renforcées,

   — clôtures,

   — barrières,

   — serrures,

   — vitres anti-balles pour protéger les caissiers et surveillants,

   — grilles.

2. L'**immobilisation** des cibles :

   — anti-vol dans les automobiles,

   — coffres-forts,

   — attaches,

   — fixations.

3. Le **ralentissement** du délinquant lors de sa fuite :

   — les doubles portes à la sortie des banques qui fonctionnent comme un sas,

   — l'absence de porte arrière dans les résidences.

4. L'amélioration systématique des protections physiques résidentielles par les **inspections de sécurité** (« security survey » ou « visites sécuritaires »).

Les contrôles d'accès

1. Les **postes de garde** à l'entrée des sites :
   — gardien,
   — barrières,
   — clôtures.

2. Les contrôles d'entrée dans les blocs appartements :
   — téléphones à l'entrée,
   — portier ou concierge,
   — système d'entrée par carte magnétique.

3. Les codes d'accès :
   — numéro personnel d'identification dans les guichets automatiques des banques, mot de passe dans les ordinateurs.

Le détournement des délinquants de leurs cibles

1. **Aménager les trajets** pour éviter la convergence des délinquants potentiels et de leurs cibles :
   — aménagement urbain utilisant les cul-de-sac,
   — les sens uniques,
   — les rues fermées à la circulation automobile,
   — les stationnements interdits,
   — situer les arrêts d'autobus pour que des groupes de sujets à risque (ex. écoliers du secondaire ; habitués d'une taverne) ne convergent spontanément vers des cibles intéressantes,
   — Aménagement des centres commerciaux, des parcs pour éviter cette même convergence.

2. Situer les **lieux de rassemblement des délinquants** potentiels loin de leurs cibles :
   — éviter de placer les écoles proche des centres commerciaux.

3. **Séparer les adversaires** par des mesures physiques :
   — dans les stades, installer des cloisons qui séparent les supporteurs de clubs adverses ;

— offrir aux femmes battues une place dans un centre d'hébergement.

4. Gérer les **horaires** pour limiter les convergences délinquants vers leurs cibles ou leurs victimes :

— ajuster l'horaire des autobus à l'horaire de la fermeture des débits de boisson ;

— dans les stades, organiser les arrivées et les départs pour que les adversaires ne se rencontrent pas ;

— faire partir de l'école les écoliers les plus jeunes une demi-heure avant les plus âgés.

L'élimination ou la réduction des bénéfices pouvant être gagnés par le délit

1. Moyen de **paiement sans argent comptant** :

— dans les autobus, utilisation de billets, de cartes ou paiement par tarif exact ;

— téléphones publics fonctionnant avec une carte magnétique ;

— paiement par carte de crédit dans les lieux à risque.

2. **Réduction des sommes d'argent** conservées dans les caisses :

— dépôts fréquents dans les « drop-box », les coffres-forts ou à la banque.

3. Nettoyage rapide des graffitis :

— **réparation** de la propriété détruite pour enlever aux vandales le plaisir de revoir le fruit de leur « travail ».

4. **Marquage** et burinage des objets de valeur et des pièces d'automobile (« opération identification »).

5. Arrestation des **receleurs**.

6. Radios dans les automobiles rendues **inutilisables** si elles sont volées sans que l'on connaisse le numéro électronique pouvant les réactiver.

7. **Système électronique** de type « *Lojack* » permettant de localiser une voiture volée.

Le contrôle des instruments et objets pouvant servir à commettre un délit

1. **Contrôle des armes:**
   - interdire le port d'armes à feu et de couteaux dans les lieux à risque,
   - utiliser des détecteurs de métaux pour s'assurer du respect de cette règle,
   - réglementer la vente et le port des armes à feu.

2. Éliminer des **objets pouvant servir d'arme**:
   - dans les bars, dans les parcs, dans les stades, remplacer les bouteilles en verre par des contenants en plastique.

3. Rendre plus difficile les **fraudes** par cartes de crédit ou carte d'assurance maladie en y incorporant la photographie du détenteur légitime.

4. **Réglementer** la vente d'instruments pouvant servir aux vandales, comme les cannettes de peinture munies d'un vaporisateur (*spray*).

Prévention individuelle portant sur le potentiel délinquant actuel

En milieu scolaire

1. Édicter dans l'école un code de vie clair pour assurer le respect de la personne et des biens d'autrui.

2. Instaurer une discipline consistante et ferme assortie de sanctions équitables, prévisibles et effectivement appliquées; sanctionner sans faiblesse les comportements violents.

3. Organiser la médiation des conflits et l'arbitrage des différends.

4. Organiser des loisirs et des activités parascolaires.

5. Favoriser l'insertion scolaire, le sentiment d'appartenance des élèves en les intégrant dans des écoles et des classes de taille restreinte sous la supervision d'un

titulaire qui connaît bien ses élèves et qui peut les suivre de près.

6. Lutter contre l'absentéisme, l'échec scolaire et l'abandon par un suivi systématique des élèves permettant d'intervenir rapidement, de concert avec les parents dès que des difficultés apparaissent.

7. Aider les élèves en difficulté à faire leurs devoirs.

Codélinquants et réseaux

Pour empêcher que les délinquants ne se regroupent et qu'ils ne développent des réseaux, surveiller les bandes en étant particulièrement attentif aux leaders et à ceux qui recrutent des complices.

Intégration des jeunes adultes sur le marché du travail.

Programmes de formation et d'orientation professionnelle.

Bibliographie

Les ouvrages qui ont été sélectionnés pour faire partie des références bibliographiques présentent entre autres ces caractéristiques :

— Ils couvrent des thèmes qui s'appliquent à la méthodologie d'évaluation de programme, ou des thèmes qui rejoignent les évaluations de projets de prévention du crime ;

— Ils attachent une grande importance aux aspects pratiques des études évaluatives ; les thèmes abordés vont donc en ce sens ;

— Ils couvrent une matière encore d'actualité ;

— Ils conviennent à des criminologues praticiens ;

— Ils utilisent un langage compréhensible ;

— Ils contiennent des exemples qui accompagnent les thèmes discutés, tout comme ils sont de préférence illustrés (tableaux, figures, etc.) ;

— Ils se démarquent, parmi d'autres ouvrages semblables, par l'originalité du propos, ou par leur plus grande pertinence.

D'autres ouvrages susceptibles d'intéresser les lecteurs qui s'apprêtent à réaliser une recherche évaluative sont aussi répertoriés à la fin de cette bibliographie.

Sur l'évaluation de la prévention du crime

EKBLOM, P. et K. PEASE. «Evaluating crime prevention», *Crime and Justice. A review of Research*, M. Tonry, éditeur, University of Chicago Press, Chicago, 1994.

C'est le texte le plus important et le plus récent consacré à la prévention du crime. Il traite de manière relativement complète de l'ensemble des questions qui se posent lors de l'évaluation d'un projet de prévention du crime. Il propose une intéressante typologie des mesures de prévention. Il contient aussi un exposé sur les modèles d'évaluation les plus avancés actuellement.

Sur la méthodologie en recherche évaluative

BERK, R. A. et P. H. ROSSI. *Thinking About Program Evaluation*, Newbury park, CA, Sage Publications, 1990, 128 p.

Ce manuel a comme qualité première d'être un bon complément au présent guide. Il plaira aux praticiens par sa simplicité. Il vise à introduire le lecteur à une variété de situations dans lesquelles la recherche évaluative peut être utilisée et les différentes méthodes de recherche qui sont communément employées. Les auteurs procèdent par questionnements successifs sur les aspects pratiques de la planification et de la réalisation de l'évaluation, en suivant les étapes de la démarche de recherche. Des exemples sont fournis afin d'illustrer les propos et un guide de littérature sur le sujet est intégré en appendice.

BINGHAM, R. D. et C. L. FELBINGER. *Evaluation in Practice. A Methodological Approach*, New York, Longman, 1989, 383 p.

Ce volume a été conçu dans le but de présenter et de discuter des techniques de différents devis en recherche, ainsi que des problèmes majeurs qui peuvent se poser lors de l'évaluation de l'impact d'un programme en pratique. Ce volume se compose d'une série de vingt articles, lesquels sont accompagnés d'exemples d'études évaluatives. Il possède la particularité d'éveiller le sens critique du lecteur sur les aspects méthodologiques. Rédigé pour des étudiants de différentes disciplines dont la criminologie, il est illustré, facile à consulter et le langage utilisé demeure simple.

HAGAN, F. E. «Policy analysis, evaluation research, and proposal writing», chap. 13, dans *Research Methods in Criminal Justice and Criminology*, New York, MacMillan Publishing, 2e éd., 1989, p. 375-405.

Dans cet excellent ouvrage, portant sur les méthodes de recherche utilisées en criminologie, l'auteur consacre un chapitre à la dimension pratique de la recherche évaluative. Les thèmes, présentés de façon condensée, touchent les types de recherche, les étapes à suivre lors de l'étude, et les obstacles potentiels. L'auteur s'applique à définir les termes et à illustrer ses propos. Enfin, le lecteur y trouvera des références assez spécifiques à la criminologie. Les autres chapitres de cet ouvrage sont également utiles puisque l'auteur y traite des éléments essentiels à toute démarche de recherche en criminologie (les sources de données, les instruments de mesure, les devis de recherche, etc.).

HERMAN, J. L., éditeur. Collection *Program Evaluation Kit*, en neuf volumes, Newbury Park, CA, Sage Publications, 2e éd., 1987.

Cette collection a le mérite d'être conçue pour les praticiens. Rédigés dans un langage non technique, ces neuf volumes contiennent chacun moins de 200 pages. Des guides pratiques qui offrent des conseils détaillés, appuyés d'exemples illustrés. Ils répondent à un vaste ensemble de questions sur la planification et la réalisation des études évaluatives. L'ensemble des numéros reproduit, étape par étape, la procédure à suivre lors d'une évaluation de programme. Les neuf volumes peuvent aussi être consultés séparément, selon les besoins du lecteur. En voici la liste :

1. *Evaluator's Handbook*
2. *How to Focus an Evaluation*
3. *How to design a program evaluation*
4. *How to use qualitative methods in evaluation*
5. *How to assess program implementation*
6. *How to measure attitudes*
7. *How to measure performance and use tests*
8. *How to analyse data*
9. *How to communicate evaluation findings*

LADOUCEUR, R. et G. BÉGIN. *Protocoles de recherche en sciences appliquées et fondamentales*, St-Hyacinthe, Edisem, 1980, 135 p.

En plus d'être rédigé en français, ce livre fait le point sur une variété de devis de recherche, tant expérimentaux que quasi expérimentaux. Les auteurs présentent la démarche scientifique à suivre et les principaux instruments utilisables afin de vérifier une hypothèse. Il s'agit donc d'une approche générale qui déborde le seul cadre des études évaluatives. Ce livre contient des exemples illustrés et utilise un langage à la portée du praticien. Il plaira à ceux qui désirent consulter un ouvrage concis.

LECOMPTE, R. et L. RUTMAN. *Introduction aux méthodes de recherche évaluative*, Québec, Presses de l'Université Laval, 1982, 187 p.

Comptant parmi les rares ouvrages rédigé en français sur le sujet, ce livre d'introduction constitue un outil fort utile aux praticiens qui désirent effectuer une évaluation de programme. Il regroupe une série d'articles visant à fournir des indications sur les aspects de la planification et de la préparation de l'étude. Les auteurs ne négligent pas pour autant de traiter des questions de méthodologie, tant quantitative que qualitative, ainsi que des aspects pratiques de telles études. Le manque d'illustration (graphiques et figures) constitue la principale faiblesse de cet ouvrage.

PATTON, M. Q. *Qualitative Evaluation and Research Methods*, 2e éd., Newbury Park, CA, Sage Publications, 1990, 532 p.

Le fait qu'il compte parmi les rares entièrement consacrés à la méthodologie qualitative en recherche évaluative constitue la principale qualité de cet ouvrage. Les aspects du «quand» et du «comment» utiliser certaines méthodes qualitatives y sont traités avec emphase. Il satisfera ceux qui prévoient réaliser une étude évaluative et qui désirent connaître davantage ces méthodes. Les explications offertes sont claires, assez simplifiées et illustrées. Cependant, pour un condensé, le lecteur aurait intérêt à consulter le volume numéro 4 de la collection *Program Evaluation Kit*, édité par J.L. Herman en 1987 (voir ci-haut).

PATTON, M. Q. *Utilization-Focused Evaluation*, 2e éd., Beverly Hills, CA, Sage Publications, 1986, 368 p.

À la fois pratique et théorique, ce volume tire sa particularité du fait qu'il insiste sur la question des choix à effectuer lors d'études évaluatives sur le terrain. L'auteur dirige le lecteur vers une façon de faire comportant une implication rationnelle. Il tente donc de faire le pont entre la méthodologie et la réalité des situations de recherche. Des exemples de cas actuels accompagnent les points majeurs traités dans chaque chapitre. Rédigé dans un style convenant aux praticiens, il intéressera aussi par ses nombreuses figures et images.

Rossi, P. H. et H.E. Freeman. *Evaluation, a Systematic Approach*, 4ᵉ éd., Beverly Hills, CA, Sage Publications, 1989, 496 p.

Ce volume constitue un excellent outil de travail pour les novices dans le domaine de l'évaluation de programme. L'approche adoptée par les auteurs reflète le souci constant d'intégrer les divers types d'évaluation retenus dans une démarche de planification, d'élaboration et d'implantation de programme. Ils accordent une place importante aux différents devis de recherche. D'un abord facile, chacun des chapitres de ce volume est précédé d'un glossaire, et de nombreux exemples soutiennent les thèmes présentés. Le lecteur y trouvera également beaucoup de références.

Weiss, C. H. *Evaluation Research. Methods for Assessing Program Effectiveness*, New Jersey, Prentice-Hall, 1972, 160 p.

En parcourant ce volume, le lecteur saisira les dimensions pratiques et les problèmes reliés à l'évaluation des effets d'un programme. Il y trouvera également des méthodes et des outils, utilisables en recherche évaluative. Malgré qu'il ne soit guère récent, ce livre retiendra l'intérêt de ceux qui veulent en connaître davantage sur les réalités de la recherche en milieu d'intervention, notamment les différents obstacles et réticences auxquels l'évaluateur doit faire face. Le style d'écriture est approprié aux praticiens et les explications apportées sont claires.

Bilan sur l'évaluation de projets de prévention du crime

Lab, S. P. *Crime Prevention: Approaches, Practices and Evaluations*, 2ᵉ éd., Cincinnati, OH, Anderson Publishing, 1992, 327 p.

Ce récent ouvrage rassemble et fait le point sur les stratégies de prévention du crime relatées dans une littérature de plus en plus abondante sur le sujet. Il présente et décrit les approches en prévention du crime les plus récentes et les mieux connues, ainsi que les résultats des évaluations réalisées sur ces projets. Il laisse donc de côté les méthodes développées en recherche évaluative. Pour le lecteur intéressé, quelque 50 pages de références sur des projets de prévention du crime, parmi lesquelles se trouvent des références à des études évaluatives.

ROSENBAUM, D. P. *Community Crime Prevention. Dœs it Work ?*, Sage Criminal Justice System Annuals, vol. 22, Beverly Hills, CA, Sage Publications, 1986, 318 p.

Ce volume contient des évaluations de programmes de prévention du crime, de type communautaire, comptant parmi les meilleurs implantés avant 1986. L'auteur délaisse donc les méthodes de recherche évaluative pour s'intéresse aux différentes facettes des programmes et des stratégies de prévention du crime de type communautaire. L'ouvrage regroupe une série d'articles rédigés par différents auteurs. Servant d'introduction, un texte de Lurigio et Rosenbaum expose un point de vue critique sur la recherche évaluative telle qu'elle se pratique dans ce domaine.

Revue portant sur l'évaluation de programme

Evaluation Review : A Journal of Applied Social Research. (auparavant : *Evaluation Quaterly*).

Cette revue, considérée comme une excellente revue scientifique, porte spécifiquement sur l'évaluation de programme. Les articles qui y sont publiés traitent surtout des méthodes quantitatives et des approches formelles d'évaluation. Elle intéressera le lecteur par la diversité d'études évaluatives de programmes ou de projets qui y sont présentés, ainsi que d'autres articles plus techniques. Publiée par Sage Publications, à raison de six numéros par année, elle rejoint une multitude de disciplines et ses articles sont reconnus comme étant d'une grande qualité.

Autres références

BINDER, A. et G. GEIS. «Program evaluation», chap. 7, *Methods of Research in Criminology and Criminal Justice*, New York, McGraw-Hill, 1983, p. 150-170.

CAMPBELL, D. T. et J. STANLEY. *Experimental and Quasi-Experimental Designs for Research*, Chicago, Rand McNally, 1966, 84 p.

CONSEIL DU TRÉSOR DU CANADA. *Méthodes d'évaluation des programmes : mesure et attribution des résultats des programmes*, Ottawa, Contrôleur général, Conseil du trésor du Canada, 1991, 206 p.

COOK, T. D. et D. T. CAMPBELL. *Quasi-Experimentation : Design and Analysis Issues for Field Settings*, Chicago, Rand McNally, 1979, 405 p.

COOK, T. D. et C. S. REICHARDT. *Qualitative and Quantitative Methods in Evaluation Research*, Sage Research Progress Series in Evaluation, volume 1, Beverly Hills, CA, Sage Publications, 1979, 160 p.

FRANKLIN, J. L. et J. H. Trasher. *An Introduction to Program Evaluation*, a Wiley-Interscience Publication, , New York, John Wiley and Sons 1976, 233 p.

GUBA, E. et Y. LINCOLN. *Effective Evaluation*, San Francisco, CA, Jossey-Bass ,1982, 423 p.

MILES, M. B., et A. M. HUBERMAN. *Analyse de données qualitatives : recueil de nouvelles méthodes*, Bruxelles, Éditions du Renouveau pédagogique, De Boeck, 1991, 480 p.

NOWAKOWSKI, J. «The client perspective on evaluation», Séries *New Directions for Program Evaluation*, n° 36, San Francisco, CA, Jossey-Bass, 1987, 96 p.

POSAVAC, E. J., et R. G. CAREY. *Program Evaluation : Methods and Case Studies*, 3ᵉ éd., New Jersey, Prentice-Hall, 1989, 351 p.

Revue canadienne d'évaluation de programme, publiée par la Société canadienne d'évaluation, environ deux fois par année.

RUTMAN, L. *Evaluation Research Methods : A Basic Guide*, 2ᵉ éd., Beverly Hills, CA, Sage Publications, 1985, 239 p.

SPECTOR, P. E. « Research designs », Séries *Quantitative Application in the Social Sciences*, nᵒ 23, Beverly Hills, CA, Sage Publications, 1981, 80 p.

STRUENING, E. L. et M. B. BREWER. *Handbook of Evaluation Research*, The University Edition, Beverly Hills, CA, Sage Publications, 1983, 440 p.

Bibliographie générale

ARCHAMBAULT, S. *La prévention évaluée : études de cas*, Montréal, École de criminologie, Université de Montréal, 1994.

ATKINS, S., S. HUSAIN et A. STOREY. *Influence of Street Lighting on Crime and Fear of Crime*, London, HMSO, Home Office, Crime Prevention Unit, Paper 28, 1991.

BARR R. et K. PEASE. « Crime placement, displacement and deflection », *in* M. Tonry et N. Morris (sous la direction de), *Crime and Justice : An Annual Review of Research*, Chicago, University of Chicago Press, vol. 12, 1990.

BENNET, T. *Evaluating Neighbourhood Watch*, Cambridge, Gower, Cambridge, Studies in Criminology, 1990.

BERK, R. A. et P. H. ROSSI. *Thinking About Program Evaluation*, Newbury Park, Sage Publications, 1990.

BINGHAM, R. D. et C. L. FELBINGER. *Evaluation in Practice, A Methodological Approach*, New York, Longman, 1989.

BRANTINGHAM, P. L. et P. J. BRANTINGHAM. *Patterns in Crime*, New York, Macmillan, 1984.

BRANTINGHAM, P. L. et P. J. Brantingham. « Situational crime prevention in practice », *Revue canadienne de criminologie*, 1990, vol. 32, nº 1, p. 17-40.

BRANTINGHAM, P. L. et P. J. BRANTINGHAM. *Environmental Criminology*, 2ᵉ éd, Prospect Heights, Il., Waveland Press, 1991.

BURROWS, J. N. « Closed circuit television and crime on the london underground », *in* R. V. Clarke et P. Mayhew (éd.), *Designing out Crime*, Londres, HMSO, 1980,

BURROWS, J. N. *Making Crime Prevention Pay : Initiatives from Business*, London, HMSO, Crime Prevention Unit, Paper 27, 1991.

CAMPBELL, D. T. « Reforms as experiments », *American Psychologist*, 1969, vol. 24, p. 409- 429.

CARR, K. et G. SPRING. « Public transport safety : a community right and a communal responsibility », *in* R. V. Clarke (éd.), *Crime Prevention Studies*, Monsey, New York, Criminal Justice Press, vol. 1, 1993.

CHAIKEN, J., M. LAWLESS et K. STEVENSON. *The Impact of Police Activity on Crime : Robberies on the New York City Subway System*, Report Nº R-1424-NYC, Santa Monica, CA, Rand Corporation, 1974.

CHAIKEN, J., CHAIKEN M. et J. PETERSON. *Varieties of criminal behavior*, Santa Monica, CA, Rand Corporation, 1982.

CIREL, P., P. EVANS, D. MCGILLIS et D. WHITCOMB. *Community Crime Prevention Program : Seattle, Washington*, Washington, DC, National Institute of Justice, 1977.

CLARKE, R. V. « Situational crime prevention : theory and practice », *The British Journal of Criminology*, 1980, vol. 20, nº 2, p. 136-147.

CLARKE, R. V. (ed.), *Situational Crime Prevention. Successful Case Studies*, New York, Harrow and Heston, 1992.

CLARKE, R. V. « Introduction », *in* R. V. Clarke (sous la direction de), *Situational Crime Prevention. Successful Case Studies*, New York, Harrow and Heston, 1992, p. 3-38.

CLARKE, R. V. (sous la direction de). *Crime Prevention Studies*, Monsey, New York, Criminal Justice Press, vol. 1, 1993.

CLARKE, R. V. et D. WEISBURD. « Diffusion of Crime Control Benefits : Observations on the Reverse of displacement », *in* R. V. Clarke (sous la direction de), *Crime Prevention Studies*, vol. 2, New York, Willow Tree Press, 1994, p. 165-184.

COHEN, L. E. et M. FELSON. « Social change and crime rate trends ; a routine activity approach », *American Sociological Review*, 1979, vol. 44, p. 588-608.

COOK, T. D. et D. T. CAMPBELL. *Quasi-experimentation : Design and Anaysis Issues for Field Settings*, Houghton Mifflin, Boston, 1979.

CORNISH, D. B. et R. V. CLARKE. « Situational prevention, displacement of crime and rational choice theory », *in* H. Heal et G. Laycock (sous la direction de), *Situational Crime Prevention : From Theory Into Practice*, London, Her Majesty's Stationary, Office, 1986.

CURTIS, L. A. « The march of folly : crime and the underclass », *in* T. Hope et M. Shaw (sous la direction de), *Communities and Crime Reduction*, London, HMSO, Home Office Research and Planing Unit, 1988, p. 180-203.

CUSSON, M. *Délinquants pourquoi ?*, Montréal, Hurtubise, HMH, 1981 ; réédition, Bibliothèque Québécoise, 1989.

CUSSON, M. « L'analyse stratégique et quelques développements récents en criminologie », *Criminologie*, 1986, vol. XIX, n° 1, p. 53-72.

CUSSON M. *Croissance et décroissance du crime*, Presses Universitaires de France, Paris, 1990.

CUSSON, M. « L'analyse criminologique et la prévention situationnelle », *Revue internationale de criminologie et de police technique*, 1992, vol. XLV, n° 2, p. 137-149.

CUSSON, M. « Les régulateurs de la criminalité » *Revue internationale de criminologie et de police technique*, 1994, vol. XLVII, n° 2, p. 135-144.

Di MARINO, G. « La nouvelle politique française de prévention de la criminalité urbaine », *La semaine juridique*, 1991, n° 46, p. 343-350.

DURKHEIM, É. *Les Règles de la méthode sociologique*, 1895, Paris, Presses Universitaires de France, 15ᵉ édition, 1963.

EKBLOM, P. *The Prevention of Shop Theft: an Approach through Crime Analysis*, London, HMSO, Home Office, Crime Prevention Unit, Paper 5, 1986.

EKBLOM, P. *Preventing Robberies at Sub-Post Offices: an Evaluation of a Security Initiative*, London, Home Office, Crime Prevention Unit, Paper 9, 1987.

EKBLOM, P. *Getting the Best Out of Crime Analysis*, London, HMSO, Home Office, Crime Prevention Unit, Paper 10, 1988 .

EKBLOM, P. « Proximal circumstances: a mechanism-based classification of crime prevention », *in* R. V. Clarke (sous la direction de), *Crime Prevention Studies*, Monsey, New York, Willow Tree Press, 1994, vol. 2, p. 185-233.

EKBLOM P. et K. PEASE. « Evaluating crime prevention », *in* M. Tonry et N. Morris (sous la direction de), *Crime and Justice: An Annual Review*, University of Chicago press, Chicago, 1994.

ENGSTAD, P. et J. l. EVANS. « Responsibility, Competence, and Police Effectiveness in Crime Control », *in* R. V. Clarke et J. M. Hough (sous la direction de), *The Effectiveness of Policing*, Westmead, Gower Publishing, 1980, p. 139-162.

FARRINGTON, D. P., T. BURNS-HOWELL, J. BURROWS et M. SPEED. « An experiment on the prevention of shopligting », *in* R. V. Clarke (sous la direction de), *Crime Prevention Studies*, 1993, vol. 1, Monsey, New York, Criminal Justice Press.

FATTAH, E. A. *Understanding Criminal Victimization*, Scarborough, Ont., Prentice-Hall Canada, 1991.

FEEK, W. *Working Effectively. A Guide to Evaluation Techniques*, London, Bedford Square Press, 1988.

FELSON, M. *Crime and Everyday Life. Insight and Implications for Society*, Thousand Oaks, Cal., Pine Forge Press, 1994.

FENNELY, L. J. (sous la direction de). *Handbook of Loss Prevention and Crime Prevention*, Second Edition, Boston, Butterworth, 1989.

FORRESTER, D., M. CHATTERTON, K. PEASE et R. BROWN. *The Kirkholt Burglary Prevention Project, Rochdale*, London, HMSO, Home Office, Crime Prevention Unit, Paper 13, 1988.

FORTIN, A. « Plans de recherche quasi expérimentaux », *in* M. Robert (sous la direction de), *Fondements et étapes de la recherche scientifique en psychologie*, Montréal, Chenelière et Stanké, 1982, p. 119-132.

FORTIN, A. et M. ROBERT. « Plans de recherche à cas unique », *in* M. Robert (sous la direction de), *Fondements et étapes de la recherche scientifique en psychologie*, Montréal, Chenelière et Stanké, 1982, p. 133-152.

FOWLER, F. J. Jr. et T. W. MANGIONE. *Neighborhood Crime, Fear and Social Control: A Second Look at the Hartford Program*, Washington, DC, US Government Printing Office, 1982.

FRÉCHETTE, M. et M. LEBLANC. *Délinquances et délinquants*, Gaëtan Morin, Chicoutimi, 1987.

GABOR, T. « Crime displacement and situational prevention: toward the development of some principles », *Revue canadienne de criminologie*, 1990, 32, 1, p. 41-73.

GAROFALO, J.; MACLEOD, M. *Improving the Use and Effectiveness of Neighborhood Watch Programs*, Washington DC, US, Government Printing Office, 1989.

GASSIN, R. *Criminologie*, Paris, Dalloz, 1988.

GASSIN, R. «La notion de prévention de la criminalité», *in* Institut de sciences pénales et de criminologie, *La prévention de la criminalité en milieu urbain*, Aix-en-Provence, Presses universitaires d'Aix-Marseille, 1992, p. 21-36.

GOTTFREDSON, M. R. et T. HIRSCHI. *A General Theory of Crime*, Stanford, CA, Stanford University Press, 1990.

GOVE, W. R., M. HUGUES et M. GEERKEN. «Are uniform crime reports a valid indcator of the index crimes?» *Criminology*, 1985, 23, 3, p. 451-502.

GOTTFREDSON, M. et M. HINDELANG. «Sociological aspects of criminal victimization», *Annual review of sociology*, 1981, p. 107-128.

GRAHAM, J. *Crime Prevention Strategies in Europe and North America*, Helsinki, Finland, Helsinki Institute for Crime Prevention and Control, affiliated with the United Nations, 1990.

GRANJEAN, C. *Les effets des mesures de sécurité: l'exemple des attaques à main armée contre les établissements bancaires en Suisse*, Grüsh, Rüegger, 1988.

HAGAN, F. E. *Research Methods in Criminal Justice and Criminology*, New York, Macmillan Publishing, 1989.

HAYES, R. *Retail Security and Loss Prevention*, Boston, Butterworth-Heinemann, 1991.

HERMAN, J. L. (sous la direction de). *Program Evaluation Kit*, 9 volumes, Newbury Park, CA, Sage Publications, 1987.

HIRSCHI, T., M. J. HINDELANG, et J. G. WEIS. «The status of self-report measures», *in* M. W. Klein et K. S.Teilman (sous la direction de), *Handbook of Criminal Justice Evaluation*, Beverly Hills, Sage, 1980, p. 473-488.

HOPE, T. et M. SHAW. «Community approachs to reducing crime», *in* T. Hope et M. Shaw (sous la direction de), *Communities and Crime Reduction*, London, HMSO, Home Office Research and Planning Unit, 1988, p. 1-29.

HUIZINGA, D. et D. S. ELLIOTT. «Reassessing the reliability and validity of self-report delinquency measures», *Journal of Quantitative Criminology,* 1986, vol. 2, n° 4, p. 293-327.

JANOSZ, M. et D. LECLERC. « L'intervention psychoéducatrice à l'école secondaire. Intervenir sur l'individu ou sur son milieu?» *Revue canadienne de Psycho-Éducation,* 1993, vol. 22, n° 1, p. 33-55.

KLEIN, M. W. *Street Gangs and Street Workers,* Englewood Cliffs, NJ, Prentice-Hall, 1971.

KILLIAS, M. *Précis de criminologie,* Staempfli, Berne, 1990.

KILLIAS, M., A. KUHN et C. CHEVALIER. «Nouvelles perspectives méthodologiques en matière de sondages de victimisation: l'expérience des enquêtes suisses», *Déviance et Société,* 1987, 11, 3, p. 311-330.

LAB, S. P. *Crime Prevention: Approaches, Practices and Evaluations,* Cincinnati, OH, Anderson Publishing, 1986.

LADOUCEUR, R. et G. BÉGIN. *Protocoles de recherche en sciences appliquées et fondamentales,* St-Hyacinthe, Edisem, 1980.

LAVRAKAS, P. J. et J. W. KUSHMUK. « Evaluating crime prevention through environmental design: The Portland commercial demonstration project», *in* D. P. Rosenbaum (sous la direction de), *Community Crime Prevention. Dœs It Work?,* Beverly Hills, Sage Publications, 1986.

LAYCOCK, G. *Property Marking: A Deterrent to Domestic Burglary?* London, HMSO, Home Office, Crime Prevention Unit, Paper 3, 1985.

LAZERGES, C. *De la politique de prévention de la délinquance à la politique de la ville,* Leuven, Belgique, 49ᵉ Cours international de criminologie, 1994.

LEBLANC, M. *La prévention de la délinquance chez les adolescents, une approche globale, intégrée et différentielle.* Rapport préparé pour le Groupe de travail pour les jeunes du ministère de la Santé et des Services sociaux, Montréal, 1991.

LeBlanc, M. « La conduite délinquante des adolescents et ses facteurs », *in* D. Szabo et M. LeBlanc (sous la direction de), *Traité de criminologie empirique*, Montréal, Les Presses de l'Université de Montréal, 1994.

Lecompte, R et L. Rutman *Introduction aux méthodes de recherche évaluative*, Québec, Presses de l'Université Laval, 1982.

Lester, D. « Controlling crime facilators. Evidence from research on homicide and suicide », *in* R. V. Clarke (sous la direction de), *Crime Prevention Studies*, Monsey, New York, Criminal Justice Press, vol. 1, 1993.

Linden, R., I. Barker et D. Frisbie. *Ensemble pour la prévention du crime. Manuel du praticien*, Ottawa, Ministère des Approvisionnements et Services, Division Solliciteur général du Canada, 1984.

Lindseys, B. et D. McGillis. « Citywide community crime prevention : An assessment of the Seattle program », *in* D. P. Rosenbaum (sous la direction de), *Community Crime Prevention. Dœs It Work ?*, Beverly Hills, Sage Publications, 1986.

Lurigio, A. J. et D. P. Rosenbaum. « Evaluation research in community crime prevention : a critical look at the field », *in* D. P. Rosenbaum (sous la direction de), *Community Crime Prevention. Dœs it work ?*, Beverly Hills, Sage Publications, 1986, p. 19-44.

Maxfield, M. *Fear of Crime in England and Wales*, London, Home Office Research Study, HMSO, 1984, n° 78.

Mayhew, P. M., R. V. Clarke, A. Sturman et J. M. Hough. *Crime as Opportunity*, London, Home Office Research Study, HMSO, 1976.

McCord, J. et R. E. Tremblay (sous la direction de). *Preventing Antisocial Behavior : Interventions from Birth through Adolescence*, New York, The Guilford Press, 1992.

McINNIS, P. *La prévention du crime en milieu résidentiel par l'aménagement et la gestion de l'environnement (AGE)*, Ottawa, Solliciteur Général du Canada, 1984.

MORAN, R. et C. DOLPHIN. « The defensible space concept : Theoretical and operational explication », *Environment and Behavior*, 1986, n° 18, p. 396-416.

MURRAY, C. A. 1983, « The physical environment and community control of crime », *in* J. Q. Wilson (sous la direction de), *Crime and Public Policy*, San Francisco, ICS Press, p. 107-122.

NATIONAL CRIME PREVENTION INSTITUTE. *Understanding Crime Prevention*, Boston, Butterworth, 1986.

NEWMAN, O. *Defensible Space : Crime Prevention Through Urban Design*, New York, Macmillan, 1972.

O'BRIEN, R. M. *Crime and Victimization Data*, Beverly Hills, Sage Publications, 1985.

OLWEUS, D. « Bully / victim problems among schoolchildren : Basic facts and effects of a school based intervention program », *in* D. J. Peple et K. H. Rubin (sous la direction de), *The Development and Treatment of Childhood Agression*, Hillsdale, NJ, Erlbaum, 1991.

OUIMET, M. 1994, « Les tendances de la criminalité apparente et de la réaction judiciaire au Québec de 1962 à 1991 », *in* D. Szabo et M. LeBlanc (dir.) *Traité de criminologie empirique*, Montréal, Les Presses de l'Université de Montréal, p. 15-48.

OUIMET, M. et P. TREMBLAY. « Commentaires sur l'état de la criminalité au Québec », *in Criminalité et application des règlements de la circulation au Québec*, Québec, Ministère de la sécurité publique, 1993, p. 103-134.

PAINTER, K. *Lighting and Crime Prevention : the Edmonton Project*, London, Middlesex Polytechnic, Centre for Criminology, 1989.

PATTERSON, G. R. *Cœrcive Family Process*, Eugene, Oregon, Castalia, 1982.

PATTON, M. Q. *Qualitative Evaluation and Research Methods*, (nd ed), Newbury Park, Ca, Sage Publications, 1990.

PATTON, M. Q. *Utilization-Focused Evaluation*, Beverly Hills, Ca, Sage Publications, 1986.

PEASE, K. « The Kirkholt project : Preventing burglary on a British Public Housing Estate », *Security Journal*, 1991, vol. 2, p. 73-77.

PEASE, K. « Preventing Burglary on a British Public Housing Estate », *in* R. V. Clarke ed *Situational Crime Prevention. Successful Case Studies*, New York, Harrow and Heston, 1992, p. 223-229.

POIRIER, D. « Prévenir le vol à main armée ? » *Criminologie*, 1985, vol. XVIII, n° 2, p. 135-346.

POLDER, W. *Crime Prevention in the Netherlands : Pilot Projects Evaluated*, Research and Documentation Centre, Ministry of Justice, Netherlands, The Hague, 1992.

POYNER, B. « Situational Crime Prevention in two Parking Facilities », *Security Journal*, 1991, vol. 2, n° 2, p. 96-101.

POYNER, B. « Video cameras and bus vandalism », *in* R. V. Clarke (sous la direction de), *Situational Crime Prevention. Successful Case Studies*, New York, Harrow and Heston, 1992, p. 185-193.

POYNER, B. « What works in crime prevention : an overview of evaluations », *in* R. V. Clarke (sous la direction de), *Crime Prevention Studies*, vol. 1, Monsey, New York, Criminal Justice Press, 1993, p. 7-34.

POYNER, B. et B. WEBB. *Crime-Free Housing*, Oxford, Engl., Butterworth, Architect, 1991.

POYNER, B. et B. WEBB. « Reducing Theft from Shopping Bags in City », *in* R. V. Clarke ed *Situational Crime Prevention. Successful Case Studies*, New York, Harrow and Heston, 1992, p. 99-107.

QUÉTELET, A. D. *Physique sociale*, Tome II, Bruxelles, Muquardt, 1835 ; Paris, Baillière, 2ᵉe édition, 1869.

REISS, A. J. « Co-offending and criminal careers », *in* M. Tonry et N. Morris (sous la direction de), *Crime and Justice*, Chicago, University of Chicago Press, 1988, vol. 10, p. 117-170.

REISS, A. J. et J. A. Roth. *Understanding and Preventing Violence*, Washingtonm, DC, National Academy Press, 1993.

ROBERT, Ph. « Évaluer la prévention », *Archives de Politique Criminelle*, nᵒ 16, Paris, Pédone, 1994.

ROSENBAUM, D. P. (sous la direction de). *Community Crime Prevention : Dœs it Work ?*, Beverly Hills, Sage Publications, 1986.

ROSENBAUM, D. P. « The problem of crime control », *in* D. P. Rosenbaum (sous la direction de) *Community Crime Prevention : Dœs it work ?*, Beverly Hills, Sage Publications, 1986.

ROSENBAUM, D. P. « The theory and research behind neighborhood watch : is it a sound fear and crime reduction strategy ? », *Crime and Delinquency*, 1987, vol. 33, nᵒ 1, p. 103-134.

ROSENBAUM, D. P. « A critical eye on neighborhood watch ; dœs it reduce crime and fear ? » *in* T. Hope et M. Shaw (sous la direction de), *Communities and Crime Reduction*, London, Home Office Research and Planning Unit, 1988, p. 126-145.

ROSENBAUM, D. P., D. A. LEWIS et J. A. GRANT. « Neighborhood-based crime prevention : assessing the efficacy of community organizing in Chicago », *in* D. P. Rosenbaum (sous la direction de), *Community Crime Prevention : Dœs it Work ?*, Beverly Hills, Sage Publications, 1986.

ROSSI, P. H. et H. E. FREEMAN. *Evaluation, A Systematic Approach*, 4ᵗʰ ed, Beverly Hills, Ca, Sage Publications, 1989.

SACCO, V. F. et R. A. SILVERMAN. « Selling crime prevention ; the evaluation of a mass media campaign », *Revue canadienne de criminologie*, 1981, vol. 23, p. 191-202.

SACCO, V. F. et H. JOHNSON. *Profil de la victimisation au Canada*, Ottawa, Statistique Canada, Approvisionnements et Services, 1990.

SCHERDIN, M. J. « The halo effect : psychological deterrence of electronic security systems », *Situational Crime Prevention. Successful Case Studies*, New York, Harrow and Heston, 1992, p. 133-138.

SHEARING, C. D. et P. C. STENNING. « From the Panoptican to Disney World ; the development of discipline », *in* R. V. Clarke (sous la direction de), *Situational Crime Prevention. Successful Case Studies*, New York, Harrow and Haston, 1992, p. 249-255.

SHERMAN, L. W. *Policing Domestic Violence : Experiments and Dilemmas*, New York, Free Press, 1992.

SHERMAN, L. W. « Attacking crime : policing and crime control », *in* M. Tonry et N. Morris (sous la direction de), *Modern Policing*, Chicago, the University of Chicago Press, 1992, p. 159-231.

SHERMAN, L, P. GARTIN et M. E. BUERGER. « Hot spots of predatory crime : routine activities and the criminology of place », *Criminology*, 1989, 27, p. 27-55.

SKOGAN, W. G. « Reporting crimes to the police : the status of world research », *Journal of Research in Crime and Delinquency*, 1984, 21, 2, p. 113-137.

SKOGAN, W. G. « The Impact of Victimazation on Fear », *Crime and Delinquency*, 1987, vol. 33, n° 1, p. 135-154.

SKOGAN, W. G. et MAXFIELD, M. G. *Coping with Crime. Individual and Neighborhood Reactions*, Beverly Hills, CA, Sage Publications, 1981.

SLOAN-HOWITT, M. et G. L. KELLING. « Subway graffiti in New York City : gettin up vs. "Meanin It and Cleanin It" », *in* R. V. Clarke (sous la direction de), *Situational Crime Prevention. Successful Case Studies*, New York, Harrow and Heston, 1992, p. 239-248.

SOLLICITEUR GÉNÉRAL DU CANADA. *Le sondage canadien sur la victimisation en milieu urbain. Victimisation multiple*, Ottawa, Approvisionnements et Services Canada, 1988, n° 10.

SPARKS, R. H. « Surveys of victimization : an optimistic assessement », *in* M. Tonry et N. Morris (sous la direction de), *Crime and Justice : An Annual Review of Research*, Chicago, University of Chicago Press, 1981, vol. 3, p. 1-60.

TABLE RONDE SUR LA PRÉVENTION DE LA CRIMINALITÉ. *Pour un Québec plus sécuritaire. Partenaires en prévention*, Québec, ministère de la Sécurité publique, 1993.

TIEN, J. M et M. F. CAHN. « The Commercial Security Field Test Program : a systemic evaluation of security survey in Denver, St-Louis and Long Beach », *in* D. P. Rosenbaum (sous la direction de), *Community Crime Prevention. Dœs It Work ?* Beverly Hills, Sage Publications, 1986.

TREMBLAY, P., G. CORDEAU et J. KACZORWOSKI. « La peur du crime et ses paradoxes : cartes mentales, écologie criminelle et sentiment d'insécurité », *Revue canadienne de criminologie*, 1993, 35, 1, p. 1-18.

TREMBLAY, R. E. et W. M. CRAIG. « Developmental prevention of crime from pre-birth to adolescence », *in* M. Tonry et N. Morris (sous la direction de), *Crime and Justice : An Annual Review*, Chicago, University of Chicago Press, 1994.

VAN ANDEL, H. « Crime prevention that works : the care of public transport in the Netherlands », *Research and Documentation Center*, Netherlands, Ministry of Justice, 1988.

VAN ANDEL, H. « The care of public transport in the Netherlands », *in* R. V. Clarke ed *Situational Crime Prevention. Successful Case Studies*, New York, Harrow and Heston, 1992, p. 151-163.

VAN DIJK, J. J. M., P. MAYHEW et M. KILLIAS. *Experiences of Crime Across the World : Key Findings of the 1989 International Crime Survey*, Deventer Hollande, Kluwer, 1990.

WALLER, I. « La délinquance et sa prévention », *Revue internationale de criminologie et de police technique*, 1992, vol. XLV, n° 33, p. 265-286.

WALLER, I. *International Collaboration to Prevent Crime*, Montréal, Centre international pour la prévention de la criminalité, 1994.

WALLER, I. et N. OKIHIRO. *Burglary: The Victim and the Public*, Toronto, The University of Toronto Press, 1978.

WEISS, C. H. *Evaluation Research, Methods for Assessing Program Effectiveness*, New Jersey, Prentice-Hall, 1972.

WILLEMSE, H. M. « Developments in Dutch Crime Prevention », *in* R. V. Clarke (sous la direction de), *Crime Prevention Studies*, vol. 2, Monsey, New York, Willow Tree Press, 1994, p. 33-48.

WILLEMSE, H. M. et J. DE WAARD. « Crime analysis and prevention: perspectives from experience in the Netherlands », *Security Journal*, 1993, vol. 4, n° 4, p. 193-204.

YOUNG, A. and Company. *Second-Year Evaluation. Report for the Cabrini-Green High Impact Program*, Chicago, Il, A. Young and Company, 1978.

EN GUISE DE
CONCLUSION

Une police taillée sur mesure : une réflexion critique

Jean-Paul Brodeur
Criminologue, professeur
Université de Montréal

L 'étude des ouvrages parus sur l'efficacité de la police révèle au moins deux faits. D'abord, on a mené, depuis 1945, de nombreuses expériences en vue de réformer la police. Sherman *et al.* (1973) ont découvert que la première expérience de police en équipe (*team policing*) se situait à Aberdeen en Écosse à la fin de la Seconde Guerre mondiale. Depuis lors, si l'on en juge par les rapports de recherche, on a inlassablement multiplié les expériences, les projets pilotes et les réformes, chaque nouvelle vague d'innovation ayant sa propre étiquette et se proclamant le nouveau paradigme pour la police.

Ensuite, malgré l'exigence constante de nouvelles recherches évaluatives, il faut reconnaître qu'un grand nombre de ces recherches ont effectivement déjà été menées sur la police. Ces études vont d'évaluations des méthodes policières traditionnelles devenues classiques (Kelling *et al.*, 1974 ; Greenwood *et al.*, 1977 ; les résultats de ces évaluations ont été examinés par Skolnick et Bayley, 1986, p. 3-4 et Sherman, 1986, p. 359-362) aux évaluations des nouvelles expériences en matière de police. Dans cette dernière forme de recherche évaluative, le raffinement méthodologique et les aspects abordés peuvent varier considérablement (Cohen et Chaiken, 1972 ; Block et Anderson, 1974 ; Spielberger, 1979 ; Bennett, 1982 ; McElroy *et al.*, 1993). Certaines études s'inscrivent dans un cadre rigoureux et reposent sur des méthodes expérimentales (Skogan, 1994 et 1990 ; McElroy *et al.*, 1993 ; Bennett, 1990 ; Hornick *et al.*, 1993), alors que d'autres se fondent davantage sur une connaissance solide, quoique largement intuitive de l'impact d'un programme (Skolnick et Bayley, 1986 ; Lambert, 1993) ou sur les résultats de sondages d'opinion publique effectués au hasard et sur les entrevues menées auprès de participants à un programme (Murphy, 1993). Les résultats des recherche évaluatives ont été examinés périodiquement, quel qu'en soit le niveau de complexité (Sherman, 1986; Skolnick et Bayley, 1988; Green et Mastrofski, 1988; Moore, 1992; Rosenbaum, 1994; Weatheritt, 1986; Reiner, 1994; Chacko et Nancoo, 1993). La lecture de ces ouvrages donne l'impression que la police évolue sensiblement ou, à tout le moins, que des efforts méthodiques sont déployés dans le but de réformer la police.

Selon Eck et Spelman (1987, p. 33), la police communautaire est née de la survivance de trois stratégies faisant partie d'une tentative peu concluante pour mettre en œuvre la police en équipe: les mini-stations de police, les patrouilles à pied et la surveillance collective du crime (*community crime watch*). Toutefois, il y a encore beaucoup plus à dire sur la relation entre le travail policier par équipes et l'évolution récente de la police communautaire et l'approche en résolution de problèmes (*problem-oriented policing*). En 1973, c'est-à-dire quatre ans avant la publication de l'ouvrage de Goldstein intitulé *Policing a Free Society* (1977), auquel ont fait suite divers articles sur la police communautaire et l'approche en résolution de problèmes (Goldstein, 1979 et 1987), Sherman, Milton et Kelly avaient présenté sept études de cas sur des services de police qui tentaient de mettre sur pied la police en équipe. Si nous comparons les éléments de la police en équipe, tels qu'ils sont décrits par Sherman *et al.* (1973, p. 7), et les éléments de la police communautaire utilisés par Skogan (1993, p. 176, Tableau 9.1) et Hornick *et al.* (1993, p. 312, Tableau 1) pour leur évaluation respective de la police communautaire aux États-Unis et au Canada, nous devons reconnaître avec Eck et Spelman (1987) que la police communautaire n'est qu'un vestige de la police en équipe. Nous ressentons également une forte impression de déjà vu. Par exemple, dans leur description du programme de police en équipe de Dayton, Sherman *et al.* (1973, p. 15) précisent que l'un des premiers objectifs de ce programme était: «de produire une structure orientée vers la communauté qui serait adaptée aux différents modes de vie des quartiers» (C'est moi qui le souligne).

À la page suivante (Sherman *et al.*, 1973, p. 16) on peut également lire: «La patrouille préventive devait être éliminée afin de permettre aux membres de l'équipe de faire des interventions orientées vers la résolution de problème.» (C'est moi qui le souligne).

Avant tout le battage publicitaire sur la police communautaire et l'approche en résolution de problèmes, la police en équipe englobait ces deux formes de police, tant sur le plan des innovations en matière de programme que sur celui de la stratégie, pour employer la distinction établie ultérieurement par Sparrow *et al.* (1990, p. 198-199). Néanmoins, Eck et Spelman (1987, p. 33) expriment l'opinion générale lorsqu'ils affirment que la police en équipe a été un échec (voir aussi Skogan, 1990, p. 123). Si l'on considère l'échec de la police en équipe, il semblerait que les services de police aient connu bien peu de succès depuis les années 70 dans leurs tentatives pour introduire ce type de réforme. Par conséquent, il est permis de supposer que, malgré tous les efforts consentis pour réformer la police, les choses ont très peu évolué et que l'on s'est contenté de donner un nouveau nom aux réformes avortées.

De nouvelles évaluations empiriques sur la police communautaire ou l'approche en résolution de problèmes ne modifieront pas sensiblement notre impression qu'en dépit de la multiplication actuelle des initiatives, «plus ça change, et plus c'est pareil». J'estime que nous devons revenir aux plans de changement, tels qu'ils ont été formulés à l'origine, et analyser les concepts proposés afin de définir plus clairement notre marche à suivre. L'objet de cette analyse est essentiellement pragmatique: il s'agit de démêler les fils qui parcourent les projets de réforme de la police et de ne retenir que les plus prometteurs, le cas échéant. Comme toutes les analyses conceptuelles, celle-ci est axée sur l'analyse de textes, et plus particulièrement sur le travail de Herman Goldstein.

Ce chapitre est divisé en trois parties. Nous explorerons d'abord les origines de la police communautaire et de l'approche en résolution de problèmes. Nous verrons ensuite en quoi la police communautaire diffère de la police axée sur la résolution de problèmes et de quelle façon elles peuvent être reliées. Nous étudierons enfin l'approche en résolution de problème en évaluant son impact.

La réforme de la police : une brève rétrospective des efforts récents

Comme nous l'avons vu, l'expression « police d'orientation communautaire » (*community-oriented policing*) était déjà en usage au début des années 70. De fait, la plupart des expériences décrites par Skolnick et Bayley (1986) étaient à l'origine des tentatives pour remédier aux émeutes raciales des années 60 et ont vu le jour au début des années 70.

En réalité, le mouvement de réforme qui devait donner naissance à la police communautaire et à la police axée sur la résolution de problèmes a démarré au Royaume-Uni immédiatement après la guerre. Selon Sherman *et al.* (1973, p. xii-xiv), les premières expériences de police en équipe ont été menées à Aberdeen, en Écosse, et à Accrington, dans le comté de Coventry. Ces expériences portaient sur deux modèles différents de police en équipe. À Aberdeen, on a déployé des équipes de cinq à dix policiers, selon les besoins d'effectifs, dans différentes parties de la ville. À Coventry, on a fait appel à des unités locales de police (*unit beat policing*) : une équipe d'hommes demeuraient dans le même secteur et transmettaient les renseignements à un coordinateur qui en assurait la diffusion et coordonnait les activités de sorte qu'un secteur relativement étendu puisse être couvert par un nombre réduit d'hommes. Il est important de souligner que ces premières expériences de police en équipe ont été entreprises par suite de pressions internes et non de pressions externes. L'expérience de Aberdeen avait pour objet de combattre le découragement, l'ennui et l'isolement des policiers qui patrouillaient seuls les rues désertes. À Coventry, la mise sur pied d'unités locales de police était une façon de remédier à une pénurie de main-d'œuvre.

Au début des années 60, le concept de la police en équipe a été introduit aux États-Unis. Le service de police de la ville de Tucson, en Arizona, et d'autres corps policiers de petites villes ont tenté de mettre en œuvre le système d'Aberdeen, qui a été abandonné en Angleterre en 1963. Le système d'unités locales de police a été étendu à d'autres corps policiers britanniques en plus d'avoir été adopté par plusieurs corps policiers américains sous le nom de « police de quartier en équipe » *neighbourhood team policing*). Selon Sherman *et al.* (1973, p. xvi), le service de police de la ville de Richmond, en Californie, a tenté de combiner les systèmes d'Aberdeen et de Coventry.

En 1967, la Commission Katzenbach (*President's Commission on Law Enforcement and the Administration of Justice*) a recommandé l'adoption par les services de police du concept de la police en équipe, selon lequel les policiers affectés au travail de patrouille et d'enquête relèveraient d'un commandement unifié dont les attributions seraient suffisamment souples pour qu'il puisse s'occuper du problème de la criminalité dans un secteur déterminé. Plusieurs services de police ont suivi ces recommandations et fait l'expérience de la police en équipe. Selon la définition de Goldstein (1977, p. 63), ce concept consiste à attribuer à un groupe de policiers la responsabilité permanente de tous les services policiers dans un secteur d'opération. Dans ce contexte de décentralisation du commandement, le policier responsable d'une équipe d'un secteur devient le chef de police de ce secteur. Sherman *et al.* (1973) décrit les expériences de police en équipe menées dans sept villes américaines, c'est-à-dire deux petites villes (Holyoke, au Massachusetts, et Richmond, en Californie), deux villes de taille moyenne (Dayton, en Ohio, et Syracuse, dans l'État de New York), deux grandes villes (Détroit, au Michigan, et Los Angeles, en Californie) et, enfin, une mégapole, la ville de New York. Selon Sherman *et al.* 1973, p. 7), les éléments opérationnels de la police en équipe sont : 1. l'affectation géographique stable ; 2. l'interaction au sein de l'équipe ; 3. le regroupement géographique des équipes ; 4. la communication entre le service de police et la collectivité ; 5. des rencontres officielles avec des membres de la communauté ; 6. une participation effective de la communauté au travail de la police ; 7. le renvoi systématique d'un certain nombre d'affaires vers les organismes de services sociaux concernés. Les soutiens organisationnels sont : l'unité de supervision, la souplesse aux échelons inférieurs, la prestation unifiée de services et les fonctions combinées de patrouille et d'enquête. Lorsque nous nous attardons aux détails de la mise en œuvre de ces éléments généraux dans les villes qui ont servi à ces expériences, nous constatons que presque toutes les tactiques de la police d'orientation communautaire actuellement employées, comme les patrouilles à pied, les mini-stations de police, les visites à domicile et la surveillance collective du crime ont déjà été utilisées. Sherman et ses collègues présentent un bilan négatif de la police en équipe : « La police en équipe était un moyen d'atteindre un objectif, la création d'un style professionnel de patrouilles décentralisées. Cet objectif n'a été atteint dans aucune des ville étudiées. » (Sherman *et al.*, 1973 :107)

Les chercheurs ont tenté d'identifier les principales raisons des résultats peu éblouissants, voire de l'échec complet, de ce système. On a d'abord constaté que les cadres chargés de l'administration des services au niveau intermédiaire, voyant leur pouvoir menacé par la police en équipe, ont entravé et, dans quelques cas, activement saboté les plans de mise en œuvre. Il faut également souligner que le but de Sherman *et al.* (1973) consistait uniquement à déterminer si la police en équipe avait ou non été mise en place. Ils n'ont pas évalué son incidence sur les problèmes externes devant être résolus par la police.

À l'époque de cette expérience de la police en équipe, plusieurs villes américaines comme Oakland, Philadelphie et Seattle ont développé le concept de la surveillance de quartier, aussi connue sous le nom de « surveillance d'un pâté de maisons » (*block watch*), « surveillance d'appartements » (*apartment watch*), « surveillance du domicile » (*home watch*) et « surveillance communautaire » (*community watch*). Ce concept repose essentiellement sur la participation des citoyens à la protection de leur propriété en les encourageant à s'organiser et en les aidant à obtenir le matériel, les renseignements et l'expertise nécessaires. Bennett (1990) décrit l'évolution de ce concept aux États-Unis et son adoption au Royaume-Uni, où l'on a assisté à une multiplication des programmes de surveillance de quartier. Bennett (1990, p. 18-22) définit les éléments qu'il considère les plus importants dans la surveillance de quartier, éléments qui sont complétés par les éléments structuraux et organisationnels. Il voit également dans « nouvelle » police d'orientation communautaire, élaborée par Goldstein (1987), le fondement conceptuel et théorique de la surveillance de quartier. Bennett (1990, p. 26) considère en outre la patrouille orientée, la police en équipe et la « patrouille-contact avec le citoyen » (*citizen contact patrol*) comme la mise en pratique de la nouvelle police d'orientation communautaire.

L'étude de cette évolution révèle certains faits intéressants. Ainsi, la police en équipe devait à l'origine résoudre les problèmes internes de la police, comme le découragement des policiers et la pénurie de main-d'œuvre. Mais ces changements montrent de façon plus significative le niveau élevé d'incertitude associé à la conceptualisation de la réforme de la police, incertitude se reflétant dans l'indécision des administrateurs de la police quant à l'orientation à donner à leurs services. On peut saisir l'ampleur du malentendu en comparant l'ouvrage de Bennett (1990) et celui de Eck et Spelman (1987), qui traitent de la relation entre la police en équipe et la police communautaire. Dans une perspective opérationnelle, Eck et Spelman (1987, p. 32-34) estiment que la police communautaire n'est guère plus que la mise en pratique de trois stratégies résiduelles d'un ambitieux projet de police en équipe qui n'a pas abouti : les patrouilles à pied, les mini-stations de police et la surveillance collective du crime. Il faut reconnaître que les évaluations de la police communautaire vont rarement plus loin que l'analyse de l'incidence de ces stratégies et de certaines variantes (Skogan, 1994 et Skogan, 1997). Bennett, en revanche, adopte une perspective conceptuelle et voit la police en équipe comme l'une des nombreuses mises en œuvre du concept de la police communautaire. Toutefois, Eck et Spelman (1987, p. 34) et Bennett (1990, p. 172) s'entendent à dire que la surveillance collective du crime n'a, à toutes fins utiles, aucune incidence sur le taux de criminalité. Elle peut tout au plus conférer un sentiment de sécurité aux collectivités et intensifier les communications entre la communauté et la police, ce qui rehausse l'image de la police et augmente la satisfaction professionnelle de ses membres. La plupart des études d'évaluation menées dans les différents secteurs où la police communautaire a été mise sur pied (Sadd et Grinc, 1993 ; Skogan, 1993 ; Murphy, 1993 a et b ; Hornick *et al.*, 1993 ; Walker *et al.*, 1993 ; Kennedy, 1993 ; Rizkalla *et al.*, 1991) confirment l'impact limité des programmes communautaires de lutte contre le crime sur le taux de criminalité, voire sur le sentiment de sécurité des communautés visées. Par contre, Hornick *et al.* (1993) ont constaté qu'à Edmonton, la mise sur pied d'une police communautaire a entraîné une baisse importante des appels au service de police.

Les résultats des études évaluatives sont, dans l'ensemble, peu concluants et comme Pawson et Tilley (1994, p. 1) l'ont souligné, il est même difficile d'interpréter le langage contourné dans lequel ces études sont rédigées. Comme les réformateurs sont d'une impatience notoire lorsqu'il s'agit d'obtenir des résultats et qu'ils n'hésitent pas à troquer la dernière panacée contre un nouveau plan, on s'est demandé, notamment depuis la publication de l'ouvrage de Goldstein (1990), si la police par résolution de problèmes coïncidait réellement avec la police communautaire et si la première pouvait combler les lacunes actuelles de la seconde, ce qui produirait des résultats plus concluants.

La relation entre la police communautaire et la police axée sur la résolution de problèmes a été établie de trois façons générales. Il y a d'abord ce que nous pourrions appeler la position différentielle. Représentée par Eck et Spelman (1987, p. 33) et par Goldstein (1990, p. 24), elle repose habituellement sur des fondements opérationnels. Nous avons déjà décrit la position d'Eck et de Spelman qui estiment que la police communautaire est un vestige de la police en équipe et que son incidence est sur les problèmes fondamentaux de la communauté négligeable. Bien que la police axée sur la résolution de problèmes dépende de la police communautaire et soutienne celle-ci, les deux notions ne sont pas synonymes (Eck et Spelman, 1987, p. 46). Goldstein (1990, p. 24) distingue deux orientations dans la vaste gamme de programmes visant la participation de la communauté. Selon la première orientation, un effort ambitieux, bien que peu structuré, s'impose pour tisser de nouvelles relations avec la totalité ou une grande partie de la communauté, considérée dans son ensemble. Goldstein semble peu convaincu du bien-fondé de cette démarche et soulève en fait plusieurs questions fondamentales sur sa viabilité. La seconde orientation consiste à faire participer les personnes touchées par un problème particulier à la résolution de celui-ci (Goldstein, 1990, p. 24-25). Goldstein juge cette approche plus prometteuse ; la communauté ne contribue que dans la mesure de ses possibilités à la résolution d'un problème particulier, et cette approche correspond davantage à une police axée sur la résolution de problèmes qu'à une police d'orientation communautaire. Goldstein (1990, p. 70-71) souligne que le rôle joué par la communauté est également limité lorsqu'il s'agit, par exemple, d'établir les priorités en matière de résolution de problèmes.

La deuxième position est la position dite intégrante et conventionnaliste; elle fut développée par Goldstein lui-même dans un article publié en 1987. Malgré un premier concert de critiques dirigées par Holdaway (1984), Manning (1984), Mastrofski (1984), Short (1994) et Wheatheritt (1983) contre la police communautaire aux États-Unis et au Royaume-Uni, Goldstein (1987, p. 8) propose une police communautaire qui « pourrait chapeauter une stratégie plus intégrée qui permettrait d'améliorer la qualité de la police ». Il affirme également que les « thèmes récurrents des derniers projets de police communautaire coïncident si bien avec les valeurs inhérentes à la police d'une société libre qu'on pourrait soutenir que l'étiquette elle-même la police communautaire est redondante » (Goldstein, p. 8). Ainsi, Goldstein ne semble pas se ranger de façon vraiment convaincue sous un parapluie qu'il considère comme une étiquette plus ou moins tautologique; c'est pourquoi nous avons également défini sa position comme conventionnaliste. L'étiquette de police communautaire est au mieux une désignation conventionnelle qui pourrait se révéler stratégiquement utile. Dans l'ouvrage qu'il a écrit en collaboration avec Dennis Rosenbaum, John Eck semble également avoir renoncé à son ancienne position différentielle en faveur de l'approche intégrante et conventionnaliste (Eck et Rosenbaum, 1993).

La troisième position est fondamentalement pragmatique: sans égard aux considérations théoriques, un service policier vise en fait à l'intégration de la police communautaire et de la police axée sur la résolution de problèmes. C'est ce que la NYDP a fait dans le cadre de son projet CPOP, évalué par McElroy, Cosgrove et Sadd (1993). Sparrow (1988) a également tenté d'amalgamer la police communautaire et la police axée sur la résolution de problèmes.

Goldstein s'est rangé à l'opinion que l'étiquette de police communautaire devrait chapeauter tous les efforts déployés pour améliorer la qualité des services policiers, mais cette adhésion est demeurée conditionnelle. Le concept de police communautaire ne lui était acceptable que dans la mesure où il conduirait à une nouvelle manière de voir le rôle de la police et ne constituerait pas uniquement une autre étiquette à des fins de relations publiques. Nous nous proposons maintenant d'examiner si cette condition a été en fait remplie par la police communautaire et s'il était même possible à celle-ci de satisfaire à la condition de Goldstein.

La police axée sur la résolution de problèmes et la police communautaire

Dans la présente section, nous tenterons de décrire la police communautaire et la police axée sur la résolution de problèmes à travers la lorgnette des avocats de cette dernière. Les défenseurs de la police communautaire ne semblent montrer aucune réticence à intégrer la police axée sur la résolution de problèmes. D'une manière générale, les propositions formulées par Goldstein (1987) ont été bien accueillies, et la plupart des définitions de la police communautaire (p. ex., Skogan, 1990 et 1994 ; Normandeau et Leighton, 1990) reconnaissent la nécessité d'étendre le mandat de la police de la façon proposée par Goldstein. Toutefois, certains défenseurs de la police axée sur la résolution de problèmes ne montrent pas le même enthousiasme pour toutes les caractéristiques de la police d'orientation communautaire.

Goldstein (1987, p. 8-10) définit les traits communs de la police communautaire comme étant le recours à une meilleure visibilité policière en vue de prévenir le crime et d'atténuer le sentiment de crainte. Dans cette vision, la prévention du crime par l'éducation et l'organisation de la communauté doivent participer aux initiatives de surveillance du crime, et l'intervention pour résoudre les problèmes perçus à tous les niveaux relèvent de la police. La police communautaire suppose une meilleure communication entre les policiers et, dans le cas des programmes les plus ambitieux, l'établissement d'un climat de respect et de soutien pouvant aider les policiers à résoudre les problèmes sans recourir au système de justice pénale. Goldstein y voit le potentiel ultime de la police communautaire et une réactivation du concept britannique original de la police par consentement.

Le concept de la police par consentement n'est évidemment pas nouveau, et l'épreuve décisive pour la police communautaire est de déterminer si cette stratégie peut être appliquée aux problèmes que vivent les villes dans le contexte actuel de diversité multiraciale et multiethnique et si elle permet de résoudre ou d'atténuer les problèmes des années 80 de façon efficace. Goldstein (1987, p. 10) énonce donc l'exigence fondamentale à laquelle doit répondre la police communautaire pour relever les défis actuels. Selon la dernière et la plus importante de ces exigences, la police doit précisément se concentrer sur les problèmes de fond, ce qui revient à dire que la police communautaire devrait devenir une police axée sur la résolution de problèmes (Goldstein, 1987, p. 15).

Goldstein a défini la police axée sur la résolution de problèmes dans deux livres (Goldstein, 1977 et 1990) et dans deux articles à fort rayonnement (Goldstein, 1979 et 1987). D'un point de vue pratique, on peut dire que ce concept fut également élaboré par Eck, Spelman *et al.* (1987) et par McElroy *et al.* (1993). L'ouvrage de Goldstein (1990) présente toutefois un exposé très clair sur la police axée sur la résolution de problèmes, qu'il n'est pas nécessaire de reprendre ou d'expliquer. Nous traiterons donc surtout des aspects qui distinguent cette forme de police de la police d'orientation communautaire.

Le premier document publié par Goldstein fut le chapitre consacré à la police dans l'ouvrage de McIntyre, Goldstein et

Skoler (1974). La contribution de Goldstein y est brève (p. 5-12), mais elle trace néanmoins les grandes lignes de deux thèmes qui reviendront souvent dans tous les travaux subséquents. Le premier thème est la découverte de la diversité du travail de la police et la grande proportion de ses activités consacrées à d'autres tâches que la répression de l'activité criminelle (McIntyre *et al.*, 1974, p. 5; on estime que ces activités peuvent occuper jusqu'à 80 % du quart de travail d'un policier). À cet égard, il faut se rappeler qu'on attribue à Egon Bittner le grand mérite d'avoir découvert la variété de problèmes que la police est appelée à résoudre, et qu'il admet être largement redevable à Herman Goldstein de ses aperçus «pour tous les aspects concernant la police» (Bittner, 1990, p. 264). Le second thème est le pouvoir discrétionnaire du policier de procéder à une arrestation pour résoudre un problème qui n'est pas de nature criminelle. Ainsi, la police peut arrêter une personne pour un délit mineur afin d'envoyer cette personne dans un établissement de soins (McIntyre, Goldstein et Skoler, 1974, p. 6). Dans ce contexte, l'application de la loi n'est qu'un moyen parmi d'autres de résoudre un problème important sans rapport avec la perpétration d'un crime. L'application de la loi en tant que moyen indu de résoudre les problèmes les plus divers auxquels la police doit faire face devait devenir un thème récurrent dans tout l'ouvrage de Goldstein.

Goldstein développera davantage ces thèmes dans *Policing a Free Society* (1977). Ainsi, il souligne une fois de plus que la police a recours à l'arrestation pour des raisons autres que la mise en accusation d'une personne qui a commis un délit criminel (Goldstein, 1977, p. 23). L'expression «police axée sur la résolution de problèmes» n'est pas encore employée dans cet ouvrage. La police d'orientation communautaire est brièvement traitée dans le contexte du projet de police en équipe de la ville de Cincinnati (Goldstein, 1977, p. 63-64). Cependant, les fondements de ces nouvelles formes de police s'y trouvent déjà. D'abord, Goldstein (1977) se rend compte de l'importance du temps que la police consacre à des questions autres que criminelles et considère cette mise en cause du stéréotype de la fonction policière comme ayant «une énorme importance». Ceci l'amène à développer un cadre conceptuel, dans lequel la police est un organisme de l'administration municipale chargé d'une variété de fonctions (Goldstein, 1977, p. 33). L'auteur dégage ensuite les principales répercussions de cette idée absolument fondamentale.

Dans un premier temps, il faut considérer qu'un tel organisme poursuit, par définition, une grande variété d'objectifs et qu'il importe de distinguer ces objectifs des méthodes dont dispose la police pour les atteindre. Après avoir fait cette distinction, Goldstein expose l'une de ses idées clés, selon laquelle l'application de la loi n'est qu'un moyen pour atteindre un objectif du travail policier, mais non une fin en soi (Goldstein, 1977, p. 32). Plus tard, Goldstein créera l'expression «syndrome des moyens au détriment de la fin» pour critiquer la tendance générale de la police à négliger la finalité du travail de police au bénéfice de la réforme organisationnelle interne (Goldstein, 1979, p. 238). La première manifestation de ce syndrome demeure la perception selon laquelle l'application de la loi pénale est l'objectif ultime de la police.

La deuxième implication est la nécessité pour la police de recourir à des solutions autres que celles qu'offre le système de justice pénale pour atteindre ses multiples objectifs. «Il est étonnant, écrit Goldstein (1977, p. 71), de voir l'étendue des tâches que la police est appelée à accomplir et le peu de moyens mis à sa disposition pour mener le travail à bien.» Non seulement doit-on réévaluer les solutions de rechange officieuses actuellement disponibles, mais il faut aussi trouver de nouvelles solutions en augmentant, s'il le faut, les pouvoirs de la police. Il faut insister sur le fait que la recherche de solutions de rechange est l'une des caractéristiques principales de la pensée de Goldstein et de ce qui devait devenir la police axée sur la résolution de problèmes. Le plus long chapitre de l'ouvrage portant sur ce sujet (Goldstein,

1990, p. 102-147) consiste précisément en un exposé sur la recherche de solutions de rechange. Comme nous tenterons de le démontrer, c'est l'aspect de la police axée sur la résolution de problèmes qui est le plus difficile à mettre en pratique. Il est loin d'avoir atteint son plein potentiel.

La troisième implication est une conséquence directe de la deuxième. Non seulement la police doit-elle mettre au point des solutions de rechange pour atteindre ses nombreux objectifs, mais ces mesures doivent aussi être adaptées aux besoins (Goldstein, 1977, p. 81). Ce thème sera développé davantage lorsque la police axée sur la résolution de problèmes prendra forme. Le chapitre consacré aux solutions de rechange dans un ouvrage ultérieur de Goldstein (1990, chapitre 8) est intitulé « La recherche de solutions de rechange : la mise au point de réponses faites sur mesure ».

Sans aller jusqu'à suggérer que tout ce qui devait être associé à la police axée sur la résolution de problèmes était déjà implicitement contenu dans l'ouvrage de 1977, on peut dire que les travaux subséquents de l'auteur se caractériseront surtout par la création de formules frappantes, comme le « syndrome des moyens au détriment de la fin », qui résumeront des idées antérieurement formulées. L'article de Goldstein où celui-ci effectue une percée décisive est étayé par une opposition entre les processus internes et le résultat externe (Goldstein, 1979, p. 238 et 242). Les processus internes sont généralement administratifs et ont pour but l'amélioration de l'organisation proprement dite. Le résultat externe désigne la qualité des services fournis à la communauté. Goldstein (1979, p. 243) compare la situation régnant dans les corps policiers à celle d'une industrie privée « qui étudie la vitesse de sa chaîne de montage, la productivité de ses employés et la nature de son plan de relations publiques, mais qui néglige d'évaluer la qualité de son produit ». Pour rétablir l'équilibre en faveur du résultat externe, Goldstein articulera son influente thématique sur la prépondérance du résultat final sur les moyens employés (Goldstein, 1979, p. 238-241 ;

Goldstein, 1990, p. 3) et la nécessité de se concentrer sur les problèmes de fond (Goldstein, 1987, p. 15).

Les ouvrages que Goldstein a publiés après 1979 comportent au moins une nouvelle grande idée. D'une certaine façon, Goldstein (1977) s'attache surtout à trouver la réponse aux problèmes auxquels la police doit faire face, c'est-à-dire à trouver des solutions de rechange au système de justice pénale. Goldstein (1979, 1987 et 1990) consacre beaucoup d'efforts à mettre au point le processus d'identification, d'analyse et de résolution efficace des problèmes. Le concept occupant une place centrale dans ce développement est celui de la spécificité. Goldstein (1979, p. 244-245) nous met explicitement en garde contre la classification des problèmes dans des catégories trop générales, comme le crime, le désordre, la délinquance et même la violence. Il montre, par exemple, que même une étiquette relativement précise comme « incendie criminel » peut en fait faire référence à des problèmes très différents, par exemple, le vandalisme, la psychopathie, la destruction de la preuve criminelle, le crime économique et l'intimidation criminelle (Goldstein, 1979, p. 245). Les problèmes doivent donc être « désagrégationnés » et l'emploi des catégories du droit criminel telles qu'elles sont définies dans les codes pénaux n'est peut-être pas le meilleur moyen d'identifier des problèmes précis (Goldstein, 1990, p. 38-40). Eck et Spelman (1987, p. 35-36) font à cet égard une distinction importante entre d'une part la police de lutte contre le crime, qui fait appel à des sections spécialisées dans l'analyse de la criminalité, et d'autre part la police axée sur la résolution de problèmes. Dans l'analyse de la criminalité, on s'appuie sur les dossiers de la police pour définir le type de comportement des contrevenants. L'identification de telles caractéristiques de comportement peut aider la police à mener plus efficacement ses opérations traditionnelles, comme les enquêtes et les arrestations. Cette constatation amène Eck et Spelman (1987, p. 36) à critiquer le recours systématique aux unités d'analyse de la criminalité, car il équivaut à prédéterminer la solution de nature pénale qui sera apportée à un problème dont on n'a pas compris la spécificité.

Cette insistance sur la spécificité des problèmes pourrait finir par rendre irréconciliables les concepts de police communautaire et de police axée sur la résolution de problèmes. En premier lieu, le concept de la police axée sur la résolution de problèmes semble davantage dirigé sur le rôle de la police que sur celui de la communauté. Que ce soit pour permettre à la communauté de choisir elle-même les solutions de rechange nécessaires à la résolution de ses problèmes (Goldstein, 1987, p. 21), pour déterminer le rôle de la police dans la prise de décision en matière de politiques (Goldstein, 1987, p. 24) ou pour laisser à la police le soin de définir les problèmes (Goldstein, 1987, p. 16 et Goldstein, 1990, p. 70) et d'en établir l'ordre de priorité Goldstein, 1990, p. 77), Goldstein semble généralement réserver un rôle plus important à la police qu'à la communauté. Par exemple, «quel que soit le degré de clarté avec lequel les membres d'une communauté présentent leurs problèmes, la police ne peut s'engager à l'avance à privilégier les choix de la communauté» (Goldstein, 1990, p. 71); encore une fois, «les policiers qui font les rondes sont les mieux placés pour identifier tous les aspects d'un problème» (Goldstein, 1990, p. 73).

Il existe toutefois un élément de la police communautaire qui risque d'être beaucoup plus fondamentalement incompatible avec la police axée sur la résolution de problèmes. Goldstein (1979, p. 237) rapporte l'évaluation faite par un porte-parole de la police de l'embauche de policiers clandestins comme leurres afin de piéger les contrevenants dans les secteurs à fort taux de criminalité. Selon ce porte-parole, un des grands mérites du programme a été son impact positif sur l'image de la police au sein de la communauté. Goldstein note sèchement que «l'effet sur le nombre de vols a été beaucoup moins évident», cette remarque impliquant que ce service de police serait devenu une autre victime du syndrome des moyens au détriment de la fin

(Goldstein, 1979, p. 237). Nous avons déjà vu que Goldstein (1990, p. 26) fait une distinction entre les deux types d'engagement qui lient la police et la communauté. Dans le premier cas, la police sollicitait la participation permanente de la communauté tout entière ; dans le second cas, seule la partie de la communauté qui pouvait contribuer de façon pertinente à la résolution d'un problème spécifique était mobilisée. Goldstein se montre sévère à l'endroit du projet plus ambitieux qui vise à faire participer toute la communauté, mais non pas uniquement parce que ce projet était, comme nous l'avons vu, informe. On soupçonne que ce vaste effort n'est qu'une tentative pour réduire les tensions entre la police et la communauté et produire au sein de celle-ci des attitudes plus positives envers la police. Il est alors possible d'évaluer l'efficacité de la police d'après le nombre de réunions tenues avec la communauté et le degré de participation des membres de cette dernière à ces réunions. Cette stratégie de police communautaire à grande échelle risque surtout de devenir la proie du syndrome des moyens au détriment de la fin.

> La première orientation, qui repose sur une démarche générale et vise à faire participer la communauté entière, rappelle les réformes antérieures de la police. Elle risque de perpétrer le déséquilibre des moyens au détriment de la fin (Goldstein, 1990, p. 26).

À en juger par la recherche évaluative actuelle, la police communautaire n'est pas simplement menacée par le syndrome des moyens au détriment de la fin, elle est devenue à certains égards victime de ce syndrome, du moins, tel que celui-ci a été défini par Goldstein (1979, p. 237). Dans l'une des tentatives plus systématiques d'évaluer l'incidence de la police d'orientation communautaire[1], Wesley Skogan conclut « qu'il est manifeste que ces programmes ont eu l'effet le plus constant sur les attitudes envers la qualité du service de

---

1. Il s'agit en fait de l'exemple cité par Pawson et Tilley (1994) au début de leur document intitulé *What Works in Evaluation Research*.

police » (Skogan, 1993, p. 176 — c'est moi qui le souligne). En effet, le résultat le plus constant de la recherche évaluative menée dans quatorze sites de projet (dont neuf ont perçu ce changement) a été l'amélioration de l'image de la police. Nous ne contestons pas que rehausser l'image de la police puisse produire des résultats positifs lorsque les corps policiers s'efforcent d'améliorer la qualité de leurs services, notamment dans le champ de la police des minorités — qui, par le passé, ont été rendues hostiles aux policiers — et dans celui du contrôle des foules. L'amélioration des caractéristiques de l'organisation ne manquera pas de se traduire, même si ce n'est que de façon très indirecte, par une amélioration des services de police. Toutefois, à en juger par la théorie qui sous-tend la police axée sur la résolution de problèmes, ces changements, apportés uniquement à l'image de la police, sont un exemple du syndrome des moyens au détriment de la fin, contre lequel on avait à l'origine élaboré cette théorie.

Ayant noté ces dernières observations, nous devons maintenant aborder le problème de l'évaluation des résultats de l'action de la police communautaire et de la police axée sur la résolution de problèmes.

Évaluation de la police axée sur la résolution de problèmes

Bien que la nécessité d'évaluer les résultats obtenus par la police axée sur la résolution de problèmes soit reconnue (comment pourrait-elle ne pas l'être par une stratégie qui se déclare axée sur la finalité de la police), une telle évaluation semble être hérissée de difficultés. Goldstein (1979, p. 243) pose onze questions devant recevoir une réponse avant qu'il ne soit possible d'élaborer le mode de prestation de services de la police axée sur la résolution de problèmes. La mesure de l'efficacité de la réponse à un problème préalablement défini et analysé ne constitue qu'une de ces questions et ne donne aucune indication sur la façon de répondre à ce problème. En réalité, Goldstein (1979, p. 256) s'attache davantage à utiliser la recherche évaluative pour démontrer l'insuffisance des réponses traditionnelles de la police qu'à montrer l'efficacité des solutions de remplacement.

De la même manière, Goldstein (1987, p. 13) fait à peine mention de la mesure de la productivité. En fait, Goldstein (1987, p. 26) admet que « l'effet de certains des changements préconisés peuvent ne pas se prêter à une évaluation ». Dans cet article, il cite ensuite le passage de Skolnick et Bayley (1986) qui déclarent que le fardeau de la preuve de l'efficacité des stratégies de la police devrait incomber à ceux qui prônent le maintien des stratégies traditionnelles (Goldstein, 1987, p. 27).

Goldstein (1990) est tout aussi laconique sur les questions relatives à l'évaluation de l'efficacité de la police axée sur la résolution de problèmes. L'ouvrage compte plusieurs chapitres consacrés à l'identification et à l'analyse des problèmes et à la recherche de moyens de remplacement permettant de résoudre ces problèmes. Aucun chapitre, toutefois, ne traite de l'évaluation des interventions à laquelle on ne consacre qu'une page à la fin d'un des chapitres sur les éléments de base de la police axée sur la résolution de problèmes et trois pages à la fin d'un autre chapitre sur la recherche de solutions de rechange (Goldstein, 1990, p. 49 et 145-147). Lorsqu'il aborde la question précise de la mesure du rendement des policiers affectés à la résolution de problèmes, Goldstein soulève plus de difficultés qu'il ne fournit de réponses :

> Nous ne savons pas encore comment s'y prendre pour mesurer la capacité d'un policier à traiter les problèmes dans son secteur de patrouille. Bien qu'on puisse instinctivement reconnaître les aptitudes d'un policier à résoudre des problèmes, il est difficile de traduire ce mode instinctif d'évaluation en un langage et en des facteurs pouvant être employés par les officiers chargés de la supervision et du commandement (Goldstein, 1990, p. 164).

Cela semble en effet très difficile. À cet égard, Goldstein mentionne les superviseurs du service de police de Newport News qui ont incité leurs subordonnés à adopter le concept de la police axée sur la résolution de problèmes dans leur travail en concentrant leurs efforts sur cet aspect lorsqu'ils évaluaient leur rendement (Goldstein, 1990, p. 164). Dans l'étude qu'ils ont menée à Newport News sur ce concept, Eck, Spelman et leurs collègues ont sondé l'opinion de 70 % des policiers qui mettaient en pratique les principes de la police axée sur la résolution de problèmes, c'est-à-dire 148 policiers. On a demandé aux policiers : 1. si les efforts consacrés à la résolution de problèmes avaient été couronnés de succès; 2. si le temps consacré à la résolution de problèmes avait été utilement employé; 3. si d'autres policiers, 4. citoyens ou 5. organismes avaient coopéré avec eux; 6. si leurs superviseurs leur avaient prodigué suffisamment d'encouragements; et enfin, 7. s'ils avaient reçu la reconnaissance, bien méritée, de leurs efforts. Les policiers pouvaient répondre par l'affirmative, la négative ou une réponse neutre. Pour les six premières questions, le pourcentage de policiers qui ont répondu par l'affirmative variait de 54 % à 60 %, alors que le pourcentage de ceux qui ont répondu par la négative oscillait entre 6 % et 11 % (les autres policiers ayant donné des réponses neutres). Toutefois, pour la dernière question, le pourcentage de réponses affirmatives a chuté à 33 %, alors que le pourcentage de réponses négatives passait à 23 % (Eck, Spelman *et al.*, 1987, p. 89, Tableau 12). Ainsi, malgré les efforts déployés par les superviseurs de Newport News, il semble que les policiers affectés à la résolution de problèmes ne croyaient pas avoir reçu suffisamment de crédit pour leurs efforts.

Enfin, dans le cadre des efforts les plus récents et les plus systématiques pour évaluer la police communautaire et la police axée par la résolution de problèmes (McElroy, Cosgrove et Sadd, 1993, chapitre 4), le rendement des agents de police communautaire (*community police officers*) en matière de résolution de problèmes fut évalué en fonction de plusieurs critères (par exemple, l'identification et l'analyse de problèmes, la conception et la mise en œuvre de stratégies, la capacité de faire participer la communauté). Toutefois, en raison des problèmes liés aux méthodes de mesure, qui sont exposés en détail, « il est important de noter que les incidences sur les problèmes ne furent pas considérées lors de l'évaluation du rendement des policiers » (McElroy *et al.*, 1993, p. 71 ; voir aussi p. 64).

Il ne fait aucun doute que l'évaluation de la police axée sur la résolution de problèmes soulève de sérieuses difficultés tant au niveau théorique que pratique. On peut se demander si ce concept ne comporte pas des éléments qui poussent ses défenseurs à reconnaître qu'il est très difficile d'en mesurer l'efficacité. Cette hypothèse se trouve en fait confirmée par les problèmes qu'ont rencontrés ceux qui ont effectivement tenté d'évaluer l'incidence de ce concept de police.

Nous soulignerons d'abord le fait que la police axée sur la résolution de problèmes est généralement mise en contraste par ses défenseurs dès que de simples programmes ou tactiques sont ajoutés aux méthodes courantes, qu'on continue, pour l'essentiel, d'appliquer. En fait, Eck, Spelman *et al.* (1987, Sommaire, p. xv) définissent cette police comme étant une stratégie appliquée à l'échelle de tout un service de police. Quant à Goldstein (1990, p. 3), il la perçoit comme « une manière tout à fait nouvelle de concevoir la police, se répercutant sur chaque aspect de l'organisation policière, sur son personnel et sur ses opérations ». Sparrow, Moore et Kennedy (1990, p. 197-201) considèrent la police communautaire et la police axée sur la résolution de problèmes comme une innovation stratégique qui transforme l'ensemble du service de police. Cette innovation suppose un « changement de paradigme » englobant toutes les dimensions et caractéristiques de la police, si bien que ces stratégies mises en œuvre à l'échelle de tout service de police, ces conceptions entièrement nouvelles et ces changements de paradigmes sont difficiles à reconnaître en tant que tels et encore plus difficiles à évaluer de façon empirique. De façon plus significative, toutefois, Sparrow *et al.* (1990, p. 201) soutiennent que ni la police communautaire ni la police axée sur la résolution de problèmes ne devraient être perçues comme une réponse définitive, mais que ces stratégies devraient plutôt être considérées comme favorisant « la mise en place de conditions dans lesquelles la police *pourrait demeurer évolutive et innovatrice* » et comme « traçant la voie d'une innovation soutenue à tous les niveaux » (Sparrow *et al.*, 1990, p. 201 — c'est l'auteur qui le souligne). Ainsi, il semblerait aussi difficile que futile d'évaluer avec précision la mesure dans laquelle la nouvelle stratégie a été mise en œuvre. Pour faire une telle évaluation, il nous faudrait immobiliser un paradigme caractérisé par son ouverture.

Néanmoins, si nous voulons demeurer fidèles aux objectifs de la police axée sur la résolution de problèmes (produire des effets externes), il nous faut d'abord mesurer la capacité de l'intervention préconisée de résoudre le problème préalablement identifié et analysé. Ainsi, il pourrait être intéressant d'examiner la conception du problème et de sa réponse dans la théorie de la police axée sur la résolution de problèmes. Eck, Spelman *et al.* 1987, p. 41) définissent un problème relevant de la police comme un ensemble d'incidents qui surviennent dans une communauté, qui sont similaires de plus d'une façon et qui intéressent la police et le public. Cette définition est généralement acceptée. Ainsi, Goldstein (1979, p. 242 ; 1987, p. 16 ; 1990, p. 66) propose des définitions presque identiques.

Ces problèmes présentent certaines caractéristiques, dont quelques-unes ont été identifiées et méritent d'être examinées de plus près. La première et la plus fondamentale est le caractère externe du problème par rapport à une organisation policière (Goldstein, 1979, p. 242). Cette caractéristique pose relativement peu de difficultés, car elle est essentiellement descriptive. La deuxième caractéristique, soit la spécificité d'un problème, est pour l'essentiel normative. La spécificité d'un problème n'est pas immédiatement perceptible pour la police ; elle se révèle au terme d'un processus d'identification, d'analyse, et de « désagrégation » qui, comme nous l'avons vu, doit dégager le problème des catégories juridiques et d'opérations policières qui en masquent la spécificité. Pourtant, dans leur sens descriptif initial, les problèmes auxquels la police doit faire face se caractérisent précisément par le fait qu'à titre de catégorie ils sont non spécifiques et constituent un mélange hétérogène de situations problématiques. En effet, on oppose la police axée sur la résolution de problèmes à la police traditionnelle, en ce que la première représente une nouvelle stratégie qui doit se situer au-delà de la lutte contre le crime et de l'application de la loi, pour résoudre une variété de problèmes tellement hétérogènes qu'il est impossible de trouver un terme pour les qualifier de manière globale (Goldstein, 1979, p. 242 ; 1990, p. 66-67). En revanche, la lutte contre le crime et l'application de la loi se définissent de l'intérieur et sont relativement) spécifiques. Ainsi, un problème peut être défini comme étant spécifique uniquement après avoir été reconnu comme un problème relevant de la police. Toutefois, le processus qui aboutit à la reconnaissance qu'un problème relève effectivement de la police est incertain et peut varier d'un service de police à l'autre (Eck, Spelman *et al.*, 1987, p. 41).

Dans ses ouvrages subséquents, Goldstein souligne de façon plus explicite une caractéristique connexe des problèmes, qu'il définit de la façon suviante : ils mettent en cause un ensemble d'intérêts qui ne sont pas toujours compatibles. Ainsi, Goldstein (1990, p. 40-41) énumère au moins 13 différents enjeux dans la résolution d'un problème de prostitution. Il va sans dire que ces enjeux s'inscrivent dans différentes dimensions se situant à divers niveaux de la réalité sociale. Ainsi, Eck, Spelman *et al.* (1987, Sommaire, p. xv) font référence aux circonstances sous-jacentes d'un problème dans leur définition de la police axée sur la résolution de problèmes. Il semble donc qu'un problème comporte un élément de spécificité qui tend à en limiter la portée et à en simplifier la résolution, de même qu'un élément de multiplicité qui rend le problème plus vaste, plus complexe et beaucoup plus difficile à résoudre. Nous appellerons l'élément de spécificité l'«élément de contraction» et l'élément de multiplicité, l'«élément d'expansion». Ces éléments ne sont pas contradictoires mais divergents.

Les problèmes présentent une dernière caractéristique, aussi importante que les précédentes. La police doit traiter un grand nombre de problèmes parce qu'on n'a trouvé aucun autre moyen de les résoudre (Goldstein, 1979, p. 243). Ces problèmes sont résiduels et sont transmis à la police en raison de la fonction cruciale de dernière instance qu'elle joue en matière de contrôle. Toutefois, si elle est considérée comme dernière instance, elle ne peut en aucun cas être perçue comme une instance définitive. Goldstein fait ressortir combien la capacité de la police de résoudre les problèmes est limitée, malgré l'image d'omnipotence qu'elle projette (Goldstein, 1990, p. 179). Par conséquent, en raison de leur nature et des limites de l'intervention policière, un nombre important des problèmes auxquels la police doit faire face demeurent insolubles et ne peuvent être définitivement éliminés (Goldstein, 1990, p. 17 et 36).

Comment concevoir la réponse aux problèmes dont nous avons caractérisé la nature, si l'on s'en réfère aux œuvres des défenseurs de la police axée sur la résolution de problèmes? La réponse dépend des problèmes à résoudre, de la capacité de la police de les résoudre et des caractéristiques divergentes des problèmes eux-mêmes.

D'abord, la police peut intervenir de manière à éliminer les incidents à l'origine du problème (Eck, Spelman *et al.*, 1987, Sommaire, p. xvii). Ce type de problème, qui admet une solution définitive, se caractérise par ce que nous appelons l'élément de contraction et peut être résolu par une réponse sur mesure (Goldstein, 1990, p. 43-44 et chapitre 8). Toutefois, dans tous les cas qui présentent un élément d'expansion, la solution ne sera pas définitive : les incidents seront moins nombreux ou moins graves ou, du moins, la police trouvera des réponses mieux adaptées (Eck, Spelman *et al.*, 1987, Sommaire, p. 17). Dans le pire des cas, la police soumettra le problème à un autre organisme.

Ensuite, plus l'élément d'expansion du problème est important, plus la recherche d'une réponse de remplacement sera intensive, car la capacité de la police de résoudre le problème est plutôt limitée (Goldstein, 1977, chapitre 4 ; 1990, chapitre 8).

Enfin, l'action policière sera davantage perçue comme un geste de facilitation que comme une réelle intervention, « le rôle de la police ressemblant plus à celui des animateurs, qui aident et encouragent la communauté à maintenir ses normes de comportement, qu'à celui de l'organisme qui en assume l'entière responsabilité » (Goldstein, 1990, 179). Cette façon « managériale » de concevoir l'action de la police est quelque peu en désaccord avec la position plus autoritaire selon laquelle les pouvoirs de la police devraient être étendus, opinion que semble parfois partager Goldstein (1990, p. 128).

Comment pouvons-nous maintenant répondre à notre première question ? Existe-t-il dans le concept original de la police axée sur la résolution de problèmes des éléments qui expliqueraient pourquoi il est si difficile d'en évaluer l'efficacité ? La réponse à cette question est, dans une grande mesure, affirmative, et il n'y a pas lieu de se perdre en conjectures à ce sujet. C'est la théorie de la police axée sur la résolution de problèmes qui nous fournit ces réponses.

De son premier ouvrage, écrit en collaboration (McIntyre *et al.*, 1974, p. 6), à son dernier livre (Goldstein, 1990 : 49 et 147), Goldstein a toujours soutenu que les mesures courantes d'évaluation du rendement de la police, fondées notamment sur le taux de résolution des crimes, le nombre d'arrestations et de condamnations ou les actes d'héroïsme dans la lutte contre le crime, ne seraient pas satisfaisantes. Ces critères permettent uniquement d'évaluer le rendement policier sous le rapport de l'application de la loi, qui n'est que l'un des moyens à la disposition de la police et non sa fin ultime. Il est par ailleurs impossible d'évaluer la prévention du crime d'après des statistiques compilées sur les interventions policières.

Quels critères conviendraient donc? Les réponses sont à la fois prévisibles et décevantes. Elles sont prévisibles en autant qu'elles doivent être compatibles avec les principes fondamentaux de la théorie. La police axée sur la résolution de problèmes recherche essentiellement des réponses sur mesure; par conséquent, l'évaluation des interventions qui en découlent doit être également sur mesure (Goldstein, 1990). La difficulté réside dans le fait que cette réponse est formulée comme un programme dont on n'a pas commencé à ébaucher les grandes lignes.

En fait, le passage d'un élément de contraction à un élément d'expansion, illustré tant par la définition des problèmes que par la caractérisation des interventions, ressort aussi clairement de la théorie de l'évaluation. Goldstein (1990, p. 145) formule très exactement le dilemme fondamental que soulève l'évaluation:

> Lorsqu'une réponse précise est apportée à un problème précis, en particulier à un problème fini, son efficacité est souvent évidente. Juger de l'efficacité pour d'autres types de problèmes peut se révéler si complexe que même une expérience menée avec minutie et dans des conditions contrôlées, visant à isoler l'action policière des autres influences, ne pourrait produire des résultats significatifs.

Des efforts ont été entrepris pour produire de nouvelles mesures d'évaluation. L'une des mesures les plus connues est celle de Mastrofski (1983), qui a mené une recherche dans laquelle la connaissance du secteur de patrouille attribué au policier-patrouilleur fut employée comme critère de mesure de rendement. Pour être considéré bien informé, le policier devait simplement nommer un ou plusieurs groupes de citoyens remplissant différentes fonctions dans le secteur (par exemple, au sein d'un groupe de surveillance de quartier) (Mastrofski 1983, p. 55). Seulement 38,5 % des 888 répondants pouvaient identifier au moins un regroupement de citoyens. Les résultats furent soit prévisibles, soit déroutants. Par exemple, dans une analyse discriminante, la visibilité des regroupements de citoyens de chaque quartier était la variable de contrôle ayant la plus forte valeur explicative de la connaissance d'un policier-patrouilleur d'au moins un regroupement. Ce résultat était assez prévisible. Toutefois, chose étonnante, la recherche a également démontré que la quantité de temps qui n'était pas consacrée à des assignations précises était inversement proportionnelle à la connaissance qu'avaient les patrouilleurs d'un quartier. En d'autres termes, « accorder aux patrouilleurs de larges périodes de temps pendant lesquelles ils peuvent décider de ce qu'ils feront est moins favorable au développement d'une connaissance de leur secteur que de les maintenir occupés à répondre à ces appels de service » (Mastrofski, 1983, p. 58). Ce qui est inattendu dans ce résultat est que cette police purement réactive (*incident-driven policing*) est généralement mise en contraste avec la police communautaire et la police par résolution de problèmes. Ainsi, l'ouvrage de Sparrow *et al.* (1990) s'intitule précisément *Beyond 911*, c'est-à-dire, « Au delà du 911 ». Mastrofski a en fait démontré que l'activité principale de la police purement réactive — la réponse aux appels de service — semble être le meilleur moyen de connaître un quartier.

Conclusions

Nous avons exposé certaines des difficultés que pose l'évaluation de la police communautaire et de la police par résolution de problèmes. Avant de tirer des conclusions trop pessimistes, il serait peut-être opportun de se rappeler l'évaluation de Goldstein quant au stade que nous avons atteint dans notre tentative de réformer la police.

> Sur une échelle de un à dix, j'estime que nous n'avons même pas atteint le niveau un dans le développement de notre réflexion et, ce qui est encore plus important, dans la confirmation de certaines de nos hypothèses. (Goldstein, 1987, p. 26)

Nous croyons avoir démontré trois choses dans le présent chapitre. D'abord, il existe depuis la fin de la Seconde Guerre mondiale un mouvement continu préconisant la réforme de la police. Ce mouvement a donné naissance à une profusion de concepts, comme les unités locales de police, la police en équipe, la « patrouille-contact avec le citoyen », la surveillance de quartier, ainsi que plusieurs variantes de la police communautaire et de la police par résolution de problèmes, en plus d'autres tendances en matière de police coercitive (*intensive policing*), comme la patrouille de saturation, le contrôle des foules et la militarisation de la police qui accompagnent ces tendances. Le problème avec ces concepts est qu'ils sont, selon le cas, tantôt presque synonymes, tantôt antithétiques. La police communautaire est-elle simplement un vestige tactique du projet abandonné de mise en pratique de la police en équipe ou un nouveau paradigme qui incorpore toutes ces nouvelles initiatives? La prolifération de concepts, stratégies et tactiques ne manquera pas de semer la confusion au sein des forces policières. Cette confusion aura pour effet d'édulcorer les innovations nécessaires en matière de police et les ramener à l'assertion générale selon laquelle la véritable signification de ce mouvement est « une nouvelle manière de concevoir la police ». Nous craignons qu'une telle édulcoration n'équivaille à mettre en veilleuse tous les plans de réforme. En se contentant de penser correctement, on risque de différer indéfiniment toute forme d'action. Pour éviter de mettre en sommeil une réforme nécessaire, il faudra reconnaître que ces nouveaux concepts ne constituent pas des recettes applicable mécaniquement et qu'il serait futile de s'astreindre à une réforme orthodoxe. Il incombe à une force policière d'utiliser cette profusion de moyens de réforme comme un ensemble d'outils qui lui permettront la mise au point d'un modèle de police sur mesure répondant aux besoins particuliers d'un milieu donné (urbain, régional ou rural).

Ensuite, il nous semble peu judicieux de suivre l'exemple de Goldstein dans son article paru en 1987 ; il vaudrait mieux s'inspirer de son livre publié en 1990. Goldstein (1987) place la police axée sur la résolution de problèmes sous les auspices de la police d'orientation communautaire. À titre de stratégie de relations publiques, la police communautaire est une étiquette plus attrayante que la police axée sur la résolution de problèmes. Toutefois, le champ d'application de cette dernière est beaucoup plus vaste que celui de la police communautaire. Ainsi, elle n'est pas liée à l'existence d'une communauté dont la réalité ne saurait être réduite au simple fait du peuplement d'un secteur géographique donné. On pourrait, à cet égard, soutenir que l'une des tendances sociodémographiques les plus marquées dans nos environnements urbains est l'effondrement des communautés structurées et leur remplacement par un peuplement amorphe et transitoire. De plus, la police axée sur la résolution de problèmes n'est pas centrée sur un groupe particulier d'employés du service de police, contrairement au travail de la police communautaire, qui est surtout du ressort des patrouilleurs en uniforme. Il y a un sens immédiat à pratiquer la police axée sur la résolution de problèmes dans le travail d'enquête criminelle, domaine où le rôle de la police d'orientation communautaire est beaucoup moins évident. La mise en pratique du concept de la police d'orientation communautaire risque en outre de perpétuer le syndrome des moyens au détriment de la fin, comme nous avons tenté de le montrer.

Enfin, les difficultés que comportent l'évaluation de l'efficacité de la police axée sur la résolution de problèmes, sous le rapport des services dispensés, sont très concrètes et ne doivent pas être sous-estimées. Pour les aplanir, il nous faudra procéder par « essai et erreur », en nous assurant que notre engagement dans l'évaluation des prestations policières ne fléchira pas dans le temps. Les services de police devront faire face aux pressions du public et éviter le piège des expériences superficielles répétées qui tendent à s'annuler mutuellement et qui n'introduisent que des changements cosmétiques.

La plus grande difficulté en matière d'évaluation est de surmonter le problème de mesure que pose l'un des principes fondamentaux de la police axée sur la résolution de problèmes. Celle-ci se définit de façon significative par la recherche de solutions de rechange au système de justice pénale tel que nous le connaissons aujourd'hui. La reconnaissance de la nécessité de se constituer en réseau et d'intégrer les opérations de la police publique aux autres services de police (privée), et aux organisations non policières, gagne inexorablement du terrain. À cet égard, et afin de promouvoir une action complémentaire plus efficace (Morgan et Newburn, 1994), le comité britannique indépendant pour l'étude du rôle et de la responsabilité de la police (*British Independant Committee into the Role and Responsibility of the Police*) a récemment recommandé de définir avec plus de précision et de réglementer la relation qui s'établit entre les services publics et d'autres formes de police. Toutefois, plus nous étendons le rôle des partenaires d'une entreprise commune, plus on doit prévoir que la méthodologie de la recherche qui servira à évaluer leur rendement commun sera complexe. Nous ne voyons actuellement aucun moyen de contourner cette complexité tout en préservant l'engagement de la police axée sur la résolution de problèmes à trouver des solutions de rechange.

Post-scriptum

Après qu'il a été rédigé, ce texte a été soumis à Herman Goldstein dans sa version initiale anglaise. Dans une réponse qu'il nous fit aimablement parvenir par courrier (19 juin 1995), Herman Goldstein s'est déclaré d'accord avec l'essentiel de notre analyse et en particulier avec la nécessité de ne pas confondre la police communautaire avec la police axée sur la résolution de problèmes.

Bibliographie

BENNETT, T. *Evaluating Neighbourhood Watch*, Gower, Aldershot, 1990.

BITTNER, E. « Florence Nightingale in pursuit of Willie Sutton », *Aspects of Police Work*, NorthEastern University Press, Boston, 1990, p. 233-268.

BLOCK, P. B. et D. ANDERSON. *Policewomen on Patrol*, Police Foundation, Washington DC, 1974.

CHACKO, J. et D. NANCOO (sous la direction de). *Community Policing in Canada*, Canadian Scholars' Press, Toronto, 1974.

COHEN, B. et J. M. CHAIKEN. *Police Background Characteristics and Performance*, Lexington, MA, DC Health, 1972.

ECK, John E. et D. E. ROSENBAUM. « The new police order : Effectiveness, equity and efficiency in community policing », *in* D. P. Rosenbaum (sous la direction de), *The Challenge of Community Policing : Testing the Promises*, Thousand Oaks, Sage Publication, p. 3-26.

ECK, John E. et William SPELMAN. « Who ya gonna call ? The police as problem busters », *Crime and Delinquency*, 1987, volume 33, nº 1, p. 31-52.

ECK, John E., William SPELMAN, D. Hill, D. W. Stephens, J. R. Stedman et G. R. Murphy. « Problem solving : Problemoriented policing », Newport News, Police Executive

Research Forum et National Institute of Justice, ministère de la Justice des États-Unis, Washington DC, 1987.

GOLDSTEIN, Herman. *Policing a Free Society*, Ballinger Pub. Co., Cambridge, Mass., 1977.

GOLDSTEIN, Herman. «Improving policing: a problem-oriented approach», *Crime and Delinquency*, 1987, p. 236-258.

GOLDSTEIN, Herman. «Toward community-oriented policing: Potential, basic requirements, and threshold questions», Crime and Delinquency, volume 33, n° 1, p. 6-30, 1987.

GOLDSTEIN, Herman. *Problem-Oriented Policing*, Temple University Press, Philadelphie, 1990.

GREENE, Jack R. et S. MASTROFSKI (sous la direction de). *Community Policing: Rhetoric or Reality?*, New York, Praeger, 1988, p. 132-152.

GREENWOOD, P. W., J. PETERSILIA et J. CHAIKEN. *The Criminal Investigation Process*, Lexington, Mass., Heath, 1977.

HOLDAWAY, S. *Inside the British Police: A Force at Work*, New York, Basil Blackwell, 1984.

HORNICK, J. P., B. A. BURROWS, D. M. PHILIPS et B. LEIGHTON. «An impact evaluation of the Edmonton neigbourhood foot-patrol program», *in* J. Chacko et S. E. Nancoo (sous la direction de), *Community Policing in Canada*, Toronto, Canadian Scholars' Press, 1993, p. 311-332.

KELLING, G., T. TATE, D. DIECKMAN et C. BROWN. *The Kansas City Preventive Patrol Experiment: A Summary Report*, Police Foundation, Washington, DC, 1974.

KENNEDY, L. W. «The evaluation of community-based policing in Canada», *in* J. Chacko et S. E. Nancoo (sous la direction de), *Community Policing in Canada*, Toronto, Canadian Scholars' Press, 1993, p. 291-310.

LAMBERT, L. « Police mini-stations in Toronto : an experience in compromise, » *in* J. Chacko et S. E. Nancoo (sous la direction de), *Community Policing in Canada*, Toronto, Canadian Scholars' Press, 1993, p. 183-192.

MCELROY, J. E., C. A. Cosgrove et S. Sadd. *Community Policing : The CPOP in New York*, Newbury Park, Sage, 1993.

MCIVER, J. P. et R. G. PARKS. « Evaluating police performance : Identification of effective and ineffective police actions », *in* R. R. Bennett, (sous la direction de), *Police at Work : Policy Issues and Analysis*, Beverly Hills, CA, Sage Pub., 1983, p. 21-44,.

MCINTYRE, D. M., H. GOLDSTEIN et D. L. SKOLER. *Criminal Justice in the United States*, Chicago, American Bar Foundation, 1974.

MANNING, P. K. « Community policing », *American Journal of Police*, volume 3, n° 2, 1984, p. 205- 237.

MASTROFSKI, S. « Police knowledge of the patrol beat : A performance measure », R. R. Bennet (sous la direction de), *Police at Work : Policy Issues and Analysis*, Beverly Hills, CA, Sage Pub., 1983, p. 45-64.

MORGAN, R. et T. NEWBURN. « Radically rethinking policing », *New Law Journal*, volume 144, n° 6659, 5 août 1994, p. 1092-1093.

MOORE, M. H. « Problem-solving and community policing », *in* M. Tonry et N. Morris (sous la direction de), *Modern Policing, Crime and Justice : A Review of Research*, Chicago, University of Chicago Press, volume 15, 1992, p. 99-158.

MURPHY, C. « The development, impact and implications of community policing in Canada », *in* J. Chacko et S. E. Nancoo (sous la direction de), *Community Policing in Canada*, Toronto, Canadian Scholars' Press, 1993a, p. 13-26.

MURPHY, C. « Community problems, problem communities and community policing in Toronto », *in* J. Chacko et

S. E. Nancoo (sous la direction de), *Community Policing in Canada*, Toronto, Canadian Scholars' Press, 1993b, p. 193-210.

NORMANDEAU, A. et B. LEIGHTON. *A Vision of the Future of Policing in Canada: Police- Challenge 2000, Background Document*, Police and Security Branch, Ministry Secretariat, Solicitor general Canada, Ottawa, 1990.

PAWSON, R. et N. TILLY. «What works in evaluation research?», *British Journal of Criminology*, volume 34, n° 3, 1994, p. 291-306.

REINER, R. «Policing and the police», *in* M. Maguire, R. Morgan et R. Reiner (sous la direction de), *The Oxford Handbook of Criminology*, Oxford, Clarendon Press, 1994, p. 705-772.

RIZKALLA, S., S. ARCHAMBAULT et B. CARRIER. «La prévention communautaire du crime: un programme novateur», *Revue Canadienne de Criminologie*, volume 33, n°s 3-4, p. 421-434.

ROSENBAUM, D. P. (sous la direction de). *The Challenge of Community Policing: Testing the Promises*, Thousans Oaks, CA, Sage, 1994.

SADD, S. et R. GRINC. «Innovative neighbourhood oriented policing: An evaluation of community policing program in eight cities», *in* D. P. Rosenbaum (sous la direction de), *The Challenge of Community Policing: Testing the Promises*, Thousand Oaks, CA, Sage Pub., 1993, p. 27-52.

SHERMAN, L. W. «Policing Communities. What Works?», *in* A. J. Reiss et M. Tonry (sous la direction de), *Communities and Crime, Crime and Justice: A Review of Research*, Chicago, University of Chicago Press, volume 8, 1986, p. 343-386.

SHERMAN, L. W., C. H. MILTON et T. V. KELLY. *Team Policing: Seven Case Studies*, Washington DC, Police Foundation, 1973.

SHORT, C. «Community policing: Beyond slogans», *in* T. Bennet (sous la direction de), *The Future of Policing*,

Cambridge, UK, University of Cambridge Institute of Criminology, 1983.

SKOGAN, W. «Community policing in the US», *in* J. P. Brodeur (sous la direction de), *Comparisons in Policing: An International Perspective*, Londres, Avebury, 1997.

SKOGAN, W. «The impact of community policing on neighbourhood residents», D. P. Rosenbaum (sous la direction de), *The Challenge of Community Policing: Testing the Promises*, Thousand Oaks, CA, Sage Pub., 1993.

SKOGAN, W. *Disorder and Decline*, New York, The Free Press, 1990.

SKOLNICK, J. H. et D. H. BAYLEY. «Theme and variation in community policing», *in* M. Tonry et N. Morris (sous la direction de), *Crime and Justice: A Review of Research*, Chicago, University of Chicago Press, volume 10, 1988, p. 1-38.

SKOLNICK, J. H. et D. H. BAYLEY. *The New Blue Line: Police Innovation in Six American Cities*, New York, The Free Press, 1986.

SPARROW, M. K., M. H. MOORE et D. M. KENNEDY. *Beyond 911: A New Era for Policing*, New York, Basic Books, 1990.

SPARROW, M. K. «Implementing community policing», *Perspectives in Policing*, Washington DC, US Department of Justice, Office of Justice Program, National Institute of Justice, 1988, nᵒ 9.

SPIELBERGER, C. D., J. C. WARD et H. C. SPAULDING. «A model for the evaluation of law enforcement officiers», *in* C. D. Spielberger (sous la direction de), *Police Selection and Evaluation*, New York, Praeger, 1979.

WALKER, S. G., C. R. WALKER et J. C. MCDAVID. «Program impacts: the Victoria community police stations: a three-year evaluation», *in* J. Chacko et S. E. Nancoo (sous la direction de), *Community Policing in Canada*, Toronto, Canadian Scholars' Press, 1993, p. 333-346.

WEATHERITT, M. *Innovations in Policing*, Croom Helm, Police Foundation, 1986.

WEATHERITT, M. «Community policing: Does it work and how do we know?», *The Future of Policing*, T. Bennet (sous la direction de), Cambridge, UK, University of Cambridge Institute of Criminology, 1983.

Bilan provisoire de la recherche évaluative sur la police professionnelle de type communautaire

André Normandeau
Criminologue et professeur
Université de Montréal

L e mot de la fin en matière de police professionnelle de type communautaire (PPC) appartient en quelque sorte aux chercheurs qui, au cours des cinq dernières années, ont évalué empiriquement l'impact de la PPC. Nous n'avons pas l'intention, dans le cadre de cette conclusion, de tracer un bilan exhaustif des résultats de la recherche évaluative. En effet, un certain nombre d'auteurs ont publié récemment de tels bilans spécifiques. Nous référons le lecteur à notre «Guide de lecture sur la PPC» à la fin du présent ouvrage. Toutefois, nous nous permettons un mini-bilan plus global afin d'indiquer au lecteur quelques résultats généraux de la recherche évaluative. La recherche dans ce domaine, d'ailleurs, est encore fragmentaire puisque le modèle de PPC est plutôt récent et qu'il n'a pas encore été appliqué sur une large échelle. Par exemple, le Service de police de la Communauté urbaine de Montréal a piloté quelques projets de PPC de 1990 à 1995, mais le modèle n'est appliqué à l'ensemble du territoire que depuis le 1er janvier 1998. Le bilan général que nous vous proposons est donc provisoire, mais il indique déjà certains bénéfices de la PPC pour les citoyens et les policiers.

L'inventaire des principales études évaluatives couvre des villes nord-américaines fort diversifiées, telles que la Communauté urbaine de Montréal (Normandeau, 1990-1998; 1992; 1995), les villes canadiennes de Halifax, Ottawa, Toronto, Winnipeg, Calgary, Edmonton, Vancouver et Victoria (Chacko et Nancoo, 1993; Hornick et collaborateurs, 1990-1998) et quatorze villes américaines (National Institute of Justice, 1995-1998; Rosenbaum, 1994; Lurigio et Rosenbaum,

1994), dont deux études fouillées à New York (McElroy, Cosgrove et Sadd, 1993) et Chicago (Skogan *et al.*, 1993-1998).

La plupart de ces études tentent de mesurer l'impact de la PPC en tenant compte des buts généraux, des objectifs spécifiques et des stratégies des services de police.

Les buts (généraux)

1. Prévenir la criminalité et créer une meilleure qualité de vie.

2. Offrir des services de police « proactifs » visant à solutionner des problèmes plutôt que de répondre au cas par cas (incident individuel).

3. Offrir un service communautaire autant qu'un service de justice, en collaboration avec la communauté.

Les objectifs (spécifiques)

1. Réduire la criminalité réelle (taux de victimisation).

2. Réduire la criminalité apparente (taux de criminalité officielle).

3. Réduire le sentiment d'insécurité.

4. Réduire le nombre d'appels de service par téléphone.

5. Réduire le nombre et la gravité des plaintes contre le service et les policiers.

6. Accroître les renseignements utiles pour la prévention et la répression du crime.

7. Accroître le taux de solution de la criminalité apparente (en général et pour certains délits particuliers, comme le cambriolage dans les résidences privées).

8. Accroître la satisfaction du public envers la police.

9. Accroître la satisfaction au travail des policiers.

10. Accroître le nombre et la qualité des bénévoles ainsi que des comités consultatifs de citoyens.

11. Utiliser de façon plus efficace (coût-bénéfice) le temps et l'expertise des policiers ainsi que le budget du service ; nouvelles mesures d'efficacité dans la perspective de la police communautaire : le nombre et la qualité de contacts avec les citoyens, les commerçants, les associations., par exemple.

12. Solutionner certains problèmes communautaires, plus complexes, en partenariat avec les citoyens et les autres services publics et privés. (Par exemple, la violence de certains jeunes, la violence conjugale et familiale, la toxicomanie, etc.)

Les stratégies

1. Choisir et prioriser en terme de problèmes, de délits, de clientèles (criminels, victimes), de territoires géographiques, etc.

2. Déconcentrer et décentraliser le service de police (gestion participative).

3. Favoriser l'autonomie professionnelle des policiers, les responsabiliser et leur offrir une formation continue de qualité touchant les communications, le leadership, la définition et la solution de problèmes, les programmes de prévention.

4. Favoriser l'autonomie communautaire des bénévoles et des citoyens, les responsabiliser, et leur offrir une formation continue de qualité touchant les communications, les leadership, la définition et la solution de problèmes, les programmes de prévention.

5. Favoriser une plus grande visibilité de la police (minipostes, patrouilles à pied, îlotage, etc.)

Les instruments de mesure

La police traditionnelle utilisait à toutes fins pratiques un seul instrument de la recherche sociale : les statistiques officielles de la criminalité rapportée à la police (taux de criminalité apparente). On y ajoutait également les statistiques des arrestations et des taux de solutions, ainsi que le nombre et le temps de réponse aux appels des citoyens.

La police communautaire utilise plus largement les méthodes de recherche des sciences humaines :

1. L'analyse des statistiques, mais aussi l'analyse de contenu systématique des documents de toutes sortes.

2. L'entrevue qualitative (individuelle ou de groupe) auprès du personnel, des criminels, des victimes et du public, accompagnée d'une analyse systématique.

3. L'observation participante ou structurée, accompagnée d'une analyse systématique.

4. Le questionnaire et le sondage d'opinion publique, tel le sondage de victimisation, le sondage sur le sentiment d'insécurité, le sondage de satisfaction du personnel, du public.

En fait, la police communautaire ne fabrique pas elle-même, sauf exception, tous ces nouveaux instruments de mesure, mais elle collabore de plus en plus avec les chercheurs et intègre les résultats pour mieux comprendre et évaluer le travail du service et des policiers.

Mentionnons ici l'importance de la qualité des instruments de mesure et de l'analyse, en plus de celle du devis général de recherche. Ce dernier doit intégrer, lorsque c'est possible, des mesures *avant* le changement au modèle PPC, *pendant* les étapes de transition et d'implantation, et *après* le changement au modèle PPC.

De plus on doit comparer les résultats avec ceux d'autres quartiers ou d'autres services traditionnels de police afin d'établir si ces changements sont vraiment significatifs. Ainsi, le taux de criminalité pourrait diminuer d'un pourcentage relativement semblable pendant la même période sur le territoire d'un service traditionnel par rapport à un service PPC, ce qui indiquerait que d'autres variables que le virage PPC sont en jeu. L'analyse comparative *dans l'espace* est donc aussi fondamentale que l'analyse avant-pendant-après *dans le temps*.

Les résultats de la recherche : quelques faits saillants

Nous avons sélectionné certains résultats généraux portant sur quatre des cinq principaux critères utilisés pour évaluer l'efficacité du modèle de PPC. Citons d'abord ces derniers :

1. le taux de criminalité officielle et le taux de victimisation ;

2. le sentiment d'insécurité du public ;

3. la satisfaction du public ;

4. la satisfaction au travail des policiers.

Mentionnons que le cinquième critère est celui de la résolution des problèmes, mais que nous ne nous y attarderons pas, car des mesures appropriées n'ont malheureusement pas été développées à ce sujet. Une bonne partie de l'avenir et de la crédibilité du modèle de PPC repose sur ce test absolument crucial.

Signalons donc quelques résultats significatifs à partir des quatre autres critères. Ces résultats, il est primordial de le mentionner, sont tirés d'études « sérieuses et rigoureuses » dans le cas de modèles de PPC en action également « sérieux et rigoureux ».

1. Taux de criminalité officielle et taux de victimisation

En général, les taux de criminalité officielle n'ont pas été analysés de façon rigoureuse par les chercheurs nord-américains. Les raisons criminologiques classiques de validité et de fiabilité « douteuses » des statistiques officielles ont souvent guidé ce choix. Malgré ce choix défendable, la relation positive entre une diminution de la criminalité officielle et la PPC est régulièrement soulignée depuis peu. Par exemple, le dernier rapport (juillet 1996) de Statistique Canada sur les tendances de la criminalité officielle au Canada nous signale un taux de criminalité à la baisse pour la quatrième année consécutive. De là à conclure que le modèle PPC en est la cause, il n'y a qu'un pas ! Heureusement que Statistique Canada ne saute pas aux conclusions, car nous savons que le modèle PPC n'est pas encore appliqué de façon suffisamment générale et rigoureuse pour nourrir la plausibilité de cette hypothèse. Nous connaissons trop une certaine tradition ambigüe des services de relations communautaires de la police pour s'y faire prendre. En effet, lorsque le taux de criminalité baisse, la police se vante que son travail en est responsable, que le service de police fait la différence. Par contre, lorsque le taux augmente, le même service est prompt à tenir un tout autre discours, affirmant que le travail de la police est mineur par rapport aux facteurs liés à la délinquance (socioéconomique, culturelle, psychologique, etc.) Cela dit, l'hypothèse la plus sage pour l'instant est probablement celle de Statistique Canada qui, à ce sujet, nous signale que : « En résumé, il est difficile d'évaluer les incidences, s'il y a lieu, des initiatives de police communautaire sur les statistiques officielles des crimes déclarés à la police » (1996, p. 3).

Par contre, les études de victimisation (par sondage) indiquent que les citoyens sous le régime de la PPC ont été moins souvent victimes de violence ou de vol, **de l'ordre de 10 % à 40 %**, que les autres citoyens, *dans le temps* (« avant-après » la PPC) et *dans l'espace* (quartier expérimental - quartier contrôle). La perception d'une diminution de la criminalité est également du même ordre entre les deux groupes.

Note: Deux interrogations critiques sont de mises. La pre-mière concerne le phénomène de «déplacement de la crimina-lité» d'une ville à l'autre, ou d'un quartier à l'autre, selon les programmes de prévention et le modèle de police en action. La seconde est soulevée par plusieurs auteurs. Comment se fait-il que les études évaluatives sur la police communautaire utilisent si peu le critère classique des taux de criminalité offi-cielle, malgré les limites des statistiques officielles ? Avons-nous peur des résultats qui, comme aux États-Unis et en Angleterre, indiquent, à l'occasion, qu'il n'y a pas de diffé-rence significative à ce sujet «avant et après» les projets com-munautaires ? Est-ce le scepticisme sur la validité et la fiabilité des statistiques ? Est-ce la difficulté, quelquefois, de collecte, d'analyse, de comparaison systématique ?

2. Le sentiment d'insécurité

Le sentiment d'insécurité du public, que l'on appelle communément «la peur du crime», tel que mesuré par son-dage, diminue de façon sensible *dans le temps* et *dans l'espace*, au niveau de la ville ou d'un quartier, sous la protection d'une police de type communautaire. L'ordre de grandeur est de 25 % à 50 %, sauf exception, lorsque le modèle commu-nautaire est vraiment en vigueur.

Certains services de police affirment maintenant que leur objectif principal est dorénavant d'augmenter le senti-ment de sécurité des citoyens à titre d'indice de qualité de vie communautaire. L'article célèbre de Wilson et Kelling sur «les fenêtres brisées et la police communautaire» a légitimé cette approche, en valorisant la «lutte au désordre et à la petite délinquance» pour mobiliser les citoyens et pour aug-menter le sentiment de sécurité.

Note: Observons qu'un service de police communautaire est, de par sa nature, un service de relations communautaires. Si la qualité des relations police-communauté est bonne, il est certain que l'indice du sentiment d'insécurité diminuera, même si, par hypothèse, les taux de criminalité demeuraient au même niveau ou même augmentaient. C'est pourquoi, à notre avis, les deux mesures (taux de criminalité/victimisation et taux de sécurité) sont utiles pour évaluer le programme.

3. La satisfaction du public

Mesurés par sondage, les indices de satisfaction au sujet de la police communautaire sont supérieurs, *dans le temps* et *dans l'espace*, de 25 % à 35 % par rapport à la police traditionnelle.

Cette satisfaction additionnelle s'appuie sur des perceptions comme l'efficacité du service de police, sur la visibilité et la disponibilité des policiers, sur la confiance de la qualité du suivi et sur l'appréciation des programmes de prévention. Une telle amélioration de la satisfaction du public en général se retrouve également dans des études plus spécifiques auprès d'échantillons de commerçants et de citoyens impliqués dans des associations communautaires ou même des groupes de pression. Notons une observation significative: plusieurs journalistes et la plupart des éditorialistes de la presse écrite et radio-télévisée appuient ouvertement, à leur façon, le modèle PPC.

Note: Certes, la police communautaire s'est donnée, selon l'expression de l'entreprise privée, une «approche-client». Une certaine promotion est de rigueur. On s'occupe, on se préoccupe de plus en plus du citoyen. Il n'est donc pas surprenant que le citoyen soit relativement satisfait. Par contre, il ne faut pas trop idéaliser cet instrument de mesure, mais tout simplement l'utiliser à bon escient, avec les nuances appropriées.

4. La satisfaction au travail des policiers

La psychosociologie du travail et les relations industrielles utilisent depuis fort longtemps cet instrument de mesure, non seulement pour l'entreprise privée, mais également pour les grands services publics. Les services publics de police, toutefois, y avaient échappé, sauf exception.

Certaines études ont fait le tour du jardin de cette approche. Le concept-clé des études est celui de «la qualité de la vie au travail». L'étude *dans le temps* et *dans l'espace* indique clairement l'ampleur du changement organisationnel :

— une plus grande satisfaction générale et spécifique des policiers pour leur travail ;

— un enrichissement sensible de leurs tâches et de leurs fonctions ;

— une plus grande participation aux décisions dans le cadre d'un modèle de gestion participative ;

— une place plus importante pour l'autonomie professionnelle, l'initiative personnelle et collective, l'imagination créatrice et les projets innovateurs.

Voici un indice symbolique mais significatif : on parle d'un accroissement de la **productivité** de l'ordre de **20 %** si on utilise, par exemple, le critère de la diminution des jours de maladie.

D'autres études, fort nombreuses, à l'aide d'échelles de plus de 100 indicateurs, démontrent de façon significative que le policier communautaire est plus satisfait de l'ensemble de son travail que le policier traditionnel. La satisfaction se reflète spécifiquement sur les dimensions suivantes :

— le climat général de travail ;

— la motivation personnelle au travail ;

— l'implication personnelle au travail ;

— la croissance personnelle et professionnelle ;

— la qualité des politiques, des directives, de la supervision ;

— le système et les critères de promotion et de carrière ;

— les conditions matérielles du contexte de travail ;

— la communication et la collaboration des citoyens.

Certaines études, tout en constatant également la satisfaction des policiers communautaires, signalent que ces derniers réclament à juste titre une formation plus approfondie afin de relever le défi du « communautaire ».

> *Note*: Il faut évidemment calibrer cet instrument de mesure. Il est normal que l'enthousiasme d'un nouveau modèle de police, surtout compte tenu de sa dimension communautaire, jette un éclairage positif sur le travail quotidien du policier. C'est neuf. C'est valorisé par les élus politiques et les citoyens. C'est un défi. Pourquoi pas ? On joue le jeu. On est d'abord très satisfait. La psychosociologie appelle ce phénomène « l'effet de halo ». Habituellement, cet effet diminue par la suite, selon les événements. Il faudra donc alimenter cette satisfaction initiale, car la satisfaction au travail des policiers sera primordiale pour le test de ce changement d'une police traditionnelle à une police communautaire.

L'avenir de la police communautaire

Dans le contexte économique difficile de cette fin de siècle, il est évident que la police communautaire ne se développera et n'imposera son modèle que si une recherche évaluative de qualité permet d'en préciser et d'en corriger le tir et les modalités au fur et à mesure. De façon plus générale, la recherche en matière de police est encore sous-développée, mais l'avenir est prometteur.

L'avenir de la police communautaire dépend également d'un certain nombre d'interrogations auxquelles il faudra répondre adéquatement, par exemple :

— Les résistances au changement (misonéisme) seront-elles aussi fortes que celles qui s'opposent depuis fort longtemps aux mesures pénales communautaires (*community corrections*) ? L'idéal de la police communautaire sera-t-il complémentaire à l'idéal de la réinsertion sociale communautaire ?

— Doit-on planifier les changements dans la perspective d'une stratégie étapiste (*incremental approach*) ou d'une stratégie de mutation rapide? Une réforme à petite dose ou une réforme à grand pas?

— Pour atteindre les objectifs de la police communautaire, comment peut-on utiliser à bon escient les directions et les syndicats de la police, l'opinion publique, les leaders d'opinion, les élus politiques, les associations et les groupes de pression?

— Comment canaliser ou contourner ces lourdes contraintes:

1. La sous-culture policière;

2. Le souhait des citoyens de pouvoir appeler la police en tout temps et pour presque tous les problèmes de nature criminelle ou non;

3. L'évolution historique vers la spécialisation alors que la police communautaire prône l'approche globale.

— Quels sont les critères pour évaluer un service de police communautaire? Quels sont les critères de productivité des policiers? Comme le signale Brodeur (1990), «comment évaluer la performance d'un solutionneur de problèmes sociaux»?

Conclusion

Dans le domaine de la police communautaire, il y a des projets forts intéressants au Québec, au Canada, aux États-Unis et en Europe. Ces projets sont des pistes pour l'avenir. La police communautaire, c'est la voie de l'avenir en matière de sécurité publique, principalement pour les trois raisons suivantes :

1. Tout le monde sait maintenant que la police traditionnelle ne fonctionne plus. Selon la recherche criminologique, la patrouille policière en automobile, la rapidité de l'intervention et l'enquête policière n'ont pas d'effets significatifs sur les taux de criminalité, de solution, en particulier dans certains centres-villes nord-américains ou dans certaines banlieues françaises et européennes.

2. Les budgets de la police sont relativement plafonnés pour l'avenir prévisible. La seule façon de générer de nouvelles ressources pour la police et la sécurité des citoyens est de mobiliser des ressources humaines internes et externes. Une nouvelle façon de travailler, en partenariat avec la communauté et avec les autres services publics et privés.

3. La police communautaire est la seule stratégie qui puisse affronter la peur principale à l'esprit des policiers et des citoyens en milieu urbain. Ce que les gens craignent le plus, c'est la violence collective de la part des groupes défavorisés dans les communautés urbaines, souvent selon des lignes de démarcation raciales et ethniques.

La police communautaire est la seule stratégie permettant de rejoindre ces groupes, les communautés culturelles, les jeunes en révolte, et d'améliorer leurs conditions sociales et économiques.

Sous le signe du respect. Sous le signe de la volonté. Sous le signe de la collaboration. Sous le signe de l'humanité et des droits de la personne. Et sans condescendance.

Seule, la police ne peut réhabiliter le tissu social urbain, éliminer ou même diminuer sensiblement la criminalité et le sentiment d'insécurité publique. Mais en partenariat...

Sans rêver en couleur, de façon modeste, nous pouvons affirmer, à la lumière des projets concrets de police communautaire depuis quelques années, que la police et ses partenaires ont réussi en partie à ouvrir une nouvelle voie pour l'avenir.

L'on a déjà dit (Sellin, 1980) :

« L'enthousiasme doit être nourri par de nouvelles actions, de nouvelles aspirations, de nouveaux efforts et de nouvelles visions. »

— De « nouvelles visions » en matière de police communautaire ;

— De « nouveaux efforts » en matière de recherche criminologique ;

— De « nouvelles aspirations » des policiers et de la communauté ;

— De « nouvelles actions » des policiers, des élus politiques, des services publics et privés, des citoyens en général.

Ce livre en a partagé quelques unes avec vous.

Quels sont les vôtres ?

Bibliographie

Note au lecteur : Le lecteur retrouvera les références mentionnées dans ce chapitre et d'autres références pertinentes dans le « Guide de lecture sur la PPC » proposé au dernier chapitre de ce livre qui suit immédiatement celui-ci. Les références essentielles sont les suivantes :

BRODEUR, J. P. « Police et sécurité en Amérique du Nord », *Les cahiers de la sécurité intérieure*, Paris, 1990, n° 0, p. 203-240.

CHACKO, J. et S. NANCOO (sous la direction de). *Community Policing in Canada*, Toronto, Canadian Scholars' Press, 1993.

HORNICK, J. *et al. Community Policing in Calgary and Edmonton*, Série d'études, Ottawa, Solliciteur général du Canada, 1990-1998.

LURIGIO, A. et D. ROSENBAUM, (sous la direction de). «Community policing», *Crime and Delinquency*, numéro spécial, 1994, volume 40, n° 3, p. 297-468.

MCELROY, J., C. COSGROVE et S. SADD. *Community Policing: the POP in New-York*, Newbury Park, CA, Sage, 1993.

NATIONAL INSTITUTE OF JUSTICE. Série de rapports de recherche sur la police communautaire, US Department of Justice, Washington, DC, 1995-1998.

NORMANDEAU, A. (sous la direction de). Série de rapports de recherche sur la police professionnelle de type communautaire, Groupe de recherche sur la police québécoise (GRPQ), Centre international de criminologie, Université de Montréal, 1990-1998.

NORMANDEAU, A. «L'évaluation de la police communautaire au Canada», *in* J. Borricand (sous la direction de), *La prévention de la criminalité en milieu urbain*, Aix-en-Provence, Presses Universitaires d'Aix-Marseille, 1992, p. 159-172.

NORMANDEAU, A. «L'évaluation de la police communautaire en Amérique», *Revue internationale de philosophie pénale et de criminalité de l'acte*, Paris, 1995, volume 5, n° 7, p. 157-172.

PEAK, K. J. et R. W. GLENSOR. *Community Policing and Problem-Solving: Strategies and Practices*, New Jersey, Prentice-Hall, 1996.

ROSENBAUM, D. (sous la direction de). *The Challenge of Community Policing: Testing the Promises*, California, Sage, 1994.

SKOGAN, W. *et al. Community Policing in Chicago*, The Chicago Community Policing Evaluation Consortium, Center for Urban Affairs and Policy Research, Chicago, Northwestern University, 1993-1998.

Guide de lecture sur la police professionnelle de type communautaire

André Normandeau
Criminologue, professeur
Université de Montréal

Introduction

L a littérature sur la police professionnelle de type communautaire est relativement abondante depuis 1990. Nous avons donc sélectionné en priorité les livres les plus importants sur le sujet, autant en langue française qu'en langue anglaise. Les articles de revues professionnelles, les rapports polycopiés d'études et de recherches ainsi que les travaux d'étudiants sont maintenant trop nombreux pour les répertorier, sauf s'il s'agissait d'une bibliographie exhaustive. Toutefois, dans la perspective du guide que nous vous présentons, nous avons retenu quelques articles, rapports et travaux publiés en langue française. Notre guide couvre en particulier la période de 1990 à 1995, même si nous nous sommes permis d'indiquer quelques livres clés des années 1985 à 1989 qui ont été des précurseurs ainsi que quelques livres récents (1996 à 1998).

Nous avons choisi de diviser ce guide en huit volets :

1. Livres des précurseurs : 1985-1989

2. Livres contemporains : 1990-1995

3. Livres récents : 1996-1998

4. Articles en langue française : 1990-1995

5. Collections spéciales : 1980-1995

6. Revues sur la police : 1990-1995

7. Rapports et travaux en langue française : 1990-1995

8. Rapports publics municipaux et provinciaux au Québec et au Canada : 1990-1995

1. Livres des précurseurs : 1985-1989

MURPHY, C. et MUIR, G. *Les Services de police communautaires : un examen de la question*, Ottawa, ministère du Solliciteur général du Canada, 1985, résumé : 37 p., rapport : 150 p. En version anglaise également.

Il s'agit du « premier » travail canadien sur la police communautaire.

BAYLEY, D. et SKOLNICK, J. *The New Blue Line : Police Innovation in Six American Cities*, New York, Free Press, 1986, 250 p.

Ces deux auteurs sont souvent cités ; ils ont signé plusieurs articles et livres sur la police, souvent dans une perspective comparative internationale.

GREENE, J. et MASTROFSKI, S. (sous la direction de). *Community Policing : Rhetoric or Reality*, New York, Praeger, 1988, 350 p.

Une excellente collection des « meilleurs » articles américains ; il y a aussi un chapitre sur le Canada et un autre sur l'Angleterre.

NATIONAL INSTITUTE OF JUSTICE. *Perspectives on Policing*, série de douze brochures, Washington, DC, NIJ et l'Université Harvard, 1988-1990.

De lecture facile et pratique, un « must » !

2. Livres contemporains : 1990-1995

BAYLEY, D. *Police for the Future*, New York, Oxford University Press, 1994, 187 p.

Ce livre écrit par l'un des principaux « penseurs » sur la police fait un bilan des travaux en Australie, au Canada, en Angleterre, au Japon et aux États-Unis.

BEYER, L. *Community Policing : Lessons from Victoria*, Canberra, Australian Institute of Criminology, 1993.

Un livre qui présente l'état de la situation en Australie ainsi que les résultats empiriques d'un projet expérimental à Victoria.

BRODEUR, J. P. (sous la direction de). *Comparisons in Policing : An International Perspective*, Brookfield, VT, Ashgate, 1995, 242 p.

Un collectif sur la police en Europe en général ; toutefois, deux chapitres traitent de la police communautaire en France et aux États-Unis.

CHACKO, J. et NANCOO, S. (sous la direction de). *Community Policing in Canada*, Toronto, Canadian Scholars' Press Inc., 1993, 362 p.

Ce recueil contient les « meilleurs » travaux canadiens sur la police communautaire.

COX, S. M. et FITZGERALD, J. D. *Police in Community Relations : Critical Issues*, Chicago, Brown and Benchmark, 1996.

Ce livre établit une distinction importante entre les « relations communautaires » et la « police communautaire », ainsi que leur complémentarité. Il y a d'ailleurs une littérature abondante sur ce thème des relations communautaires.

DUNHAM, R. G. et ALBERT, G. P. (sous la direction de). *Critical Issues in Policing*, Illinois, Waveland Press, 1993, 614 p.

Voir en particulier la section VI sur la police communautaire, p. 367-465.

FRIEDMAN, R. Community Policing : Comparative Perspectives and Prospects, New York, St-Martin's Press, 1992, 261 p.

Ce livre compare la police communautaire au Canada, en Angleterre, en Israël et aux États-Unis.

GOLDSTEIN, H. *Policing a Free Society*, Cambridge, Mass., Ballinger, 1977, 225 p.

Le livre de base initial d'un pionnier de la sociologie de la police.

GOLDSTEIN, H. *Problem-Oriented Policing*, New York, Mc Graw-Hill, 1990, 206 p.

C'est la « bible » de la police d'expertise, de la police professionnelle de type communautaire ; l'auteur est le « gourou » du modèle.

KAPPELER, V. E. (sous la direction de). *The Police and Society*, Illinois, Waveland Press, 1995, 405 p.

Un collectif typique sur la police américaine.

KLOCKARS, C. et MASTROFSKI, S. (sous la direction de). *Thinking About Police : Contemporary Readings*, New York, Mc Graw-Hill, 1991, 551 p.

Voir en particulier la section VII sur la police communautaire, p. 477-542.

KRATCOSKI, P. C. et DUKES, D. (sous la direction de). *Issues in Community Policing*, Cincinnati, Anderson, 1995, 310 p.

Un collectif des projets récents sur la scène américaine.

LAPLANTE, L. *La Police et les valeurs démocratiques*, Québec, IQRC, 1991, 124 p.

Ce petit livre est une réflexion personnelle d'un journaliste sur la police. Plusieurs idées traitent des relations « police » et « communauté ».

LURIGIO, A. et ROSENBAUM, D. (sous la direction de). « Community Policing », Numéro spécial de la revue *Crime and Delinquency*, California, Sage, 1994, vol. 40, no 3, p. 299-468.

Un aperçu de plusieurs projets américains en cours ; une excellente collection de textes originaux sur des expériences concrètes de police communautaire dans une vingtaine de villes américaines.

McCORMICK, K. et VISANO, L. (sous la direction de). *Understanding Policing*, Toronto, Canadian Scholars' Press Inc., 1992, 704 p.

Ce recueil contient les « meilleurs » travaux canadiens sur la police en général.

McELROY, J., C. COSGROVE et S. SADD. *Community Policing : The CPOP in New York*, California, Sage, 1993, 259 p.

Une « bonne » étude empirique sur la police communautaire « en action » à New York ; deux excellents appendices pratiques.

MILLER, L. et K. HESS. *Community Policing : Theory and Practice*, Minneapolis/St-Paul, West, 1994, 547 p.

Un livre d'introduction générale sur la police communautaire écrit par deux femmes, une policière et une universitaire. Un manuel pédagogique (97 pages) fort utile est également disponible.

MINISTÈRE DU SOLLICITEUR GÉNÉRAL DU CANADA. *Collection Police Communautaire*, Ottawa, MSGC, 1994. Série de douze manuels pratiques, également disponibles en version anglaise.

Un suivi pratique des travaux de Normandeau et Leighton (1990, 1991).

MINISTÈRE DU SOLLICITEUR GÉNÉRAL DU CANADA/CENTRE INTERNATIONAL DE CRIMINOLOGIE COMPARÉE DE L'UNIVERSITÉ DE MONTRÉAL. Collection *Colloque sur l'évaluation de la performance policière — Workshop on Evaluating Police Service Delivery*, 1995. Série de quinze articles. En version anglaise seulement, malgré le titre bilingue, à l'exception de deux articles en français.

Un collectif d'articles originaux sur la police, sous la responsabilité de J. P. Brodeur et B. Leighton. Certains articles traitent de la police communautaire.

MOORE, M. « Problem-Solving and Community Policing », *in* M. Tonry et N. Morris (sous la direction de), *Modern Policing*, Chicago, University of Chicago Press, 1992, p. 99-158.

Cette collection de haut niveau (606 pages) fait le tour des connaissances contemporaines en matière de police.

NORMANDEAU, A. et B. LEIGHTON. *Une Vision de l'avenir de la police au Canada : Police-Défi 2000*, Ottawa, ministère du Solliciteur général du Canada, 1990, vol. 1, 52 p. ; vol. 2, 153 p. En version anglaise également.

Une consultation auprès de plus de 500 Canadiens autour du modèle de police communautaire.

PEAK, K.J. et GLENSOR, R.W. *Community Policing and Problem Solving : Strategies and Practices*, New Jersey, Prentice Hall, 1995.

Ce livre, à la jonction de la théorie et de la pratique, fait le lien entre les aspects proprement communautaires et les aspects spécifiquement professionnels du modèle « COPPS » (*Community Oriented Policing and Problem Solving*). Un chapitre substantiel sur la police communautaire en dehors des États-Unis est présenté, dont une section sur le Canada. L'ouvrage a été écrit par un universitaire et par un policier d'expérience. Il y a de nombreux exemples pratiques tout le long de ce volume probablement le plus complet sur le sujet à l'heure actuelle.

RADELET, L. et D. CARTER. *The Police and the Community*, New York, MacMillan, 1994.

Une introduction « classique » à la police, en général, ainsi qu'à la police communautaire, en particulier, par un universitaire *et* un policier.

REINER, R. (sous la direction de). *Police*, Brookfield, VT, Ashgate, 1995, vol. 1, 240 p. ; vol. 2, 260 p.

Un collectif en deux volumes des « meilleurs » articles sur la police, dont un certain nombre traite de la police communautaire.

ROSENBAUM, D. (sous la direction de). *The Challenge of Community Policing : Testing the Promises*, California, Sage, 1994, 320 p.

Un collectif des études « évaluatives » les plus intéressantes aux États-Unis ; en complément du livre de Peak et Glensor, c'est le livre le plus complet pour le lecteur qui n'a le temps que de lire un seul livre sur le sujet ; il y a aussi un chapitre sur le Canada et un autre sur l'Angleterre.

SKOGAN, W. *Disorder and Decline : Crime and the Spiral of Decay in American Neighborhoods*, New York, Free Press, 1990, 250 p.

Une perspective sociale de fond qui justifie la police communautaire et le partenariat des services publics et privés.

SKOGAN, W. *et al. Community Policing in Chicago*, Chicago, The Chicago Community Policing Evaluation Consortium, 1990-1995. Série de douze rapports.

Il s'agit d'une excellente recherche évaluative approfondie du modèle de police communautaire à Chicago.

SPARROW, M., M. MOORE et D. KENNEDY. *Beyond 911 : A New Era for Policing*, New York, Basic Books, 1990, 269 p.

Un livre populaire sur la police communautaire par deux universitaires et un policier ; en livre de poche, une aubaine !

TOCH, H. et D. GRANT. *Police as Problem Solvers*, New York, Plenum, 1991, 255 p.

Une étude de « police d'expertise » (*Problem-Oriented Policing*) à Oakland, Californie.

TROJANOWICZ, R. et B. BUCQUEROUX. Community Policing : a Contemporary Perspective, Cincinnati, Anderson, 1990, 425 p.

Une « bonne » lecture d'introduction sur le sujet, par l'un des « pères intellectuels » de la police communautaire, Trojanowicz.

TROJANOWICZ, R. et B. BUCQUEROUX. *Community Policing : How to Get Started*, Cincinnati, Anderson, 1993, 173 p.

Un livre relativement pratique, dont un chapitre sur la « job » de policier communautaire et un autre sur l'évaluation de la performance des policiers.

3. Livres récents : 1996-1998

ALPERT, G. P. et A. L. PIQUERO (sous la direction de). *Community Policing : Contemporary Readings*, Illinois, Waveland Press, 1998.

CHALOM, M. *Le policier et le citoyen : pour une police de proximité*, Montréal, Liber, 1998.

COMMUNITY POLICING CONSORTIUM (depuis 1996). *Community Policing Exchange*, Washington, DC, Department of Justice. Un bulletin orienté vers l'échange d'information pratique. Le ministère de la Justice des États-Unis a créé en 1996 un

Centre de recherche appliquée, en collaboration avec plusieurs partenaires: le «Police Research Institute: Office of Community Oriented Policing Services».

CORDNER, G., L. GAINES, et V. KAPPELER. *Police Operations: Analysis and Evaluation*, Cincinnati, Anderson, 1996. Voir la section V, «Community Policing and Problem- Solving», p. 365-522.

DUNHAM, R. et G. ALPERT (sous la direction de). *Critical Issues in Policing*, Illinois, Waveland Press, 1998, 3ᵉ édition. Voir la section VI, «Community-Based Policing», p. 391-503.

FELTES, F. et D. DOLLING (sous la direction de). *Community Policing: Comparative Aspects of Community Oriented Police Work*, Holzkirchen/OBB, Felix Verlag, 1998. Réimpression.

FIELDING, G. *Community Policing*, Oxford, Oxford University Press, 1996.

KAPPELER, M., M. GAINES, R. TROJANOWICZ et B. BUCQUE-ROUX. *Community Policing: A Contemporary Perspective*, Cincinnati, Anderson, 1998, 2ᵉ édition. Plusieurs nouveaux chapitres.

KELLING, G. et C. COLES. *Fixing Broken Windows*, New York, Free Press, 1996.

MONJARDET, D. *Ce que fait la police: sociologie de la force publique*, Paris, Éditions La Découverte, 1996. Voir en particulier les pages 248 à 256 sur la police communautaire.

OLIVER, W. M. *Community-Oriented Policing: A Systemic Approach to Policing*, New Jersey, Prentice Hall, 1998.

SKOGAN, W. *et al. Community Policing in Chicago*, Chicago, The Chicago Community Policing Evaluation Consortium, 1996-1998. Série de dix rapports.

SKOGAN, W. et S. HARTNETT. *Community Policing, Chicago Style*, New York, Oxford University Press, 1997.

STRECHER, V. *Planning Community Policing: Goal Specific Cases and Exercises*, Illinois, Waveland Press, 1997.

THURMAN, Q. C. et MCGARRELL, E. F. (sous la direction de) Community Policing in a Rural Setting, Cincinnati, Anderson, 1997.

VANDEN BROECKS, T. et C. ELIARTS, Community Policing, Bruxelles, Politeia VZW, 1998. Réimpression. En langue flamande. Résumé-synthèse de 20 pages en langue française en tiré-à-part.

WEISHEIT, R., D. FALCONE et L. WELLS. Crime and Policing in Rural and Small-Town America, Illinois, Waveland Press, 1996.

> *Note*: Les organismes américains suivants ont produit plusieurs publications sur la police professionnelle de type communautaire, de 1996 à 1998: National Center for Community Policing, National Institute of Justice, Police Executive Research Forum, Police Foundation, International Association of Chiefs of Police. Le lecteur est invité à consulter leurs listes de publications.

4. Articles en langue française : 1990-1995

ANDERSON, J. «La police communautaire au Canada: bien plus qu'un exercice de relations publiques», *La Gazette* (GRC), 1995, vol. 57, n° 3, p. 18-21.

ARCHAMBAULT, S. et S. RIZKALLA. «La nouvelle orientation des services de police: le communautaire», *Ressources-et-vous*, Montréal, Société de criminologie du Québec, numéro de janvier-février 1992, p. 1-4.

BRODEUR, J. P. «Police et sécurité en Amérique du Nord», *Les Cahiers de la sécurité intérieure*, Paris, 1990, numéro 0, p. 203-240.

BRODEUR, J. P. «Policer l'apparence», *Revue canadienne de criminologie*, Ottawa, 1991, vol. 33, n°s 3-4, p. 285-332.

CHALOM, M. «La police communautaire: vers un nouveau paradigme de la prévention?», *Revue internationale d'action communautaire*, 30/70, Montréal, 1993, p. 155-161.

CHALOM, M. «L'organisation policière de proximité», *Revue internationale de criminologie et de police technique*, Genève, 1994, vol. 47, n° 3, p. 339-354.

D'EER, M., T. GABOR et A. NORMANDEAU. «La police: Un nouveau professionnalisme?», *Revue de science criminelle et de droit pénal comparé*, Paris, 1991, vol. 75, n° 4, p. 734-745.

DESBIENS, D. «Le crime et la peur du crime: le projet de police communautaire ACES», *in* M. Chalom et J. Kousik (sous la direction de), *Violence et Déviance à Montréal*, Montréal, Liber, 1993, p. 46-50.

DESBIENS, D., B. LEGROS, M. BOURRET et A. RICHER. «L'action concertée: une application pratique de la police communautaire par les membres du groupe ACES», *Ressources-et-vous*, Montréal, Société de criminologie du Québec, numéro de novembre-décembre 1992, p. 1-4.

FOURCAUDOT, M. et L. PRÉVOST,. «La police communautaire», chapitre 4 de leur livre *Prévention de la criminalité et relations communautaires*, Montréal, Modulo Éditeur, 1991, p. 83-105.

GLEIZAL, J. J., J. GATTI-DOMENACH et C. JOURNÈS. «La police communautaire», dans leur livre *La police: le cas des démocraties occidentales*, Paris, PUF, 1993, p. 361-371.

INTERSECTION, bulletin d'information et de liaison sur la police professionnelle de type communautaire, Montréal, Collège de Maisonneuve, 1994+.

JANKOWSKI, B. «La police de proximité», *Les Cahiers de la sécurité intérieure*, Paris, 1993, n° 13, p. 209-230.

JOURNAL DU COLLÈGE CANADIEN DE POLICE, Ottawa, CCP, 1977-1994. Plusieurs articles sur la police communautaire.

LOUBET DEL BAYLE, J. L. «Police et politique», dans son livre *La police: approche socio-politique*, Paris, Montchrestien, 1992, p. 15-36, spécialement p. 24 à 30.

NORMANDEAU, A. et B. LEIGHTON (sous la direction de). «Police et société au Canada — Police and Society in

Canada», numéro spécial de la *Revue canadienne de criminologie — Canadian Journal of Criminology*, Ottawa, 1991, vol. 33, n°s 3-4, p. 239-585.

NORMANDEAU, A. et B. LEIGHTON. «La police communautaire en Amérique», *Revue internationale de criminologie et de police technique*, Genève, 1992, vol. 45, n° 1, p. 51-61.

NORMANDEAU, A. «L'évaluation de la police communautaire au Canada», *in* J. Borricand (sous la direction de), *La Prévention de la criminalité en milieu urbain*, Aix-en- Provence, Presses universitaires d'Aix-Marseille, 1992, p. 159-172.

NORMANDEAU A. «Police de proximité, police communautaire, police d'assurance pour l'an 2000», *Revue de droit pénal et de criminologie*, vol. 76, n° 6, Bruxelles, 1994, p. 707-733.

NORMANDEAU, A. «L'évaluation de la police communautaire en Amérique», *Revue internationale de philosophie pénale et de criminalité de l'acte*, Paris, 1995, vol. 5, n° 7, p. 157-172.

SKOGAN, W. «La Police communautaire aux États-Unis», *Les Cahiers de la sécurité intérieure*, Paris, 1993, n° 13, p. 121-149.

WILSON, J. et G. KELLING. «Les fondamentaux de la sécurité: vitres brisées», *Les Cahiers de la sécurité intérieure*, n° 15, Paris, 1994, p. 163-180.

C'est l'article-fétiche à la base de l'orientation communautaire. Il fut publié à l'origine aux États-Unis en 1982.

5. Collections spéciales: 1980-1995

Les cinq organismes suivants ont publié régulièrement depuis 1980 plusieurs travaux en matière de police communautaire (voir la liste de leurs publications):

— National Centre for Community Policing de l'Université du Michigan.

— National Institute of Justice (NIJ) du ministère de la Justice des États-Unis, Washington, DC.

— Police Executive Research Forum (PERF), un « think-tank » américain, Washington, DC.

— Police Foundation, un autre « thing tank » américain, Washington, DC.

— International Association of Chiefs of Police (l'Association des chefs de police nord-américains), Washington, DC.

— Le *Journal* du Collège canadien de police (en version française).

Le *Journal* est une revue bilingue (français-anglais) où tous les articles sont publiés simultanément (recto-verso) dans les deux langues officielles du Canada. Ce *Journal* a été à l'avant garde du mouvement de « police communautaire ». Les expressions « police sociopréventive » ou « sociopolicier » ont été souvent utilisées par ce *Journal* à titre d'équivalent du terme anglais : *Community Policing*. Voici les principaux articles du *Journal*, en version française, sur le sujet. Le *Journal* a « suspendu » sa publication en 1994 pour des raisons financières.

ASBURY, K. « Une police innovatrice », *Journal du Collège canadien de police*, 1989, vol. 13, n° 3, p. 180-197.

BRAIDEN, C. « Vols de banque et bicyclettes volées : réflexions d'un policier de la rue », *Journal du Collège canadien de police*, vol. 10, n° 1, 1986, p. 1-35.

KENNEDY, L. « L'évaluation de la police sociopréventive au Canada », *Journal du Collège canadien de police*, vol. 15, n° 4, 1991, p. 289-304.

LOREE, D. « Innovations et changements au sein d'un service de police régional », *Journal du Collège canadien de police*, 1988, vol. 12, n° 4, p. 215-255.

LOREE, D., B. RICHARDS et L. BUCKLEY. « Prendre le pouls de la population : le cas d'une petite ville », *Journal du Collège canadien de police*, 1989, vol. 13, n° 2, p. 140-149.

MUIR, G. « La crainte du crime dans la perspective sociopolicière », *Journal du collège canadien de police*, 1987, vol. 11, n° 3, p. 187-215.

SEAGRAVE, J. « La police sociopréventive et la nécessité d'acquérir des aptitudes en recherche policière », *Journal du Collège canadien de police*, 1992, vol. 11, n° 3, p. 212-220.

TOMOVICH, V. et D. LOREE. « À la recherche de nouvelles directions », *Journal du Collège canadien de police*, 1989, vol. 13, n° 1, p. 32-59.

WALKER, C. R. « Le poste de police sociopréventive : un exemple », *Journal du Collège canadien de police*, 1987, vol. 11, n° 4, p. 296-344.

6. Revues sur la criminologie et sur la police : 1990-1995

Québec

Criminologie, Montréal, Les Presses de l'Université de Montréal, depuis 1968.

Intersection, Bulletin d'information et de liaison sur la police professionnelle de type communautaire, Montréal, Collège de Maisonneuve — Ministère de la Sécurité publique du Québec, depuis 1994.

Canada

Revue canadienne de criminologie, Association canadienne de justice pénale, Ottawa, depuis 1958. Bilingue.

Journal du Collège canadien de police, CCP, Ottawa, de 1976 à 1993. Bilingue. Le Journal n'est plus publié.

The Vanguard, A Newsletter to Advance Problem-Oriented Policing, Vancouver, Police Academy — Justice Institute of British Columbia, depuis 1994.

France

Les Cahiers de la sécurité intérieure, Paris, IHESI, depuis 1990.

Revue de science criminelle et de droit pénal comparé, Centre français de droit comparé, Paris, depuis 1936.

Belgique

Revue de droit pénal et de criminologie, ministère de la Justice, Bruxelles, depuis 1907.

Suisse

Revue internationale de criminologie et de police technique, Association internationale des criminologues de langue française, Genève, depuis 1947.

Déviance et Société, Médecine et Hygiène (M + H), Genève, depuis 1977.

Angleterre

British Journal of Criminology, ISTD, Londres, depuis 1960.

Policing and Society, Harwood, Londres, depuis 1990.

États-Unis

Criminology, American Society of Criminology, Columbus, Ohio, depuis 1962.

Justice Quarterly, Academy of Criminal Justice Sciences, Washington, DC, depuis 1984.

American Journal of Police, Police Executive Research Forum (PERF), Washington, DC, depuis 1980.

Problem-Solving Quarterly, Police Executive Research Forum (PERF), Washington, DC, depuis 1990.

Subject to Debate, A Newsletter on Progressive Policing, Police Executive Research Forum (PERF), Washington, DC, depuis 1990.

Community Policing Exchange, A Newsletter of the Community Policing Consortium, US Department of Justice, Washington, DC, depuis 1995.

7. Rapports et travaux en langue française : 1990-1995

ARCHAMBAULT, S., B. CARTIER, et S. RIZKALLA. *Prévention communautaire du crime : une initiative novatrice du Service de police de la Communauté urbaine de Montréal*, Société de criminologie du Québec, Montréal, 1988-1990, 3 volumes.

BANVILLE, L. *Projet-pilote de police communautaire dans la MRC de Papineau*, rapport de stage à l'École de criminologie de l'Université de Montréal, en collaboration avec la Sûreté du Québec, 1991, 125 p.

BARBEAU, S. *Vers un processus permanent de consultation de la clientèle à la Sûreté du Québec*, mémoire de maîtrise en administration publique à l'École Nationale d'Administration Publique du Québec, 1992, 198 p.

BASTIEN, I. et S. TREMBLAY. *Les centres de services en sécurité publique : concepts théoriques et propositions de mesures évaluatives*, rapport de stage à l'École de criminologie de l'Université de Montréal, en collaboration avec le Service de police de Laval, 1992, 110 p.

BASTIEN, I. *La peur du crime et la police communautaire à Laval* (titre provisoire), mémoire de maîtrise en criminologie à l'Université de Montréal (en préparation), 1995-1998.

BAYLEY, D. *Gérer l'avenir : Perspectives d'avenir pour les services de police canadien*, Solliciteur général du Canada, Otttawa, 1991, 62 p. En version anglaise, également.

BOUCHARD, F. *La police communautaire à Sainte-Foy*, mémoire de maîtrise en criminologie à l'Université de Montréal, 1994, 173 p.

BOUCHARD, F. et M. CENTOMO. Série de travaux sur la police professionnelle de type communautaire, Institut de police du Québec, Nicolet, 1995-1996.

Castilloux, S. *Évaluation des services en sécurité publique de la ville de Laval par les citoyens*, mémoire de maîtrise en criminologie à l'Université de Montréal, 1995-1996, 133 p. et annexes.

DESBIENS, D. *La police communautaire à Montréal : bilan et perspectives* (titre provisoire), thèse de doctorat en criminologie à l'Université de Montréal (en préparation), 1995-1998.

FUSEY, L. *Les propositions de modes d'évaluation du rendement des policiers communautaires*, mémoire de maîtrise en criminologie à l'Université de Montréal, 1995-1996, 261 p. et annexes.

FUSEY, L. *L'évaluation de la police communautaire dans le district 1 du Service de police de la Communauté urbaine de Montréal*, Groupe de recherche sur la police québécoise (GRPQ) de l'Université de Montréal, 1995-1996, 125 p. et annexes.

GAUTHIER, C. *Évaluation de la formation en approche stratégique en résolution de problèmes (ASRP) élaborée par la Sûreté du Québec*, mémoire de maîtrise en criminologie à l'Université de Montréal, 1995-1996, 131 p. et annexes.

GUILMETTE, S. *Analyse qualitative des perspectives des acteurs participant au projet « Actions concertées en élaboration de solutions » (ACES) au District 31 du Service de police de la Communauté urbaine de Montréal (SPCUM)*, mémoire de maîtrise en criminologie à l'Université de Montréal, 1995-1996, 133 p. et annexes.

HORNICK, J. et collaborateurs. *Évaluation du programme de patrouille pédestre du Service de police d'Edmonton*, Solliciteur général du Canada, Ottawa, 1990, traduction-maison, 155 p. et annexes. En version anglaise, également.

KOLLER, K. *Le policier et sa ronde : la patrouille pédestre des quartiers d'Edmonton*, Solliciteur général du Canada, Ottawa, 1990, traduction-maison, 66 p. En version anglaise, également.

LEROUX, D. et M. THÉROUX. *Évaluation en matière d'approche communautaire : Centre de police communautaire*, Sûreté du Québec, Montréal, 1995, 59 p. et annexes.

MOUHANNA, C. *Étude sur l'expérience d'îlotage à Roubaix*, Institut des Hautes Études de la Sécurité Intérieure, Paris, 1991, 123 p.

TANDEM-MONTRÉAL. Série d'activités et de publications qui traitent de la prévention communautaire de la criminalité, Ville de Montréal, 1985-1995.

THÉROUX, M. et C. MÉTIVIER. Série de travaux sur la police professionnelle de type communautaire, en particulier sur les postes de police communautaire à la Sûreté du Québec, Sûreté du Québec, Montréal, 1995.

WALKER, C. R. et G. S. *Les postes de police sociopréventive à Victoria : une entreprise innovatrice*, Collège canadien de police, Ottawa, 1990, 88 p.

8. Rapports publics municipaux et provinciaux au Québec et au Canada : 1990-1995

Calgary

Community Policing in Calgary, Service de police de Calgary, Calgary, 1995, 70 p.

Canada

Ministère du Solliciteur général du Canada, 1990-1995. Voir le rapport de Normandeau et Leighton (1990) et la collection du Ministère (1994) mentionnés dans la première section de ce guide de lecture.

Gendarmerie royale du Canada. *L'Énoncé directionnel du Commissaire*, GRC, Ottawa, 1995, 25 p. Depuis 1990, une prise de position annuelle en faveur de la police communautaire.

Colombie Britannique

Policing British Columbia in the Year 2001, ministère du Solliciteur général de la Colombie Britannique, Victoria, 1990, 114 p. Une prise de position en faveur de la police communautaire.

Community Policing Advisory Committee Report, ministère du Solliciteur général de la Colombie Britannique, Victoria, 1993, 75 p. et annexes. Une prise de position en faveur de la police communautaire.

The Governance of Policing in British Columbia, ministère du Solliciteur général de la Colombie Britannique, Victoria, 1994, 2 volumes. Une prise de position en faveur de la police communautaire. Rapport Oppal.

Edmonton

Voir le rapport de Hornick *et al.* (1990) mentionné dans la section précédente du guide de lecture.

Community Policing in Edmonton, Service de police d'Edmonton, Edmonton, 1995, 50 p.

Halifax

Community Policing in Halifax, Service de police d'Halifax, Halifax, 1995, 125 p.

HICKMAN, A., président. *Commission royale sur les poursuites intentées contre Donald Marshall fils*, ministère du Solliciteur général de la Nouvelle-Écosse, Halifax, 1990, 3 volumes, dont une traduction-maison du résumé.

Laval

Planification des centres de services en sécurité publique, Service de police de Laval, Laval, 1992, 38 p.

Centres de services en sécurité publique : une nouvelle police d'assurance communautaire, Service de police de Laval, Laval, 1993, 10 p. (brochure). Voir également le rapport d'Isabelle Bastien et Sylvain Tremblay mentionné dans la section précédente du guide de lecture.

Montréal

Vers la police de quartier, Service de police de la Communauté urbaine de Montréal, Montréal, 1995, synthèse, 25 p. ; rapport, 150 p. et annexes.

Nouveau-Brunswick

Études sur les services de police au Nouveau-Brunswick, ministère du Solliciteur général du Nouveau-Brunswick, Frédéricton, NB, 1993, série de huit rapports. Une prise de position en faveur de la police communautaire. Rapport Grant. En version anglaise, également.

Ontario

Loi sur les services de police, ministère du Solliciteur général de l'Ontario, Toronto, 1990, 75 p. Une prise de position en faveur de la police communautaire. En version anglaise, également.

Shaping the Future, Ontario Provincial Police, Toronto, 1993, série de huit documents de formation en police communautaire.

Partenaires pour la sécurité publique, ministère du Solliciteur général de l'Ontario, Toronto, 1995, 25 p. Une prise de position en faveur de la police communautaire. En version anglaise, également.

Québec

La consultation de la clientèle à la Sûreté du Québec. Sûreté du Québec, Québec, 1993, 11 p.

Approche stratégique en résolution de problèmes, Sûreté du Québec, Québec, 1994, 18 p.

MALOUF, Albert, président. *Rapport de l'inspection de l'administration du Service de police de la Communauté urbaine de Montréal*, ministère de la Sécurité publique du Québec, Québec, 1994, 5 volumes, dont le chapitre 6 du volume I sur « La police communautaire », p. 77-85.

Toronto

Beyond 2000, Service de police de la Communauté urbaine de Toronto, Toronto, 1991, 37 p. Une prise de position en faveur de la police communautaire.

Vancouver

Community Policing in Vancouver, Service de police de Vancouver, Vancouver, 1995, 55 p.

Table des matières

LA POLICE ET LA PRÉVENTION DU CRIME

EN GUISE DE CONCLUSION

UNE POLICE D'EXPERTISE : LA MÉTHODE SARA
(situation, analyse, réponse, appréciation)

La police et la résolution de problèmes : un manuel pratique

Christopher Murphy

L'approche stratégique en résolution de problèmes :
un guide pratique

Sûreté du Québec

Étude de cas pour illustrer l'approche stratégique en matière
de police

Le bulletin Intersection

ACHEVÉ D'IMPRIMER
CHEZ
MARC VEILLEUX,
IMPRIMEUR À BOUCHERVILLE,
EN AVRIL MIL NEUF CENT QUATRE-VINGT-DIX-HUIT